プロセス・コンサルテーション
援助関係を築くこと

【著】── E.H.シャイン
【訳】── 稲葉元吉・尾川丈一

Process Consultation Revisited
:Building the Helping Relationship
Edgar H. Schein
Motokichi Inaba & Joichi Ogawa

東京 白桃書房 神田

Process Consultation Revisited :
Building the Helping Relationship

by

Edgar H. Schein

Copyright © 1999 by Addison-Wesley Publishing Company, Inc.
All rights reserved.

Japanese translation rights arranged with
Pearson Education Inc.
through Japan UNI Agency, Inc., Tokyo.

日本語版への序文

「プロセス・コンサルテーション再訪：援助関係を築くこと」の日本語版を出版できますことを非常にうれしく思っております。ある人が別の人を援助するということは，どこでも行われていることでありますが，そのことについてもっと良く理解しなければならないと私は確信するに至りました。親が子どもを，友人が友人を，上司が部下を，管理者が他の管理者を，コンサルタントがクライアントを援助しますが，それら全てにおいて私が言うところの「援助関係」を築くことができなければなりません。さもなければ，支援的であろうと精一杯努力しても，援助を受ける人はそのような努力に対して腹を立てたり，無視したりすることになります。

援助的であろうとすることはアートであります。心理学や社会学の確かな知識に基づいてはいますがそれでもアートです。私の文章が日本の読者にとって何らかの意味を持つことを期待します。日本では援助的であろうとするアートが非常に高く発展しているのを私はいつも見てきました。ある文化では援助的であると考えられていることが，別の文化ではそうではない場合もあり得るということを人々が理解し始めていますが，これは国際的な場面ではとりわけ重要なことであります。このため私は，読者に異文化の問題について考えてもらいたいと思い，対話に関する章を挿入しました。

本プロジェクトを引きうけてくれた稲葉教授と尾川博士に感謝申し上げます。お二人は，私が本書で伝えようとしていることを理解し，正当に評価してくださいました。

エドガー・H・シャイン

シリーズはしがき

　組織開発に関するアディソン・ウェスレー（Addison-Wesley）・シリーズは，1960年代後半に刊行が始まった。この当時，われわれの多くは，急速に発展しつつある「OD（組織開発）」の分野が，あまりよく理解されておらず，明確に定義されてもいないと感じていた。われわれはまた，ある１つのOD哲学というものが存在しないことも認識していた。そのため，当時はODの理論と実践についてのテキストを書くことはできなかったが，さまざまな実践家たちがその名のもとに行っていることを明確にすることはできた。そこでODシリーズの最初の６冊は，その後に引き継がれていく事業となったものを送り出したのであるが，それらは基本的に，明らかに急成長中のひじょうに多様な分野を，ひとつの傘下にまとめるというよりは，いろいろな著者たちにそれぞれの考えを述べてもらうというものであった。

　1980年代の初めまでに，ODはとんとん拍子に成長し，あらゆる種類の組織領域や介入の技法へと広がっていた。このときまではその分野における中核的な概念を残そうとする多くのテキストが存在していたが，変化や革新というのがODのより特徴的な側面であり続けるものとわれわれは感じた。したがってわれわれのシリーズは19ものタイトルへと拡大してきた。

　1990年代に入ると，われわれはODの隠された諸仮定の中に，ある程度の現実的な合意を見出しはじめた。多様な組織や職業集団で専門家が自分の主張を通すのにいかに異なったやり方をしているかを観察してくる中で，われわれは組織開発の単一の「理論」を持つにはいまだに程遠いと考えている。とはいえ，いくらかは共有できる前提（premises）が浮上している。作用しているものとしていないもののパターンを見出せるようになり，さらに，これらのパターンをより明確に表現できるようになっている。われわれはま

たODの分野を，ますます，情報技術，調整理論，組織理論といった，他の組織科学や原理と結びつけて考えられるようになってきた。

　90年代の初めに，われわれは重要な新しいテーマを記述するために，ODシリーズにいくつかの新たなタイトルを付け加えた。Ciampa の *Total Quality*（『総合的品質』）は，継続的な進歩には雇用者の関与が重要な関連を持つことを指摘している。Johansen 他の *Leading Business Team*（『ビジネスチームを率いる』）は，チームワークのための電子情報ツールという新たな土壌を開拓するものである。Tjosvold の *The Conflict-Positive Organization*（『対立を生かす組織』）は，対立を管理することで，いかにして対立を建設的な行動に変えてしまうかを示すものである。そして Hirschhorn の *Managing in the New Team Environment*（『新しいチーム環境における管理』）は，集団の心理力動学説（group psychodynamic theory）への掛け橋となるものである。

　1990年代の半ば，われわれは4冊の改訂版と3冊の新刊を出し，明らかになりつつあるテーマを開拓しつづけた。Burke は，ひじょうに成功した彼の著作 *Organization Development*（『組織開発』）を，さらに時流に即した幅広い内容を持たせた，新たな領域へ結びつけた。Galbraith は *Competing with Flexible Lateral Organizations*（『柔軟な横断的組織との競合』）の改訂版で，いかに情報管理が組織デザインの中心を占めているかという彼の古典的な理論を，より今日的なものとし膨らませている。さらに Dyer は，その古典的著書 *Team Building*『チーム・ビルディング』の第3版を書き上げ，重要な記述を行った。加えて，Rashford と Coghlan は，組織の複雑さのレベルという重要な概念を紹介した。この概念は，彼らの著書 *The Dynamics of Organizational Levels: in Creating Labor-Management Partnerships*『組織レベルの力学：労使間の協力関係を築く』で，介入の論理のもととなっている。Woodworth と Meek は，労使関係を良くする上で OD〔組織開発〕がいかに役に立つかに関して，きわめて重要な指摘をしてくれている。グローバルに競争するためには生産性の問題がきわめて重大になってきており，彼らが指摘したことはますますその重要性が増大している。*Integrated*

Strategic Change『統合的戦略変革』では，著書の Worley, Hitchin, および Ross は，戦略の計画及び実行の各段階での OD の役割を振り返ることによって，OD の分野と戦略の分野とがいかにつながっていなければならないかを力強く述べている。最後に，Argyris と Schön の 2 人は，その古典的な著書 *Organizational Learning II: Theory, Method, and Practice*『組織学習 II：理論，方法，及び実践』の最新版で組織的な学習との重要なつながりを指摘している。

さて，OD の領域について考え，それが21世紀にどのような意味を持つかを引き続き考えていく中で，OD のもともとの概念とこれらの概念を応用できるより広い分野との関連が増大していることを反映して，さらにいくつかの書籍を追加したい。Rupert Chisholm の *Developing Network Organizations: Learning from Practice and Theory*『ネットワーク組織の開発：実践と理論からの学習』は，OD とコミュニティー・ネットワークを築くことのつながりを探索し，説明している。Cameron と Quinn はその新しい著書 *Diagnosing and Changing Organizational Culture*『組織文化の診断と変革』で，ある 1 つのモデル及び技術を探索し，いかにして文化という重大な概念に辿りつき，この概念をいかにして専門家が実践の場で活用すべきかを検討している。

最後に，プロセス・コンサルテーションというテーマは，OD において中心的テーマであり続けた。これからもさまざまの援助関係において関わりを持ち続けることを確認した。*Process Consultation Revisited: Building the Helping Relationship*『プロセス・コンサルテーション再訪：援助関係を築くこと』の中で，Schein は徹底的にこの概念を見直し，改訂した。これをするに当たって，彼は支援プロセスの一般的なモデルとしてプロセス・コンサルテーションに焦点を当てた。彼はこの改訂版で，これまでの著書から題材を引用し，なおかつ新しい概念と新たな事例を付け加えている。

組織開発に関するこのシリーズは，今では30冊を越えている。今後も新しい著書，古い物の改訂版が出されることを歓迎する。ますます激動の度合いを深めている環境において効果的でありつづけるためにも，組織開発のさま

ざまな最前線を探索し，組織を支援するという常に困難を極める問題に関連する主題を明らかにしていきたい。

ニューヨーク州ニューヨーク　　　　　　　Richard H. Beckhard
マサチューセッツ州ケンブリッジ　　　　　　Edgar H. Schein

まえがき

　私は最初1969年にプロセス・コンサルテーションを書いたが，それは，私が組織のクライアントとともにしている仕事を，研究仲間に真から理解してもらえていないという不満の気持からであった。今あらためて私は，コンサルティングでの同僚や，私が手を差し延べようとしている管理者たちが，いまだにプロセス・コンサルテーションの本質を理解していないという不満を抱いている。プロセス・コンサルテーションとは，初期の頃型にはまって受け取られたような，集団で働くための技術とか一連の介入といったものではない。それは，たんに組織的な環境に適用される非指示的カウンセリングのモデルでもない。それは，ひとつの職業やフルタイムの仕事ではない。むしろそれは「援助すること」の哲学であり，いかにして支援的になるかの技術ないしは手口なのである。

　援助は，われわれの友人，配偶者，子ども，同僚，上司，部下，さらには人生のさまざまな状況で見知らぬ人からさえも求められるのである。プロセス・コンサルテーションの哲学が関係してくるのは，援助が求められているとわれわれが感じたり，あるいは面と向かって援助を求められている時である。しかし，援助することを職業としているすべての人々が学んできたことであるが，援助を必要としていることを人が認めたり，援助が差し延べられた時にそれを受け入れるのが容易でないのと同様に，援助を与えるのもまた容易ではないことが分かった。それゆえ，プロセス・コンサルテーションを理解するためには，援助関係のダイナミクスについて今まで以上に心理学的または社会学的な洞察を持つことが必要である。

　この本の以前の版を書いた時点では，私は，援助を与えたり受けたりすることについて読者は当然多くのことを理解しているものと考えていた。しかし，私の学生やクライアントや同僚に一番欠けているのはまさにその領域で

あることに気づいた。この改訂版のことを考えはじめたとき，援助しようとしてきた40年間の経験によって私は援助のプロセスそのものについていくらか新しい展望を持つに至ったことに気づいた。そのため私は考え直して，これまで出した2冊の著書の3訂版を書く代わりに，援助関係のもっと一般的なモデルの創出をとくに目指す，新しい本を書くことにしたのである。この本で用いられている素材の多くは以前の2冊の著書から引用されているが，この本は全体的にまとめなおしてある。今後も組織的変化，学習，リーダーシップ，集団間力動，その他組織開発それ自体に関わるトピックに関して，このような素材を使って続編を書く余地が残してある。この本では，私はコンサルタントとクライアントの1対1での，また小グループでの関係に，よりいっそう焦点を当てている。私の意図は，組織のコンサルタントが何をするかということだけでなく，あらゆる種類の援助のためのモデルを提供することである。治療者，ソーシャルワーカー，高校のカウンセラー，コーチ，親，友達，管理者，そして援助しようとしている人なら誰にとっても，これは役に立つアイデアであり，ガイドラインであり，原則となるはずである。

　ある人が援助を必要とし求めるとき，援助者と「クライアント」のあいだには困難を伴うダイナミクスが生じる。というのは援助者は自動的に専門家の役割を演じさせられるからである。援助者はクライアントに欠けている何かを備え持っており，その何かを授けたり，保留して置いたりの権限を付与されているはずだということが，暗黙の前提となっている。このために援助者が自らを専門家とみなすようになるばかりでなく，援助者が自動的にクライアントに対して有力な位置についてしまうことになる。この最初の不均衡の関係こそが，実際に援助を提供する際にわれわれが理解し評価し，扱わなければならない，心理的なダイナミクスの源なのである。

　同時に，援助を求めたり受けたり与えたりすることが何を意味するのかという文化的なダイナミクスのため，とりわけそれらが通常の文化的許容範囲を越えているような率直でオープンな態度である場合は，援助するという関係の社会学的なダイナミクスを理解することが必要となる。この著書において，私は臨床心理学と社会心理学ばかりか社会学や人類学をも含む私のこれまでの経歴から，より広い視野を持つ見方をひとつにまとめることができた。

言い換えれば，私はこの著書において，心理学的，社会学的ダイナミクスの理解を踏まえて，援助することの一般的な理論と方法論を探求しようとしているのである。それを表わす概念と方法を選ぶに当たっては，さまざまな援助場面での40年間の体験が反映されている。ここに述べた概念と方法が読者にとっても助けになれば幸甚である。

マサチューセッツ州ケンブリッジにて
　　　　　　　　　　　　　　　　　　　　　　　　　　　　　E. H. S.

謝　辞

　長年にわたって多くの人々が私の考え方に影響を与えてきたが，Douglas McGregor と Alex Bavelas と Richard Beckhard 以上の人たちはいない。McGregor も Bavelas も，私が1952年に初めて MIT のセミナーに参加したとき，そこで教えていた。そして1956年に私がそこに助教授として戻ったとき，学部内での指導者としての役割をしてくれた。Dick Beckhard とは1957年に出会い，最初はベセルでその後彼が助教授となった MIT で，親しく働かせてもらった。Warren Bennis は1958年に MIT のわれわれのグループに加わり，やはり近しい同僚かつ共同執筆者となった。私が何よりもこれらの師や同僚たちから学んだことは，およそ人間の関わることにおいては，指図するのでなくて，その人たち自身に自分が何を必要としているかを発見させ，しかるのちに彼らがそこに向かって進んでいくのに力を貸してやるのがベストだということであった。人の動機や態度や思考をほんとうにコントロールすることなどできるものではない。だがもしその人が必要としているものとは何かをその人自身に発見させてやることができれば，とりあえず彼らと提携することができるし，たぶん自分自身の要求をその人たちの要求と統合することさえできるのである。

　Alex Bavelas の逸話はいつも私の心に刻まれている。1950年代の初めに MIT で教えていたとき，彼は最初の授業でこう宣言したものである，「私は Alex Bavelas です。私のオフィスは廊下の突き当たりにあります。このクラスで自分が何を学びたいかが分かったら，私に会いに来てください。」それから彼は出て行ってしまい，代表として派遣された数人の学生が呼びに行くまで戻ってこないのだった。数週間の「テスト」期間をへて，学生たちは彼が本気であることを悟り，自分たちが何を求め，必要としているのかを解明する作業に取り掛かり，残りの学期すばらしいクラスになるのだった。私

はこの逸話をいつも Kurt Lewin や Carl Rogers にさかのぼる哲学の原型と考えている。それは，学ぼうとする者は自らが学ぶということに深く関与すべきであり，結局，人はその人が自ら助けるのを助けることしかできないということなのである。この哲学の精神は，ずっと組織コンサルタントとしての私の座右の銘になっているが，それを実際にどう行うかを何度となく見せてくれたことに対して，Dick Beckhard にはとくに感謝している。

私は Dick からもう1つ大きなことを学んだ——人間に関わることの管理とは，大部分はプロセスを立案し管理するという問題だということである。援助者が真に専門家たらねばならないのは，プロセスの立案と管理，とりわけ立案の部分においてなのである。ベセルで働いていた15年間に，私は3週間，2週間，1週間といった人間関係のワークショップや会議を，どう企画するかを学んだ。コンサルティング業務の中で，教育的な介入やワークショップをどのように企画するかを学んだ。企画ができないということは，管理者や教師やコンサルタントが直面する，もっとも大きな問題の1つである。Dick はそうした企画の技能を，舞台監督としての日々から自然に身につけた。彼は他のどんな人にも増して，正しい結果を手に入れるためには企画がどれほど重要であるかを教えてくれた。彼がついに彼自身の物語（R. Beckhard, *Agent of Change*（『変革推進者』），Jossey-Bass, 1997）を書き，他の人々も彼の洞察から益を得ることができるようになったことは，幸運である。

本書を再考し書き直しを始めた時，私は非常に異なるタイプの同僚であり，またわれわれ専門家集団の中では若手である，Otto Scharmer から力を借りた。彼はプロセス・コンサルテーションに興味を持ち，私が書き進めるにつれてそれらの章に目を通すことを進んで引き受けてくれた。彼は，才能ある社会科学者でもある妻 Katrin とともに読んでくれ，この本がどのように展開しているかについて，2人のあいだで細部にわたるフィードバックをしてくれた。彼らのこの援助に対して私はたいへん感謝しており，彼らが提案してくれた多くのアイディアはこの本の中に生かされている。

私の批評家である Warner Burke, Michael Brimm, および Dick Beckhard は，多くの貴重な提案を寄せ，励ましてくれた。また別の同僚でもあり友人である，ダブリン大学の教授の David Coghlan も原稿を読み，この

本に織り込まれることになった貴重な提案をたくさん寄せてくれた。彼はプロセス・コンサルテーションと組織開発に関するセミナー活動によって，これらのアイデアを発展させる上で特別な役割を果たしてくれた。彼のセミナー活動はごく最近，次の2冊の著書にまとめられた（Rushford, N. S. & Coghlan, D., *The Dynamics of Organizational Levels*（『組織レベルにおけるダイナミクス』），Addison-Wesley 社，1994年および D. Coghlan, *Renewing Apostolic Religious Life*（『使徒的宗教生活の復活』），Dublin: The Columba Press, 1997年）。

私はまたほぼ50年来の同僚であり友人である Don Michael とともに，「学ぶこと」の意味と取り組み，何時間も啓発される時を過ごしたが，組織が学習することと，それのプランニングとの関係に関する彼の研究は，世間がそれを認知し取り扱うようになるずっと以前から，一分野を開いていた（D. Michael, *Learning to Plan and Planning to Learn*（『立案を学習し学習を立案する』（改訂版），Alexandria, VA: Miles River Press, 1997）。

何年にもわたって私のクライアントであった方々は，私に多くのことを教えてくれた。なかでも何人かはとくにずっと力になってきてくれた——General Foods 社の Betty Duval, Digital Equipment Corporation 社の Ken Olsen と John Sims, Ciba-Geigy 社の Jurg Leupold, それにもっとも最近では Con Edison 社の Peter Lanaham と AMOCO 社の Laura Lake である。これらの人々と体験を分かち合い，彼らの顧客システムに適した今後の学習経験を立案することは，私自身にとって常に大いなる学習材料を提供される場であった。

本を書くということは，つねに高度な精神集中を余儀なくされる，負担の重い体験である。執筆上の問題を解決できずに考え込んでいるあいだ，肉体はそこに存在していても心理的にはいないも同然であった果てしない時間を我慢してくれた妻 Mary に，一番感謝したい。彼女の支えなしにはこの本を書き終えることはできなかっただろう。

Edgar H. Schein
マサチューセッツ州ケンブリッジ

目　次

日本語版への序文
シリーズはしがき
まえがき
謝辞

第Ⅰ部　プロセス・コンサルテーションの定義

第1章　プロセス・コンサルテーションとは何か？ ─── 5
コンサルテーションのモデルとそれが拠り所とする
　暗黙の仮定 ……………………………………… 8
事例／実習 ……………………………………… 31

第2章　援助関係における心理力動（サイコダイナミクス） ─── 41
援助関係における最初の立場上の不均衡 ……… 42
相互受容の段階を通しての関係の構築 ………… 51
実習 ……………………………………………… 56

第3章　立場を均等化するプロセスとしての
　　　　積極的質問と聴き取り ─── 57
積極的質問の諸タイプ ………………………… 60

評価的質問の概念 ……………………………………………… 77
　　事例／実習 …………………………………………………… 83

第4章　クライアントの概念 ─────────────── 89

　　誰が？　クライアントの基本的諸タイプ ……………… 90
　　何を？　問題や課題のレベルによるクライアントの役割 …… 91
　　クライアントとして影響を受ける対象になることとノン・
　　　クライアントが及ぼす影響 ………………………… 106
　　事例／実習 ………………………………………………… 110

第II部　隠れた力とプロセスを読みとること

第5章　内面のプロセス：ORJI ──────────── 121

　　より現実的な ORJI サイクル ………………………… 129
　　いかにして罠を避けるか ……………………………… 131
　　事例／実習 ………………………………………………… 137

第6章　対面関係の力 動(ダイナミクス)：相互作用と
　　　　　コミュニケーションの文化的なルール ─────── 141

　　そもそも何故人々はコミュニケートするのか？ ……… 141
　　ドラマとしての人間的交流 …………………………… 148
　　人間の尊厳：フェイス・ワーク（面目保持）の
　　　ダイナミクス ………………………………………… 151
　　実習 ………………………………………………………… 167

第III部　学習サービスの提供における介入

第7章　コミュニケーションと計画的なフィードバック——173

 コミュニケーションのレベル …………………………………174
 DLP（計画的学習プロセス）としての
  計画的なフィードバック …………………………………179
 計画的なフィードバックの原則とガイドライン …………183
 事例／実習 ……………………………………………………195

第8章　促進的なプロセス介入：
   集団における課題プロセス——199

 プロセスとは何か？ …………………………………………200
 集団の問題解決と意思決定 …………………………………208
 集団の意思決定の方法 ………………………………………215

第9章　促進的なプロセス介入：個人間のプロセス——235

 集団の形成と集団維持のプロセス …………………………235
 集団の成熟度 …………………………………………………261
 どこに介入するのか？：課題にか個人間にか？
  内容にかプロセスにか構造にか？ ………………………263
 事例／実習 ……………………………………………………265

第10章　促進的なプロセス介入：対話——273

 対話と感受性訓練 ……………………………………………275
 事例／実習 ……………………………………………………291

第IV部　プロセス・コンサルテーションの実際

第11章　実際のコンサルテーション：
　　　　　参加，環境，方法，および心理的契約 ────── 299

　　最初の接触と参加 ……………………………………300
　　関係を明らかにすること：予診会議 ………………301
　　コンサルティングの環境設定とその方法 …………306
　　心理的契約 ……………………………………………317

第12章　プロセス・コンサルテーションと
　　　　　援助関係の展望 ─────────────── 325

　　プロセス・コンサルテーションの本質としての10の原則 …325
　　結びにかえて（個人的なメモ）………………………332

　　訳者あとがき …………………………………………335
　　参考文献 ………………………………………………339
　　索　　引 ………………………………………………345

第Ⅰ部
プロセス・コンサルテーションの定義

　この第Ⅰ部では，プロセス・コンサルテーションの基礎概念を定義し，主要なその他のコンサルテーション諸概念と比較する。プロセス・コンサルテーションとは，個人，集団，組織および地域社会を援助するプロセスに関する哲学および態度である。それは単にほかの技法と比較対照される一連の技法というだけではない。プロセス・コンサルテーションは，組織の学習や開発にとって，鍵となる哲学的基盤である。なぜなら，コンサルタントが組織を支援しようとして行うことの大部分は，人にできるのは，人間システムが自らを助けようとするのを支援することだけだ，という仮定がその中心にあるからだ。コンサルタントというものは，問題を解決するために組織のメンバーはこれこれのことをなすべきである，と具体的に勧告できるほど，その組織の特殊な状況や文化について熟知していることは決してない。

　その一方，ひとたびクライアント側のシステムとのあいだに，効果的な援助関係が築かれるならば，クライアントとコンサルタントは一緒に状況を診断し，適切な対策を展開することができる。そういうわけで，プロセス・コンサルテーションの究極の目標とは，効果的な援助関係を樹立することである。効果的な援助関係を打ちたて維持していくために援助者／コンサルタントは何を知る必要があり，どのような技能を伸ばしていく必要があり，どのような姿勢を保つ必要があるのか，また，この援助することの哲学を実行す

るに当たっては，何をする必要があるかということこそ，この本が焦点を当てている主要課題である。

　援助関係を築き維持する能力は，諸々の人間が抱える広範囲の状況に適用できる。そういう関係を築くことが，治療やカウンセリングやあらゆる形態のコンサルティングにとって中心となる課題である。けれどもそれは，援助することがその関係にとって主要な機能である状況にだけ限られているわけではない。効果的な援助者たる能力は，配偶者同士，友人同士，管理者とその上役，部下，同輩のあいだ，親とその親や子どもとのあいだ，教師と学生のあいだにも応用できる。時には援助ははっきり懇願されるが，暗黙の要請しかなくても援助の必要性を感じることもあり，また時には本人自身は援助の必要性に気がついていなくても他の人が必要性を感じ取ることもある。その時点でさっと応えることができる能力，援助を懇願されたり，単に援助が必要であると気づいただけの時にでも援助者の役割を担うことのできる能力は，共感的であり信頼できる人間であるために必要とされる中心的な要件である。それゆえ，プロセス・コンサルテーションの哲学と方法論は，あらゆる人間関係の中心をなすものであり，形式的に援助者／クライアントとして定義される関係に限ったことではないのである。

　これから述べる概念のことを考えるとき，読者には，家庭や職場といった日常の生活場面の視点から考えてほしいと思う。援助関係に関する私のもっとも重大な洞察は，組織での公のコンサルティング場面ではなく，家族や友人との場面から得られたものである。また公のコンサルティング場面においても，人々が何らかの関係を樹立しようとして相互作用する際の人間的な現実に焦点を当てないで，「技法」や「方法」にとらわれすぎたなら，うまくいかないことにも私は気づいてきた。ちょうど芸術家が何かを表現するには，その前に観賞能力を養わねばならないように，援助者は，援助可能な関係が形成される際に何が進行しているかを理解することを学ばねばならない。

　以下の諸章で私が意図していることは，読者がより明確に理解するのを助け，何が行われているかについてどのように考えるべきかの概念および単純化したモデルを提供することである。第1章では，いくつかの基礎的な定義を示し，基本的に異なる3種類のコンサルティング／援助の役割を比較検討

する。第2章では，少し掘り下げて，援助者と援助される者に生じるいくつかの心理的ダイナミクスの問題点を明らかにする。第3章では，援助関係をどのようにして築くかという課題のために，これらの心理的ダイナミクスの持つ意味を扱い，「積極的な質問 active inquiry」という概念を導入する。第4章では，「クライアント」という概念をどう考えるかという問題を扱い，とりわけ組織や地域でのコンサルテーションで生じてくる，いろいろなタイプのクライアントの状況を見極める。次に第2部では，コンサルテーションを進めていくと出会う人間的な現実の意味をコンサルタントが理解するのを助ける，いくつかの概念や単純化したモデルの検討に入る。

　私は援助が必要とされたさまざまに異なる場面を経験してきたが，そうしたあらゆる場面全般に当てはまるいくつかの**一般的な原則**を持つようになった。私はそれらの原則をいろいろな章で明確に示し，援助者として考えることを学ぶ際にそれらが持つ中心的な重要性を強調するために太字で示すことにした。

第1章

プロセス・コンサルテーションとは何か？

　この本は，ある人がほかの人を援助しようとするときに関わってくる心理的社会的なプロセスに関するものである。治療者が一人の患者を援助しようが，集団で作業しようが，親が子どもを援助しようが，友人が友人を援助しようが，組織のある側面を改善するために組織内のコンサルタントが管理者とともに作業しようが，そこには同一の基本的なダイナミクスが起こっている。援助する者と援助される個人もしくは集団のあいだに進行しているのは，私がプロセス・コンサルテーション，縮めて PC と呼んでいるものなのである。

　強調点は「プロセス」にある。なぜなら私は人々の間および集団内で物事がいかになされるかは，何がなされるかと同じくらい——あるいはそれ以上に重要だと信じているからである。いかにということ，つまり「プロセス」は，通常，われわれの真の意味をわれわれが語る言葉の内容以上に明確に伝えてくれるものである。しかしながらプロセスはしばしばわれわれにとってなじみが薄い。われわれはプロセスについて考えたり，進行中のプロセスを観察したり，意図することを成し遂げるプロセスをデザインするのは下手である。事実，われわれは，成し遂げたいと思っていることを実際には損なってしまうようなプロセスを企画したり，それに乗ってしまったりすることが多い。したがって，個人間や集団，組織，地域社会のプロセスに気づくようになることは，人間関係や集団や組織の機能の仕方を改善しようとする努力にとって本質的なことである。

私は，PCとは何かということと，日常生活や組織の開発，変化および学習においてそれが果たす役割について述べるつもりである。どのような形のコンサルテーションも，ある人がほかの人を援助しているということを意味しており，それゆえ，この分析においても，取上げた人的場面において何が助けになり何がならないかを読み取ることに焦点を当てている。また私は，PCは，どのような組織開発（OD）や学習においても，その始まりから全経過を通して起こっている主要な活動の1つであると考える。組織開発とは，計画された全組織規模でのプログラムと定義されるのが普通であるが，その個々の部分はふつうコンサルタントが個人や集団と組んで実行する活動から成り立っている。これらの活動が実行されるときのモードは，PCの基礎となる仮定を反映している。また近年組織の学習や組織の変化が強調されるようになったことによって，PCがこれらの特定の活動とどのように関係しているかを示し，これらすべての組織的なプロセスに関係している援助のモデルと理論を確立する必要が出てきた。それでも中心的な焦点は相変わらずODにある。というのは，私は組織開発とは学習や変化をも含む全般的なプロセスだと考えているからである。

　どのような組織改善計画にとっても，中心を占めるのは，個人個人であるいは集団で，あるいは個人と集団とで，学習や変化が起こり得るような状況を創り出すことである。それでは，コンサルタントは，どのようにして学習と変化への心の準備を築き上げるのか？コンサルタントは，どのようにして，学習や変化を促進するトレーナー，教師，指導者，あるいはコーチの役割を果たすのか？コンサルタントはどのようにして，全組織規模でのプログラムを計画する一部として，組織の主だった個々人とともに働くのであろうか。また同時に，主だった個々人の内部にある不安や懸念がその努力全体の成否に影響するかもしれない場合，いかにしてカウンセラーとして働くのであろうか？

　私はこれら及びその他の疑問を扱っていく中で，コンサルテーションが実際にどの程度助けになるかは，コンサルタントがその瞬間瞬間に作用するよう選択するモードによって，大きく異なることを示してみようと思う。コンサルタントは，次の3種類が識別できるようにならなければならない。(1)専

門家としてのコンサルタントの立場から，クライアントに何をすべきかを告げること，(2)コンサルタントが気に入っている解決法を売り込むこと，もしくはコンサルタントが使い方を知っているツールを利用するよう売り込むこと，(3)クライアントにとって助けになると最終的には双方から認知されるようなプロセスに，クライアントを関わらせること。これから分かってくるように，これらの三種のモードには，「援助すること」とはどういうことかについて，それぞれ根本的に異なる基本的モデルがその根底にある。またそれぞれのモデルは，今度は現実や援助の性質についてそれぞれ全く異なる暗黙の仮定に基づいている。

　コンサルテーションの分野は近年著しい成長を遂げたが，コンサルタントに関する概念上の混乱はいまだにある――組織のために彼らは実際には何を行うのか，どんなふうに取り組むのか，援助を与えることについてどのような暗黙の仮定を持っているのか。例えば，自らを組織のコンサルタントと自認する人たちは，情報を提供し，特殊な診断ツールを用いて情報を分析し，複雑な問題を見極めたり診断したりし，問題の解決策を勧告し，管理者にとって難しいあるいは不人気な決定を下すのを援助し，管理者に支持や励ましを与え，あるいはこうした活動をいろいろに組み合わせて行う。

　コンサルテーション・プロセスの分析家の多くは，プロセスがうまくいくのは，クライアントが自分の求めているものを正確に把握しており，コンサルタントがその問題に適した特定の勧告を伝えることができた場合だけであると主張している。[1]クライアントが結果に失望するようなモデルでは，クライアントが自分の望んでいることを明確にしていなかったからだとか，コンサルタントの勧告に従おうとしなかったからだとかいって**クライアントの側が責めを負う**ことになる。けれども私の経験では，援助を求めている人は自分の求めているものが分かっていないことが多く，分かっていることを期待しては本当はいけないのである。その人に分かっているのは，何かがうまくいっていないとか，何らかの目標が達成できていないということ，そしてそ

---

1) 「彼」または「彼女」という言葉については，本書では，これを自由にかつ差別なく用いるつもりである。

れゆえ何らかの援助が必要だということだけなのである。そういうわけで，どのようなコンサルテーション・プロセスでも，何が問題あるいは課題であるかをクライアントが理解するのを支援する，という重要な仕事が含まれねばならない。そして──その後でのみ──さらにどんな援助が必要なのかを決定するのである。組織の中の管理者はしばしば，全てがうまくいっているわけではないとか，物事はもっとよくなるはずだと感じるけれども，漠然とした感覚を，具体的な行動を導き出す明確な洞察に変換するツールを持ち合わせてはいないのである。

これから私が詳しく描き出そうと思うコンサルテーションのモードは，特にちょうど今述べたような状況を扱っている。PC のモードで働くコンサルタントは，何が間違っているのか，何が必要とされているのか，あるいはコンサルタントは何をすべきであるかを管理者が理解していると仮定したりはしない。プロセスが建設的に動き出すために必要なのは，ただ誰かが物事のあり方を改善したいと望み，進んで援助を求めようとしているということだけである。そうすればコンサルテーション・プロセスそれ自体に助けられて，クライアントは診断的手法を定義でき，その手法によって究極的には状況を改善する行動プログラムや具体的変更へと導かれていく。

◆コンサルテーションのモデルとそれが**拠り所とする暗黙の仮定**

それぞれのコンサルテーションや援助プロセスの違いを知ろうと思えば，クライアント，援助の性質，コンサルタントの役割，クライアントとコンサルタントが働いている現実の根本的性質についてそれぞれが持っている暗黙の仮定を分析するのが一番良い。以下で論じる 3 つの基本的モデルは，働くモードの違いと考えることができるし，コンサルタントがクライアントを援助する際に働く 3 種類の異なる役割として定義することもできる。これらのモデルはまた，日常生活の中で，子どもや配偶者や友人に援助を求められたときの応じ方にも応用できる。3 つのモデルを明確に区別する主な理由は，援助者は一瞬一瞬にどの役割をとり，どの援助モデルを用いるかを選択しな

ければならないからである。だが、3つのモデルのすべてが援助こそコンサルテーションの第一義的な機能であるとしている。援助という概念に焦点を当てることが、今回のコンサルテーションへの取り組み全般にわたって中心的課題となるので、他者をいかに扱うかの包括的な原則を、最初に述べておく必要がある。

原則1：常に力になろうとせよ。

　コンサルテーションとは援助を提供することである。だから、もし私に力になってやろうとかそれと取り組もうという気がないなら、援助関係をうまく作り出すことなど望めないのは明らかである。可能である限り、どんな接触も支援的であると認められるようでなければならない。

　しかしながら、3つのモデルはどのような状況においても援助の性質に関してそれぞれ非常に異なる仮定の上に成り立っており、それらは潜在的には非常に異なる結果をもたらすのである。援助が求められたり差し出されたりしているどのような場面でも、われわれは実際に何が進行しており、どういう援助役を採用すべきかについて明確にする必要がある。一度に3つの役割をとることはできないのだから、瞬間瞬間にどの役割をとりたいと思っているのか意識しながら1つだけを選ぶべきである。この意識は、今作用している現実を見抜き体験する能力や、その現実に立脚して行動する能力に支えられている。「現実」と言うとき、私が意味しようとしているのは、私の中で何が進行しているか、その状況における相手の人あるいは人々の中で何が進行しているか、およびその場面がどういう性質のものであるかに関して意識した事柄である。今―ここでのデータよりもむしろ、希望的観測、固定観念、予測、期待、事前の計画、その他過去の概念や心理的な欲求に基づいたあらゆる力によって、どのようにすれば一番助けとなるかの賢い選択を妨げられることがよくある。

　この現実についての概念にもまた、われわれが働く外的現実は文化や思考

によって作り出されるのだという認識論的仮定が作用している。それゆえ，われわれは今進行しているものを共同で明確にする果てしないプロセスの中にいるのである。コンサルタントも援助を求めている人も，関係や文化的な文脈と切り離された客観的な外的現実など捉えることはできない。けれども彼らはいっしょに，彼らの今現在の仮定と知覚からどのようにしてそうした現実が生み出されたのか，クライアントのその状況を改善したいという意図に沿ってそうした現実をどうすれば一番うまく扱えるかを見積もることならできる。それゆえ援助者／コンサルタントの行動を導く2つ目の包括的な原則は，いつでも今－ここでの現実を扱うということである。

原則 2：常に目の前の現実との接触を保て。

　私の内部やクライアント・システム内で進行している現実を知らなければ，私は力になれない。したがって，クライアント・システム内のどの人との接触でも，クライアント・システムの今－ここでの状態や，クライアントと私の関係についての診断的情報を，クライアントと私の双方に提供するようにすべきである。

モデル1：

情報－購入型　すなわち専門家モデル：売り込むことと教えること

　教え，売り込むというコンサルテーション・モデルでは，クライアントは，自分では供給できない何らかの情報ないし専門的なサービスを，コンサルタントから購入するのだと仮定している。買い手はふつう個々の管理者であったり，組織内の何らかの集団の代表者であるが，要求を特定し，その組織にはその要求を満たす資源も時間もないという結論を出す。それからその人はその情報なりサービスなりを提供してもらうために，コンサルタントに頼ろうとする。例えば，管理者は特定の消費者集団がどう感じているかとか，新しい人事政策に従業員集団がどう反応しそうかとか，ある特定の部署の勤労意欲はどんな状態にあるかといったことを知りたがるかもしれない。そこでその人はコンサルタントを雇い，面接や質問紙による調査をしてデータを分

析してもらう。

　また管理者は，特定の集団を組織する方法を知りたがり，コンサルタントに，他社はそういう集団をどうやって組織しているかを調査するよう依頼するかもしれない――例えば，現在の情報技術力のなかで経理や管理の機能をどのように組織するかなどである。あるいは管理者は，競争相手の会社のマーケティング戦略や，製品の価格がどの程度生産コストによって決まっているのか，研究開発部門をどう組織しているか，典型的な工場ではどれくらいの従業員を雇い入れているか等々といった，特定のことを知りたがるかもしれない。その場合，管理者はコンサルタントを雇い入れ，他社のことを研究させ，他社についてのデータを持ってこさせるだろう。どちらの場合も，管理者は自分がどのような情報やサービスを求めているかを知っており，コンサルタントはその情報やサービスを提供できるということが前提となっている。

　それゆえこの援助モードがうまく働くかどうかは，以下のことに依拠している，

1．管理者が，自分の要求を正しく診断するかどうか
2．管理者が，コンサルタントにそれらの要求を正しく伝えるかどうか
3．管理者が，その情報やサービスを提供するコンサルタントの能力を，正確に査定するかどうか
4．管理者が，コンサルタントにそうした情報を収集してもらった結果や，その情報によって示されたり，コンサルタントが勧めたりする変更を実施した結果について，十分考慮するかどうか
5．客観的に検討することができ，クライアントにとって有益な知識に還元し得る，外的な現実があるかどうか

　コンサルタントに失望することが頻繁にあったり，コンサルタントの勧告が実行に移される度合が低かったりすることも，購入モデルが効果的に働くためには，上記の前提条件がいくつ満たされなければならないかを考えてみれば，容易に説明がつく。このモデルでは，クライアントは力を譲り渡してしまうのだということも銘記すべきである。コンサルタントは，関連する情報や専門的知識を，クライアントの代わりに探して提供する権限を与えられ，

委任される。いったん任務をまかせてしまえば，クライアントはコンサルタントが提供するものに依存するようになる。後になってからコンサルタントに反抗するようなことが起こる場合，その多くは，当初依存の関係にあったことや，そのために意識的であろうと無意識であろうとクライアントの中に生じた不快感に起因するのかもしれない。

　このモデルでは，コンサルタントはまた，自分が知っていて得意なものなら何でも売り込もうとしがちになる——もしかなづちを手にしていたら，そこらじゅうが釘の塊に見えるようなものだ。それゆえ，クライアントは，どんな情報やサービスがほんとうに助けになるのかについて，惑わされてしまいやすくなる。そしてもちろんそこには，次のような前提が潜在的に存在している。つまり，知識は「外に」あってクライアント・システムに持ち込まれるべきものであり，その情報や知識をクライアントは理解し利用することができるだろうという前提である。たとえば，組織は，従業員がある課題をどう感じているかを見極めるために，あるいは彼らの文化を「診断する」ためにさえも，しばしば調査を購入するのである。「専門家の」情報が数量的な形で戻ってくると，私の観察してきたところによると，管理者は棒グラフのデータをじっくり研究するのである。62パーセントの従業員がその組織の経歴開発は貧弱だと考えていることに注意を留めた場合，データを読むことで今自分たちには何が分かっているかをはっきりさせようとするのである。そういう記述データには実際のところどういう情報価値があるだろうか。サンプリングの問題，質問紙の構成の問題，職歴とか開発といった言葉が何を意味するか，62パーセントというのはより広い文脈では本当のところ良い数字なのか悪い数字なのかが定かでないという曖昧さ，従業員が問いに答えるときに何を考えていたかを見極めるのが困難であること等々を考えた場合，情報の価値はどうなるだろうか。このような状況では，現実はつかみどころのない概念である。

　PCという代替案の場合　それと対照的に，PCの哲学では，クライアントとコンサルタントの両者が直ちにある期間共同の診断に当たることを旨としている。これは，この最初の接触の時点ではクライアントもコンサルタン

トも，その状況にはどういう類の専門的知識が関連しているかを判定できるほど十分に事態が分かっていない，という現実があるからだ。コンサルタントは，明確な使命や目標を持たずに，あるいは何が問題かはっきりしないままに，個人のクライアントを扱ったり，組織の中に入っていくことを厭わない。なぜなら，どのような人も集団も組織も，自らのプロセスを改善することはいつでもでき，全体の業績に相違をもたらすようなプロセスを正確につきとめることができれば，もっと効果を上げられるようになれるという前提が根底にあるからだ。組織構造やプロセスに完全なものはない。どの組織にも長所と短所がある。だから管理者は，業績や勤労意欲があるべき状態にないから何かがおかしいと感じても，その組織の現在の構造やプロセスの長所短所がはっきりするまでは，行動に飛びついたり特定の援助を求めたりするべきではない。

　PCの主たる目標は，そのような診断を下し，その診断に基づいて有効な行動計画を開発していけるように管理者を支援することである。この目標には，クライアントとコンサルタントの両者がともに権限を持っていなければならない，という前提が言外に含まれている。両者は，得られる洞察や計画される行動に対して，ともに責任を分かち合うべきである。PCの観点からは，コンサルタントはクライアントから厄介事を取除いてあげるべきではなく，結局のところそれはクライアントの問題であって，クライアントだけの問題なのだということを認識すべきである。コンサルタントにできることは，せいぜいクライアントが自分でその問題を解決するのに必要な援助を提供することくらいなのである。

　共同で診断して行動計画を立てることが重要なのは，よりよい行動方針は何かとか，あるいは本当に助けになる情報とは何かということですら，真から分かるほど，コンサルタントがその組織についてよく知るようになることなどめったにない，という事実があるからだ。というのは，その組織のメンバーは，自分たちの伝統や価値観や共有している暗黙の仮定——すなわち彼

---

2) 組織文化とリーダーシップに関する論点の大部分は，この主題を扱った私の著書と関連文献から引用されている。この後のいろいろな章でも言及する（Schein, 1985, 1992）。

らの組織が持つ文化や，主だった指導者とメンバーたちの独特のスタイルやパーソナリティ[2]——の見地から，情報を認識し考察し反応するからである。けれどもコンサルタントは，クライアント自身が，十分優れた診断家になり，組織プロセスをもっと上手く扱う方法を学ぶのを援助することができる。そうすればクライアントは，自分自身で問題を解決できるようになるのである。もし組織自らが問題を解決することを学べば，問題は長期にわたって再燃することはないし，効果的に解決されるだろうというのが，PC 哲学における決定的に重要な仮定である。コンサルタントは診断や問題解決の技能を教える役を受け持つが，自分には必須の情報や専門知識があるというよほどの確信がないかぎり，自分自身で実際にその問題を解決しようとしてはいけない。コンサルタントは常に共同の診断作業で明らかになった現実を扱うのでなければならず，決して自分の抱いている推測的仮定に信を置くべきではない。

　援助が求められているほかのさまざまな場面状況を調べてみても，専門家モードで動くか PC モードで動くかの同様の選択がなされる必要がある。子どもが数学の問題で助けを求めてきたとき，学生が経営学の問題に属する特定の情報を求めてきたとき，街角で出会った見知らぬ人に道を尋ねられたとき，友だちに何の映画がお勧めかと尋ねられたとき，妻にパーティーに何を着ていったらいいか聞かれたとき，私は即座に，ほんとうに求められているのは何なのか，どういう反応をすれば実際に力になれるのかを調査処理しなければならない。その時その場で働いている現実は何だろう？

　一番安易なのは，それぞれの要求を額面どおりに受け取って，情報−購入モデルを適用することだ——つまり自分の専門知識を用いて当面の質問に答えてやればいい。しかし当面の質問は，もっと深いあるいは秘められた課題を覆い隠していることが多い。たぶん子どもは私といっしょにひとときを過ごしたいのであって，数学の問題は私の注意を引くために思いついたことにすぎないのだ。たぶん学生はもっと深い疑問を抱いているが，それを尋ねるのを恐れているのだ。見知らぬ人は間違った場所に行こうとしていて自分ではそのことに気づいていないのかもしれない。その友だちはいっしょに私が映画に行きたいと思っているかどうかを本当は確認したいのかもしれない。たぶん妻は手持ちの衣装のことで本当は何かを指摘したいのかもしれない。

あるいは，私たちが行こうとしているパーティーが不快なのかもしれない。

当面の質問に答えるのが危険なのは，そうすることで会話は終わってしまい，隠れた問題が表面に出てくるチャンスがなくなってしまうからである。もし支援的でありたいのであれば，私は十分な質問をしてほんとうに援助が必要なのはどこかを見極めなければならないが，それは PC モードで始めることを意味しているのである。相手と共同でその状況を診断して初めて私は，自分の持っている専門知識や情報が実際，関連を持ち支援できるものであるかの判断を下す立場になれる。そこで，次のような準備段階でのひとつの一般原則ができあがってくる。つまり，どんなプロセスにおいてもその当初に PC モードが必要である。なぜなら，それは，今本当には何が進行しており，どんな種類の援助が必要なのかを明らかにする唯一のモデルであるからだ。

ところが，どのような関係でもその開始時にコンサルタントには何が本当に求められ，必要とされているのかが分かっていないという当面の現実がある。コンサルタントがどのような質問をしどのような助言をするか，一般的に言えば次に何をすべきかを決める最も重要なガイドラインは，事実，この無知という状態である。コンサルタントは自分が本当には分かっていないことに気づくことができなければならない。しかも，その気づいていくプロセスはその人の無知の領域を積極的に捜すということでなければならない。なぜならわれわれは先入観，弁解，暗黙の前提，仮説，固定観念，期待に満ちているからだ。われわれの無知の領域を発見することは，われわれが持つあらゆる先入観をかいくぐって道を作り，われわれ自身の認識上のいくつかの弁解に打ち勝たねばならないという困難なプロセスになる可能性がある。それゆえアクセス（接近）することという能動的な言葉は，3つ目の包括的な援助の原則を明確に表している。われわれが自らの無知の領域にうまくアクセスできて，われわれは本当の意味で共同の探索に従事することができる。そして無知の領域が取り除かれ，層を成す現実がよりいっそう露わになるにつれて，しだいに援助をもっと正確に定義することが可能になるのである。

原則3：あなたの無知にアクセスせよ。

　私自身の内面の現実を発見する唯一の方法は，知っていることと知っていると思っていることやほんとうは知らないこととを区別できるようにすることである。その状況について分かっていないことに到達し，それについて質問する知恵を持たなければ，現前の現実が何であるかを正確に判断することはできない。

モデル2
医師－患者モデル

　もう1つのよくある一般的なコンサルテーション・モデルは，医師－患者モデルである。組織の一人かあるいは複数の管理者が，「点検してもらうために」コンサルタントを呼び入れるのである。組織領域の中にどこか正しく働いておらず注意が必要なところがあれば見つけてもらおうと思うのである。管理者は売上の落ち込み，顧客の不満の多さ，品質問題といった問題の徴候を見つけるかもしれないが，何が原因でそうした問題が起きているのか診断をつける方法は知らないかもしれない。コンサルタントが招かれ，組織のどの部署で何がうまくいっていないのかを見出すことを求められる。それから内科医のように，治療計画や治療対策を処方することを期待される。おそらく組織のリーダーは，他社が用いた Total Quality Programs（全社的品質管理プログラム）とか，Reengineering（リエンジニアリング）とか，Autonomous Work Groups（自律的作業集団）といった新しい治療法があるのを知り，組織の健康を改善するために，自分たちの組織もこういう形態の治療を試すべきだと命じることであろう。それからその計画を取りしきるために，コンサルタントが呼ばれる。このモデルの場合，コンサルタントは専門的な基準で動いているとクライアントは思いこんでいる。つまり，そのプログラムによって問題を解決する支援ができるとする立派なデータの裏づけのもと，解決法の売り込みは責任を持って行われ，コンサルタントは，診断できる専門技術を持っていて助けになる場合にのみ，そのプログラムを適

用するのであり，問題は治癒すると仮定されているのである。

　このモデルは，コンサルタントが診断し処方し治療を管理するという具合に，コンサルタントの手によりいっそうの権限が集中していることにも注意すべきだ。クライアントは自ら診断を下す責任を放棄し，――そしてそうすることで自分をいっそうコンサルタントに依存させる――だけでなく，さらには，部外者がその状況に入りこんできて問題を見極め，それを治療することができると仮定しているのである。このモデルは，コンサルタントには明らかに受けがいい。というのは彼らは権限を与えられるし，エックス線写真のような眼力の持ち主ということになるからだ。専門的な診断を下し行動の治療方法を処方することで，コンサルタントの要求する高額の報酬も正当化され得る。また，彼らが提供すると主張する援助の性質もはっきり目に見える具体的なものとなる。このモデルでは，報告や発見事項の提示及び勧告が，コンサルタントの仕事を特定する上で特別に重要な意味を持つことになる。多くのコンサルタントにとって，これこそ彼らの仕事の本質であり，彼らは完全な分析や診断をして，勧告を具体的な文書にしてしまうまでは，仕事がやり終えたとは感じない。

　例えば，このモデルが管理者に対してなされる場合，コンサルタントは，診断段階の一部として徹底的な面接と心理テストを用い，その結果，正式の診断書を作成し次の段階で取るべき対策の処方箋を書き上げることになる。よくあるもう1つのやり方では，問題を診断するための基礎資料として，コンサルタントに，組織の部署に対する意識調査を作成させ，行わせるというものである。どのような質問をすべきか，「はい」や「いいえ」の割合がどのくらいであれば問題と見なされるのか，またどのような解答パターンによって組織が潜在的に抱える困難な領域が明らかになるのかを，コンサルタントは知っているものと期待される。複雑な統計上の技術というのは，しばしば診断を補強するために，またクライアントに対してコンサルタントが本当に診断の専門家だということを保証するために活用される。

　このモデルの一番ありふれた例はおそらく，コンサルタントが上級管理者と契約してクライアントの組織の中で大規模な面接調査を行い，何が起こっているかを発見し，そのデータをもとに診断を下し，それから初めに彼を雇

ったクライアントのために，治療計画を勧告するというものである。現在広く採用されているこのプロセスの1つには，ある特定の業務の範疇において成功するのに必要とされる能力を査定し，既存の能力を分析してそれをたくさんの組織のデータをもとに作成したデータベースと比較し，その結果観察されたギャップに基づいて，欠けていると判定された特定の能力を増強するための，選考，訓練，および経歴開発プログラムを処方するというのがある。

　ほとんどの読者は経験からお分かりと思うが，人気があるにもかかわらずこのモデルには難点がある。われわれは皆，クライアントとして，援助者の助言や勧告がいかに的外れでありうるか，また何かをすべきであると言われることは，たとえこちらから助言を求めた場合であっても，いかに不快でありうるかを経験している。コンサルタントとしてもわれわれは皆，自分で認めたいと思う以上にしばしば次のような経験をしてきたのである。つまり，われわれが行った報告や勧告を肯きながら聞いてもらったものの，その後は棚上げされてしまったり，もっと悪い場合には，われわれにはクライアントの状況が全然理解できていないとばかりに，すべて拒否されてしまうという経験すらしてきたのである。クライアントはしばしば防衛的になり，われわれが見逃した重要な事実を指摘したり，勧告された行動方針はすでに試したことがあるが失敗に終わったのだと知らせたりして，われわれの勧告をけなす。この医師－患者モードで動いているとき，コンサルタントは，非はクライアントにあると感じることが多い。――つまり，クライアントは自分の望んでいることが分かっておらず，目の前に置かれても真実が理解できないとか，変化に抵抗しており，真から援助されたいとは思っていないのでないかとコンサルタントには感じられるのである。こうした困難を理解し，PCモードを視野に入れるためには，医師－患者モデルの言外にひそかに含まれている前提のいくつかを分析しなければならない。

　このモデルでのもっとも明白な難点の1つは，診断に必要な正確な情報をコンサルタントが独力で入手できるという仮定である。実際，病にかかっているとされた組織単位は，コンサルタントが正確な診断をするために必要とする情報を開示するのをしぶるかもしれない。アンケート調査や面接調査で，組織的な歪曲が生じる可能性も十分予想できる。こうした歪曲の傾向は，そ

の組織の雰囲気次第である。もしその雰囲気が不信と不安感に代表されるなら，回答者はまず不利な情報をコンサルタントに隠すであろう。なぜなら報復が怖いからだ。実際われわれは，内部告発者がどのような災難にあうか何度も目にしてきている。あるいは回答者は面接や調査やテストをプライバシーの侵害とみなし，最低限の回答しかしないか，または彼らが期待されている回答だとか安全な回答だと考えるものに基づいて歪曲した回答をするかもしれない。もし組織が非常に信頼感溢れる雰囲気であれば，回答者はコンサルタントとの接触を，抱えている悩みの種をすっかり吐き出すのに格好の状況とみなし，その結果何であれ今ある問題を誇張してしまう傾向がある。いずれにせよ，コンサルタント自らがその部署を時間をかけて観察してみない限り，起こっているかもしれないことを正確に描き出すことはできそうもない。

このモデルには同じくらい困難な問題がまた別にある。それは，コンサルタントが提出する診断をクライアントは進んで信じたり処方を受け入れたりしそうにないということである。ほとんどの組織がたぶん，引き出しいっぱいになったコンサルタントからの報告書を抱えていることだろう。それはクライアントには理解できなかったか，受け入れられなかった報告書だ。問題はもちろん，医師が患者とのあいだに共有できる診断の枠組みを作り上げてこなかったということである。両者は共通の現実を扱っていないのだ。コンサルタントが1人でせっせと診断を行い，クライアントのほうは受動的に処方が出されるのを待っているとしたら，コミュニケーションの隔絶が起こることは予想に難くない。その結果，診断と処方は自分たちには関係がないか，口に合わないように思えてくるのである。

医療においてさえも，患者が必ずしも自動的に診断を受け入れ医師の指示に従うわけでないということを，医師たちはますます認識するようになっている。このことがもっとも明瞭に見られるのは異文化がぶつかり合うような文脈においてである。病気というものに関する考え方や病気に対してどうするべきかは，文化によって異なっている可能性がある。乳がんの治療においても同様の事態がますます生じてきている。腫瘍専門医は，乳房切除，乳腺腫瘤摘出，化学療法のプログラムおよび放射線療法のプログラムのどれを選

ぶかという重大な選択に患者を関与させるようになっている。同じように，形成外科や脊椎手術をするかどうかの決定においても，患者の目標と自己イメージは，手術の最終的な成否を決める重大な変数になっている。コンサルテーションの医師モデルの医学版を考える場合，精神医学モデルを検討してみるとよい。そこでは，抵抗と防衛を分析することが主要な治療ツールの１つになっている。

　このモデルでの困難な点の３つ目は，人的システムにおいて，実際あらゆるシステムにおいて，診断のプロセスは，それ自体未知の結果をもたらす介入であるということだ。経営陣に心理テストをしたり，組織の各部署で意識調査をしたり，その組織をどう理解しているかについて面接調査をしたりすることによって，そもそもコンサルタントを招聘することを正当化できる何が組織内で起こっているのかと従業員の頭に疑問が生じてしまうような影響を与えることになる。コンサルタントは何の邪心もなく行動しているかもしれないが，従業員は管理者が経営の再編成とレイオフを準備していると結論づけるかもしれない。コンサルタントはテストや調査をするとき科学的厳正を尽くしているかもしれないが，従業員はプライバシーが侵害されたと感じたり，他の従業員たちと一緒にその組織内部の関係を変えてしまうような自己防衛連合を結成しようとするかもしれない。皮肉なことに，調査の回答を中立の機関に郵送させて匿名での回答を保証するよう丹念に気を配ることで，その組織内での不信感のレベルがどの程度であるかが推定できてしまう。これは，その調査自体が明らかにするどんなデータよりも，はるかに重要な意味を持つ現実であるかもしれない。

　医師－患者モデルにおける４つ目の困難な点は，たとえ診断と処方が有効であった場合でも，患者は勧告されたような変更を行うことができないかもしれないということだ。組織の文脈においては，事実，これは一番よくある問題かもしれない。外部のコンサルタントには何がなされなければならないかがはっきりしているが，その組織の文化や構造や政策が，その勧告を実行に移すのを妨害するのである。多くの場合，コンサルタントは，勧告が拒否されるか覆されて初めて文化的政治的な力に気づくことになるのである。だがその時には，本当に力になるにはもう手遅れであろう。

言い換えれば，医師-患者モデルがどの程度うまくいくかは，以下のことに依拠しているのだ．

1. クライアントが，どの人（あるいは集団，部署）が事実病気である（あるいは何らかの治療を必要としている）のかを，正確に把握しているかどうか
2. 患者が，正確な情報を開示しようとする気があるかどうか
3. 患者が，医師の到達した診断を受け入れ信用し，医師が薦める処方を受け入れるかどうか
4. 診断プロセスを行う結果が，正確に理解され受け入れられるかどうか
5. クライアントが，勧められたように変更を行うことができるかどうか

PCという代替案の場合　プロセス・コンサルテーション・モードでは，対照的に，共同での診断ばかりでなく，コンサルタントの診断や問題解決の技能を，クライアントに引き継ぐことにも焦点を当てる。コンサルタントは仕事に取りかかってすぐに，その組織の問題のうちどれを，どのようにして解決し得るかが分かるかもしれない。しかしふつうは機が熟さないうちにその洞察を伝えたりはしない。これには，2つの理由がある。(1)間違っているかもしれないからである。もし早まって間違った診断をすればクライアントからの信頼を損ない，関係にひびが入ることになるかもしれない。(2)たとえ正しい診断であったとしても，クライアントは防衛的で，耳を貸そうとせず，聞いたことを否認したいと思ったり，コンサルタントが言っていることを誤解し，結果的に治療努力を覆してしまうかもしれないということが分かっているからである。

クライアントは，診断プロセスを共有することで自分でその問題が理解できるようにならねばならない。さらに，治療法を考え出すことに積極的に関与しなければならない，というのが，PCの根底にある重要な仮定である。クライアントが関与しなければならない訳は，診断プロセスはそれ自体で介入であり，どのような介入も，究極的にはクライアントの責任であってクラ

イアントだけのものであるべきだからである。もしテストや調査や面接をするのであれば，これらのことを行うという決定を，クライアント自身が理解しその決定に対して責任を持たねばならない。クライアントは，疑いを抱く部下がいたら，それをする理由やコンサルタントを呼び入れた理由を説明できなければならない。さもなければ，これまで述べてきたような厄介なことが起こるだろう。

　コンサルタントが，診断を鮮明にするのを助ける点で重要な役割を果たしたり，クライアントが考えもしなかった別の治療法を提案したりすることはあり得るが，どのような診断を下し，治療活動を選択するかの最終的な決定はクライアントが行うように仕向ける。ここでもまたコンサルタントは，もしクライアントに自分で状況を診断し治療することを教えてやれば，問題は再燃しにくくなるし，新たな問題が生じた際にもそれを解決するのに必要な技能を学ぶことになるだろう，という仮定の上にたってこうしているのである。

　もう1つ注意すべきことは，コンサルタントは特定の問題が明らかになったとき，その問題の解決については専門家であるかもしれないし，ないかもしれないということである。PCモードを適用するにあたって初めに重要な点は，そういう内容面での専門性は，クライアントを自己診断に関与させたり，特定の状況とその必要性に見合った治療法をクライアントが見つけるのを助ける技能ほどには，コンサルテーションに重大な関連を持たないということである。コンサルタントは，実際に援助を与えたり，クライアントを援助できるような関係をつくったりすることによって，支援的であることが可能になり，現実を共有でき，意思疎通が可能となる。このモードで働く組織コンサルタントは，マーケティングや財務や戦略の専門家である必要はない。そのような領域での問題が明らかになった場合は，コンサルタントは，クライアントが専門技術を具えた人材を見つけるのを援助できるし，さらに重要なことには，これらの専門家から必要とする援助をどうすれば一番確実に引き出せるか検討するのに，手を貸してやれるのである。

　医師－患者モデルは，専門知識－購入モデルと同様に，非常に多くわれわれの日常生活で採用されている。子どもが数学の問題を解いてくれと頼むと

き，私はどこが間違っているのか即座に診断して，それに基づいて行動したいという強い誘惑に駆られる。友だちが映画のことを尋ねたら，私はすぐに彼には娯楽が必要なのだと思いこんで，どの映画を見るべきか助言してしまう。学生が，研究プロジェクトに関連してどういうものを読めばいいか推薦してほしいと言えば，直ちに彼女がどういう情報を求めているか私には分かっていると思い，本や論文をいくつか提案してやる。妻がパーティーに何を着て行ったらいいかと尋ねたら，私はすぐに彼女が解決しようとしている問題は分かっていると思って，それに従って反応し助言する。他の人があなたに助言を求めてくるとき，その人があなたに授ける権力を受け入れたいとする誘惑は，抵抗しがたいほどである。こうした状況において，実際には何が起こっているのかをしばし顧み（現実を扱う），医師の役割を受け入れる前にもっと多くのことが明らかになるような質問をしたり，相手にもっと話をさせるように奨励する（あなたの無知とアクセスする）には，並々ならぬ自制心が要る。

コンサルタントが力になろうとするのであれば，自分たちはどのような問題を解決しようとしているのかを，相手もコンサルタントも確かに理解していること，また力を合わせて効果的にその問題を解決できるように，お互いを理解する意思疎通経路が確実にできていることが肝要である。診断や問題解決を共同でできるようにするそうした意思疎通経路を創り出すことこそ，PCの究極の目標なのである。

どのように診断を行うかによって，クライアントのシステムにそれぞれの結果が生じるという事実から，つけ加えるべき4つ目の包括的な原則が明らかになる。つまり，われわれはコンサルタントが行うことは何でも介入であるということをはっきり知っていなければならない。純然たる診断などというものはないのである。多くのコンサルティングのモデルでは，診断段階があり，その後処方箋が勧告されるというのがよくある記述だが，もし診断の段階でクライアント・システムと何らかの接触が行われているのであれば，介入のプロセスはすでに始まっているのだという現実がまるっきり無視されている。それゆえ，どのようにして診断を行うかは，われわれが行う診断というその介入によってどのような結果がもたらされるか，そして，われわれ

はそのような結果を受け入れられるかどうかという観点から考慮されねばならない。

原則4：あなたのすることはどれも介入である。

　ちょうどあらゆる交流が診断のための情報を明らかにするように，あらゆる交流はクライアントにも私にも何らかの結果をもたらす。だから私は自分の行うあらゆることを把握し，その結果が援助関係を創り出すという私の目標に確かに合致しているか評価しなければならない。

モデル3
プロセス・コンサルテーション・モデル

　ここでは，私がプロセス・コンサルテーション哲学あるいはモデルと呼んでいるものの主要な仮定を要約しておきたい。以下にあげる仮定が常にあてはまるとは限らない。しかしながら，実際にあてはまる場合には，つまり，それらの仮定によって現実が最も良く表現されると認識するとか，感じるとかするのであれば，その支援状況にはPCモードで取りかかることが絶対に必要である。

1. 管理者，友人，同僚，学生，配偶者，子どもたちのいずれの場合であろうとクライアントには，何がうまくいっていないのか本当には分かっていないことが多い。そこで，彼らの問題が実際には何であるかを診断するのに援助を必要としている。だが，問題を抱えているのは彼ら自身だけなのである。
2. クライアントは，コンサルタントがどのような種類の援助を与えることができるかを分かっていないことが多い。どのような種類の援助を求めるべきかを知るために援助される必要がある。クライアントは援助の論理や実践についての専門家ではない。
3. クライアントの大半は，物事を改善したいという建設的な意思を

持っているが，何をどのように改善すべきかを特定するのに援助を必要としている。

4．管理者や従業員が組織の長所弱点を診断し，管理していく術を学べば，大半の組織はもっと効果的になれる。完璧な組織形態というものは存在しない。そこで，どのような形態の組織にも弱点があり，それを補完するメカニズムが用意されねばならない。

5．その組織で最終的にうまく働くのは何であるかを知っているのはクライアントだけである。コンサルタントは，徹底的に時間をかけて研究するとか，あるいはクライアントの組織に実際に参加するとかしない限り，頼りになる新しいやり方を提案できるほどその組織の文化について十分知ることはできない。それゆえ，自分たちの文化では何がうまくいき，何がうまくいかないかを実際に知っている組織のメンバーと一緒に治療法を考案しない限り，そのような治療法は，誤っているか，部外者から押し付けられた物として拒絶されるかのどちらかになりがちである。

6．クライアントが自分で問題を理解し，自分たちが行う治療法をとことん考えて見るようにならない限り，彼らが解決法を実行に移すことはあまり期待できない。また，その問題が再発した時にもそのような問題をどうやって解決したら良いかを学んではいないであろう。プロセス・コンサルテーションのモードではこれらに対する代替案を提供できる。しかし，そのような代替案に関する意思決定は，クライアントの手に委ねられていなければならない。なぜなら，問題を抱えているのはコンサルタントではなくクライアントであるからだ。

7．PCの究極的な機能は，いかにして診断を下し，建設的に介入するかの技能を手渡すことである。そうすることで，クライアントは自力で組織を改善する努力を続けていくことがよりいっそうできるようになる。ある意味では，専門家及び医師のモデルはどちらも治療を施すモデルであるのに対して，PCモデルは，治療を施すと同時に予防措置を講じるモデルである。「魚を与える代わ

りに，釣り方を教えなさい」という諺がこのモデルには良く当てはまる。

　この最後の点から，各モデルの違いがはっきりと見て取れる。専門家や医師のモデルはシングルループつまり適応する学習であるのに対し，PCでは，ダブルループ，つまり生成的学習にクライアントを従事させる。PCの目標の1つは，いかに学ぶかをクライアントが学習できるようにすることである。専門家や医師のモデルでは，問題を片付けはするが，PCの目標は，クライアントシステムが学習する能力を増大させることである。その結果，将来クライアントは自らの問題を解決できるようになる。[3]

　援助プロセスは常にPCモードで始めねばならない。なぜなら，無知について訊ね，無知を取除いてからでなければ，ここで述べてきた仮定が当てはまるか，あるいは専門家や医師のモデルに移行しても大丈夫であったり，望ましかったりするのかが分からないからだ。いったんわれわれがこの問いかけを始めた場合，PCの役割に留まるべきか，別の2つのモードのどちらかに移行すべきかを決めるのに役に立つやり方は，援助を求めている人が直面している問題のタイプによる特性を見極めることであると気付くであろう。[4]

---

[3] 学習にかかわるここでの用語は，もともとBatesonの二次学習の概念およびArgyris & Schönのシングルおよびダブルループ学習に由来する。おそらく最も徹底的な扱いは，Michaelの「企画を学び，学習を企画する」である。適応する学習と生成的学習の違いは，能力育成としての組織的学習に関していかに考えるかという文脈においてSengeが研究した（Argyris & Schön, 1996; Bateson, 1972; Michael, 1973, 1997; Senge, 1990）。

[4] Heifetzはその著書『簡単な答えのないリーダーショップ』（1994）の中で適応する仕事を，問題と解決法が明らかでない場合，リーダーと部下がともにしなければならないこととして定義している。プロセス・コンサルテーションをリーダーシップの形態にたとえることは，状況がいっそう複雑になるにつれて全く適切に見えてくる。「権威者に正しい答えがわからない場合，権威者には何ができるだろうか。そのような状況では，権威者は，難しい質問をし，人々の期待を自分たちの反応能力を開発したいという方向へ置き変えていくことで学習を進めさせることができる…専門家でなければ，どんな行動を取っても無駄であるが，彼らはプロセスを管理する専門家である。それによって，問題を抱えた人々が解決へと到達するのである。」(pp. 84-85, Heifetz, 1994)

問題が何であるかと，解決法の性質の両方が明確であれば，そのときこそ，専門家モデルをとるのが適切である。問題が何であるかははっきりとしているが，解決法が定かでない場合は，医師が患者とともに働き，医師の専門知識も用いて正しい種類の適応可能な反応を引き出すようにしなければならない。問題も解決法も明確でない場合は，何が起きているのか，何が必要とされているのか，そしてどのようにするのが必要とされていることを得る最良の方法かがはっきりするまで，援助者はまずプロセス・コンサルテーションを頼りにしなければならない。その結果，技術的な改善か，あるいは適応する反応かどちらが求められているかの判断は，クライアント，すなわち学習者が態度，価値観，慣習をどの程度変更せねばならないかにかかっていることになる。

プロセス・コンサルテーションの定義

以上の諸仮定を念頭において，PC を次のように定義できる。

プロセス・コンサルテーションとは，クライアントとの関係を築くことである。それによって，クライアントは自身の内部や外部環境において生じている出来事のプロセスに気づき，理解し，それに従った行動ができるようになる。その結果，クライアントが定義した状況が改善されるのである。

プロセス・コンサルテーションでは，まず最初にコンサルタントとクライアントの双方が現実に対処することができるようになる関係を築くことに焦点を当てる。それによって，コンサルタントが無知である領域が取り除かれ，コンサルタントの行いは常に介入であると認識される。また，すべては，クライアントに自分の周囲，内部，および他の人との間で何が起こっているかの識見を与えるというサービスなのである。そのような識見に基づいて，PC ではクライアントがその状況についてどうするべきであるかを考え出すのを援助している。しかし，このモデルの中核を成すのは，診断及び治療の両方で主導権を保持するという意味においてクライアントが積極的であり続けるような援助を受けねばならないという哲学である。なぜなら，特定され

た問題を抱えているのは彼らだけであり，彼らだけがその状況の真の複雑さを知っており，自分たちの所属する文化において自分たちにとって何がうまくいくかを知っているのも彼らだけであるからだ。このことは，5つ目の包括的原則として掲げることができる。

原則5：問題を抱え，解決法を握っているのはクライアントである。

　私の仕事は，クライアントが援助を受けられるような関係を築くことである。クライアントの問題を私の肩に背負い込むのが私の仕事ではない。また，私自身が関わっていない状況に対して，助言を与えたり，解決法を提示したりするのも私の仕事ではない。クライアントだけが，その問題及び解決法の結果を引き受けていかねばならないというのが現実である。そこで，私は厄介な問題をクライアントの背から下ろしてやってはいけないのである。

　観察が行われ，質問がなされ，そこから何らかの学習が行われるような出来事は行動であり，通常の業務の流れ，会合の運営，組織のメンバーどうしの公式及び非公式の出会い，およびもっと公式の組織構造において生じるものである。とりわけ関連があるのは，クライアント自身の行為と，その行為がコンサルタントを含め，組織の他の人々に与える影響である。カウンセラーやセラピストが他の領域で気付いてきたように，識見を得る最も強力な出所は，クライアントとコンサルタントとの間の交流およびこの交流によって両者の間に生み出される感情である[5]。

　このモデルからそれとなく示唆されるのは，組織の問題は全て根本的には人間の交流やプロセスが関わっている問題であるとするさらなる仮定である。

---

5) これに関して私は，ゲシュタルト運動の影響を受けていた。最初に私を指導してくれたのは，故 Richard Wallen 氏であった。彼は，自己の内面を観察することについて多くを教えてくれた。次いで，私は組織コンサルティングにゲシュタルトの原則を適用した Ed Nevis の影響を強く受けた（Nevis, 1987）。大学院在学中の研修および就職直後においては，Kurt Lewin および Koehler, Koffka らのゲシュタルト心理学者の仕事から強く影響を受けた。

技術，財務，あるいはその他のどのような問題が関わっていようと，そのような技術的プロセスを設計し，実行するには常に人間が関わっており，また，技術的な改善が必要であると最初に気付くのも常に人間であるだろう。それゆえ，人的プロセスを徹底的に理解すること，およびそのようなプロセスを改善する能力を身につけることが，どのような場合でも組織を改善する基本となる。組織が共通の目標を達成しようとする人々のネットワークである限り，人々の間にはさまざまな種類のプロセスが生じるであろう。だから，そのようなプロセスをいかにして診断し，改善していくかについて理解を深めれば深めるほど，より専門技術的問題にも解決法を見つけられるチャンスが増え，さらにそのような解決法が組織のメンバーに受け入れられ，活用される見込みも大きくなる。

◆要約，その言外に含まれる意味，および結論

　プロセス・コンサルテーションは，簡単かつ明瞭に説明するのが難しい概念である。それはむしろ，哲学，あるいは援助プロセスに関する根底にある一連の仮定である。それによって，コンサルタントはクライアントとの関係についてある種の態度をとるようになる。プロセス・コンサルテーションは，コンサルタントがどのような状況でも選択することのできる1つの働き方のモードとして考えられることが一番多い。出会ったばかりの時に最も必要とされる。なぜなら，クライアントが本当は何を求めているか，どのような援助態度が実際支援的であるのかを明らかにしてくれる可能性が最も高いモードだからである。もし，クライアントが純然たる情報や助言を求めていることが分かり，コンサルタントの方でも関連する情報や助言が与えられると自信を持っているのであれば，専門家や医師のモードに移っても大丈夫である。しかし，そのモードに移動した際には，自分が作り出している仮定を心にかけ，クライアントがよりいっそう自分に依存してくることの結果を認識しておかねばならない。また，問題を自分で抱え込んでしまわないように注意しなければならない。

　以上のようなことから，コンサルタントが専門家としてしなければならな

い真の役割は，瞬間瞬間に何が生じているかを感知することとともに，その瞬間の状況に最も適切でしかも援助関係を築けるような，そういった支援モードを選択することなのである。これらのモデルのどれであっても，常にそればかり使用されるということは決してない。しかも，どの瞬間であっても，コンサルタントが働くことができるのはそのうちのどれか1つだけを用いてである。経験を積んだコンサルタントであれば，状況の力関係が変化するのを認めるたびに，自分がしばしば役割を変更していることに気づくであろう。だから，われわれは「あの有名なプロセス・コンサルタント」といった概念を避けるべきである。われわれはもっと援助の動的プロセスとしての「プロセス・コンサルテーション」という観点から物事を考えるべきである。このコンサルテーションは，ある時点においてふさわしいやり方であると全てのコンサルタント，もっと言えば，全ての人が認めるやり方なのである。

今日の組織の世界では，PCがますます関連を持つようになってきているが，そのモデルがわれわれの日常の人間関係にもいかに適用できるかを理解することは重要である。例えば，友人間，配偶者，子どもたち，あるいは時おり援助を求めてくるその他の人々との関係などがある。ここで述べていることは，結局は援助プロセスの哲学であり，方法論であり，それが組織の開発や学習に関連していることを示す試みである。この哲学の中心にあることは，一連の実施原則である。そのような原則は10あるといわれているが，そのうちの5つをこれまでに特定し，説明してきた。

1．常に力になろうとせよ。
2．常に目の前の現実との接触を保て。
3．あなたの無知にアクセスせよ。
4．あなたのすることはどれも介入である。
5．問題を抱え，解決法を握っているのはクライアントである。

コンサルタント／援助者が首尾一貫してこれらの原則に基づいて働けば，いつ情報を与え，いつ医師となり，いつプロセス・コンサルタントの役割を維持するかという明確な役割の選択が自分で自然にできるのである。しかし

ながら，無知にアクセスし，現実に対処することは容易ではない。これらは概念的モデル，訓練，経験に基づく識見を必要とする学習によって獲得された技術なのである。本書の以下の諸章では，直面する現実をコンサルタント／援助者が理解するのを助けるために，単純化した概念的モデルに焦点を当てたい。

◆事例

本書の全般にわたって，いくつかの異なったやり方で事例を活用する。時には本文中に例証をあげたり，具体例をあげるために必要とされる場合にはさらにもっと長い事例であっても本文に挿入する場合もある。また，章の最後で紹介して，より実践志向の読者に実例をさらに掘り下げる機会を提供する場合もある。一般的な題材で明確に理解できれば，読者はこれらの事例を飛ばしても構わない。

事例1.1：International Oil 社の年次大会の企画と参加

この事例は，プロセス・コンサルタントのモードにとどまることにいかに多くの戦術的に複雑な要因がからんでいるかを具体的に示すために挙げた。また，同時に異なるモードとの違いをくっきりと明確にするためでもある。さらに，事例の内容からプロセスとは何を意味するのかを読者は注意することになる。例えば，介入はほぼもっぱら物事がどのように行われるかを扱っており，集団が従事している実際の内容ではないといった点である。

その会社は，ヨーロッパに本社を置く大規模な多国籍の石油化学企業である。その会社の経営者啓発グループに大勢知り合いがいた。その中の1人である上級経営者の Steve Sprague 氏とは，何年も前に MIT のエグゼクティブ・プログラムで会ったことがあった。私が関わりを持つことになったのも，上級経営者の中に自分たちの会社の文化を調査したいとする希望を抱く者がいたためである。そして，その文化が今後10年間の戦略的現実に適合するか，しないかを調べて見たいと思

っていたのである。その会社の経営者啓発のスタッフの何人かは，私がちょうど組織文化について論文や本を発表した所であったのを知っていた。

会社のスタッフ集団のある人から，私は電話を受けた。その人は会社の上層部の幹部40人を集め3日間かけて社外で開かれる年次大会の企画を手伝っていた。そのうちの2日間をともにして，内部の議論に耳を傾け，その後文化について講演して欲しいというのが依頼であった。自分たちの議論から例を引いて話を進め，自分たちの文化にフィードバックを与えてもらいたいということであった。その会合の開会および終わりでは積極的に関わらないことになっていたので，当初は，主として会合の2日目に行う教育的介入と位置付けていた。この教育的介入の表向きの目的は，幹部に公式の資料を提供することであったが，その隠された目的は彼らが自らの文化とその結果引き起こされることについてより現実的に考えるように仕向けていくことであった。

私は，この会社に興味を持った。さらにさまざまな企業文化についてもっと多くを学びたいと思っていた。そこで，この依頼は理想的な申し出であるように思えた。私は当初提示されていた条件に同意した。会合に関する報告は今後はSpragueが行うと聞かされた。彼は，副社長に就任しており，その会社の会長に直接報告をする立場にあった。彼がその次にアメリカを訪れた機会を利用して，われわれはニューヨークで会合の調整を行った。Spragueは，この時から通常のレートで，私に時間給と経費を支払うことに同意してくれた。

その交渉の席でSpragueは会社の戦略的状況について長々と語った。例えば，会社が船出した方向が今でも的はずれでないかどうか，速度を落とすべきか速めるべきか，決定されたことについて上層部はどのように関わるべきかを年次大会に真剣に吟味することは非常に重要であると語ったのである。私はまたこの時点で，Spragueが3日間の会合を企画する全般を任されていることも知った。しかも，彼は私に内容を伝えるだけでなく，私と一緒に全体を企画したいと思っていた。

この最初の電話での話しでは，私が文化について講演することに焦点が当てられていたが，ここではSpragueは専門の手腕を発揮して年次大会の企画を支援することを私に求めていた。そして，自分自身をプライマリー・クライアントとして提示していた。私は，プロセス・コンサルタントから企画の専門家へと役割を変換させた。なぜなら，われわれは会合の企画について議論しており，その話題

については明らかに彼よりも私の方が多くの知識を持っていたからだ。しかも，われわれは 2 人ともこの役割の変換について理解があり，そのことを明らかにして行ったのである。

われわれは会合の各部分の企画について，Sprague の目標と照らし合わせながら検討を行った。私が会合の間中プロセス・コンサルタントとして働けば役に立つのではないかという考えが浮かんできた。私のスケジュールから，会合の全部に出席することが可能であったので，期間中にいくつかの役割を私が演じるということに Sprague は決定し，私も同意した。会合の始めの段階で，私が文化および戦略について簡単な提言を行うことになった。そして，会合が進展していくにつれてこれらの話題が互いにどのように関連しているかを知る試みを行うことを私の役割と位置付けた。私は，2 日目に文化に関するセッションを行い，最も重要なこととして，3 日目にもセッションを持つことになった。その間に集団全体で，真の戦略的選択についてどの分野でコンセンサスが得られたかを出し合うことになった。

コンセンサスが得られた分野については，ビジネス上の戦略として扱うが，そのようなコンセンサスを試すのは，内部の人間がやるよりも私がやったほうが容易であるだろう。また，そうすることで議長もまとめ役から解放される。そこで，私がコンセンサスを確認する役割を果たすのが両者にとって妥当なこととなったのである。私の判断によれば，Sprague は議長の性格をよく知っており，部外者がそのような役割を担うのを彼も受け入れてくれるはずだと見込んでいた。話し合いの間示された Sprague の識見から，私は彼が課題をよく理解しており，組織の雰囲気も熟知していると私は確信した。いずれにせよ，議長に会う時間はなかったので，彼を信用してこの役割を受け入れるしかなかった。

私が参加した 3 日間は，計画どおりうまくいった。議長は，私がプロセスに関する外部からの助言者として出席していることを快く受け入れてくれた。なぜなら，それによって彼は，集団が取り組んでいる戦略上の課題という内容に神経をより集中できると感じたからだ。つまり，これによって，これまでであれば議長であると同時にコンサルタントとしての役割も果たしていたために通常感じることのできなかった自由を彼は得られたのである。彼は私の役割をその他の重役らに説明し，多様な役割を担って私が出席するという決定を自分のものとしてくれた。

私が積極的に行った介入は，業務のプロセスにとりわけ重点を置いた。例えば，私は時折，自分が聞いたと思うことを繰り返し述べたり，明らかにするような質問をしたり，目標を再度述べたり，結論に至ったと思われるときにコンセンサスを確認したり，私が正式に助言を与えるセッションのためにコンセンサスの概要を記録したりすることで，論点を明確にしようとしたことがある。文化に関してフィードバックを提供する段になれば，私は，文化を一連の基本的想定として正式に定義し，説明したが，それから私は集団に実際の内容を提供するよう要請した。集団のメンバーの中には，もっとあからさまに，私が彼らの文化をどのように理解し，評価しているのか尋ねてくる者も何人かいた。だが私はこれまでの経験から，これについては推測させるにまかせたままにしておくのが一番良いと気づいていた。なぜなら，たとえ私が技術的には正しい答えを伝えても，防御を固められたり，否定されてしまったりする可能性があるからだ。私は，かぎとなる文化的な仮定を本当に理解できるのは内部の者だけであることを強調しつづけてきた。そこで私は，集団のメンバーに答えを提供するよう求めたのである。

　最終日に私は，これまで議論されてきた分野を体系化し，集団に結論を述べさせることでコンセンサスの確認を正式に行った。コンセンサスをフリップ・チャートに書き込み，誰の目にもそれらが明白になるようにした。私がこのように前面に出る役割を担ったことで，議長は，他の人々の結論を覆すという彼に与えられて公式の権限を使用することなく，自らの結論を非常に積極的に提示することができた。私は3日間耳を傾けたことに基いて多くの論点を明らかにしてきた。そして，参加者が明確にすることを避けたがっているように思われる分野について集団に問い掛けてきた。この役割において，私はある時にはプロセス・コンサルタントであり，また時にはマネジメントの専門家として到達した結論についてまとめ役としてコメントをしたりもした。

　例えば，集団はビジネス単位ごとに分権化していくことについて話し合ったが，それをすることは，現状の異なる地域ごとの単位から権限を奪うことになる。ビジネス単位の本部は全て本社所在地にあるので，実際には分権化をやる一方で，中央集権化することになってしまう。人々を地域や地理上の境界を越えて移動させることなどその他さまざまな方策に対しても，私はそれが抱えるこのような影響を指摘してきた。

大会は最高潮で幕を下ろした。そして数カ月後に結果を再検討することになった。私は結果を評価するために Sprague に会ったが，彼も，議長も期待どおりにことが運んだと感じていることを知った。外部からの助言者として私を招いたことが，プロセスの面でも，内容面でも役に立ったと彼らは感じていた。

教訓 コンサルタントはその瞬間ごとの現実に即して最も適するモードで働けるように，準備しておかねばならない。どのようなクライアントとの関係においてもその最初に，コンサルタントはプロセスのモードで始めて，クライアントの現実が何であるか，またその現実に対処するためのコンサルタントの関連技術は何であるかを見極めねばならない。関係が展開し，クライアントのシステムが変化するにつれて，新たな役割を展開していくことになる。診断と介入は全く複雑に絡み合っているのである。

事例1.2　Ellison Manufacturing 社におけるチーム編成の延期

この事例は，プロセス・コンサルテーションのいくつかの要素を例示するためにあげた。ここでは，どのようにして以下のような状況になったかを詳しく述べるつもりはないが，プロセスは共有しており，問題はクライアントが抱えており，われわれが行うことは全て，たとえ最も無邪気な質問であっても未知の結果を伴う介入であるという事実，さらには自らの無知にアクセスして現実に対処することがいかに重要であるかという点を強調しておきたい。

私は数カ月間，地方工場の工場長と1対1のカウンセリングの関係で一緒に仕事をしていた。彼の部下である管理者間および工場内の労働者と管理者間の信頼関係を良くする方策を彼は考え出したいと思っていた。月に一度のセッションを何度か行った後で，彼は上級管理者のチーム（彼の直属の部下たち）を2日間の社外ミーティングに参加させ，彼らをチームに編成することが次に取るべき当然の段取りであるとする結論に達した。彼は私および組織開発のアドバイザーと一緒に昼食をともにしながら話し合いの時を持つ予定を立てた。2日間のミーティ

ングを企画し，私がどのような形でミーティングに参加するかを計画することにしたのである。

　昼食をとり始めて私は，ミーティングの場面および人々についての一般的な情報が必要であると判断した。そこで私は，「誰が実際にミーティングに出席することになるとお考えですか。そして，その人たちの役割はどのようなものになるでしょうか」と訊ねた（この質問は，無知にアクセスするとは何かを示す例である。ミーティングに誰が参加することになっており，どのような役割を担っているのかを知らなければ，計画を支援することはできない）。工場長は，部下たちのリストに目を通し始めたが，3番目の名前に来た所で言葉を濁してこう言った，「ジョーは財務担当だが，ちゃんと仕事を成し遂げてくれるか確信が持てない。彼の能力に関しては躊躇するものがある。彼をこのまま置いておくかよそにやるかまだ決めかねている。」と。そこで私は，他にも集団内でためらいを感じている人がいるか訊ねてみたところ，彼は他にも1人まだ力量が示せていない人がおり，結局チームからはずすことになるかもしれないと語った。

　この時点で，昼食をとりながら話し合っていたわれわれ3人は皆同様の認識に至ったのだが，それを口にしたのは工場長自身であった。彼はこう言った，「この中の2人が加わるかどうか分からないのに，このチーム編成のセッションを行うべきなのだろうか」。私は，このまま進めて，その後2人のうちの1人あるいは両方を解雇するようなことがあれば，どうなるだろうかと彼に訊ねてみた。そうなれば，チームの編成を損なうであろうし，彼が不安を感じている2人に対しても，真に公正なやり方とは言えないであろうという結論に彼は達した。

　彼が境界線にいる人々に関する処遇を決意するまで，ともかくもチーム編成セッションを行うことの是非を議論した結果，彼が決定を下すまでミーティングを延期することにした。そしてわれわれは皆，この問題がもっと後からではなく，この時点で表面化したことに安堵の吐息を漏らしたのである。

　教訓　無邪気な質問や問いかけ，プロセスに対する反応としてもたらされた決定的に重要な情報によって，その問題を自ら吟味してキャンセルするという結論に工場長自らが到達することができた。結局は，しばらくの間チー

ム編成の取り組みを取りやめるということになったのではあるが，それでも彼はこの昼食を最も有益な介入であると評価した。

事例1.3　Global Electric 社での不必要な経営者会議

　現在の明らかになってきた現実に対処するということは，コンサルタントがより多くを行うだけでなく，行いを減らすという準備もしておかねばならないことを意味する。クライアント・システムで何が起こり得るかを考えれば，サービスを売りつけるという観点から考えるのが，いかに無益なことであるかをこの事例は示している。

　私はスイスに本社を置く多国籍の大規模組織の年次経営会議に出席するように依頼された。これは，社長が上級経営者委員会を発展させるのを支援するためであった。各事業部はあまりにも孤立したやり方で仕事をしていた。そこで，私が教育的介入をすることを口実に，小さく分かれた集団を定期的に一堂に会させることができれば，その集団は徐々にビジネスの問題に取り組み始めるようになるであろう。

　コンタクト・クライアントは管理者啓発及び研修部長であった。その人は，何度かの話し合いの機会を利用して会社の状況を簡単に説明してくれた。彼らは，独立独歩である各部の管理者が会合を持つようになるための手段を見つけたいと切実に思っていた。だが，そのような会合は，会合つまり企画されているセミナーを開催する口実およびその世話役として働く部外者を抜きにしては，うまくいかないと感じていた。そこで，本当の目標は，もっと強力的な管理チームを養成することであったとしても，教育的な介入をするのが道理にかなっていた。

　数カ月を経てわれわれが立案を進め，日程が決まってから，われわれはプロジェクトの詳細を議論するために，ヨーロッパの本社で社長を交えて話し合う予定を立てた。社長との会合で，幾分異なった争点が明らかになった。社長は，主要な部門の部長2人がいつも口論を繰り返し，互いに相手を牽制しあっていることを心配していた。一方がとても支配的で，もう一方は必要以上に卑屈であった。社長が望んでいたのは，両者を集団の状況に加えることで，両者に何らかのフィ

ードバックを提供し弱点を「克服」してもらいたいということであった。集団によってこれがなされるということに私は幾分懐疑的であった。しかし，彼にはじっくりと取り組む覚悟が出来ていた。キャリアをつなぎとめる要因および異なる管理スタイルを議論するセミナー，つまり別のスイス－ドイツの会社でうまく行ったようなセミナーを行えば，この要望に沿えるとわれわれは判断した（Schein, 1985）。

　セミナーの2カ月前に，私はコンタクト・クライアントから電話をもらった。まことに申し訳ないが，セミナーはキャンセルされた，その理由は後で説明するということであった。無駄にした時間については，彼らに請求してもらって構わないという話であった。後でセミナーを行うかどうかも分からない状況だった。スイスのこの会社の人々をよく知っている別のクライアントを訪れて私は，実際に何が起こったのかを知った。スイスの会社で行われたことは，その業界の他社の間で話題となっていた。

　社長が「弱い」方の部長にひどく腹を立て，彼を配置替えしたということであった。その配置替えによって，セミナーを行おうとするきっかけとなった最大の困難な問題が消滅したように思えた。さらに，コンタクト・クライアントから聞かされたのであるが，私が社長と長時間かけて面談したことがある面では，この決定のきっかけとなったということだ。われわれが話し合ったことで，社長は，自分がやろうとしていることおよびなぜそうするのかを慎重に再考することになった。集団になせることであろうかと，私が懐疑的であったのに彼は気づいていた。そこで，彼は異なる対処のし方を選択したのである。

　教訓　コンサルテーションのプロセスが短期間で，始まる前に中断してしまったように思えたとしても，教育的介入を企画中に社長に対して行った介入によって，よりいっそう適切であると思えるやり方で問題を解決することになる識見を彼は得るに至ったのである。クライアントが必要としている支援を得るのにどの介入が重要であるかを，コンサルタントはその瞬間瞬間に知っておくことは不可能である。しかし，この事例では，私が集団に関して専門的知識を持っており，集団によって主要な人物間の人間関係上の問題を

解決できるだろうかと懐疑的であったことが，明らかに決定的要因となった。

◆結論：コンサルタントの役割を定義することの複雑さ

　これらの事例から示されることは，動的なクライアントの状況において出現してくる現実を定義するのがいかに困難であるかということおよび，新たなデータが出てくるのに対応して役割を変更しなければならないということである。クライアントが予測もつかなかった方向に移動してしまうばかりか，各介入によって，新たなデータが明らかになり，何が支援的であるかが変わってしまうのである。しばしば，コンサルタントは専門家のモードに移行しなければならないが，その後プロセス・コンサルタントのモードに円滑に戻ってくることができなければならない。

　コンサルテーション・プロセスの説明の多くは，最初から明確に規定した契約を結ぶことが必要であると強調している。だが，契約の性質，クライアントが誰であって，私は誰と契約を結ぶのかは，常に変動しているのが私にとっての現実である。そのため，契約を結ぶということは，コンサルテーションを始めるに前に先だって行うことというよりも，むしろ実質的には終わりのないプロセスなのである。

　また，コンサルタントは厳密に誰がクライアントであるかを明確にしておくべきであると，多くのモデルでは主張されている。私はいつも，初めて電話を頂いたり，誰かが訪ねてみえた際には，誰がコンタクト・クライアントであるかを非常に明確にしている。しかし，いったんコンタクト・クライアントと仕事を始め，次のとるべき段階がはっきりとしたならば，クライアントの基本要素は全く予想もつかなかったふうに拡大し始めるのである。

演習1.1　いかに援助するかに思いを巡らせる

　この演習の目的は，援助者の役割をあてがわれた時に，異なる役割を演じ分ける可能性に気づいてもらうためである。項目の1，2および6は1人で行うことができる（20分）。ワークショップの場であれば，パートナーと組んで，6つの項目の全部を行うことができる（1時間）。

1．ここ数日間のことを思い出して，誰かがあなたに援助をあるいは助言を求めた事例を2，3挙げてみる。

2．心の中で，その時の会話を再現して，援助を求められた対応としてどのような役割を選択したか特定してみる。相手は何を求めていたのか。あなたがした対応とは異なる対応をすることが可能だったか。あなたの対応は，これまで述べてきたコンサルテーションのモデル，つまり専門家，医師およびプロセス・コンサルタントのどれかに明らかに当てはまっているか。

3．ワークショップに参加しているのであれば，別の誰かとペアになり，自分の事例を詳細に語り，相手があなたの行動から何を感じるかの反応を見る。

4．あなたの話したことに対する相手の反応を分析する。この分析は，あなたの話しに反応する際に相手はどの役割を選択し，それに対してあなたはどのように反応したかの観点から行う。

5．役割を交代して，相手の話しに反応する。それからあなたがどのように反応し，それに誘発されて相手はどのような反応をしたかを分析する。

6．誰かがあなたに援助を求めたり，自問自答したりする場合にあなたが自然に，自発的に選択しているらしい役割について思いを巡らせる。例えば，そのような役割が，状況を再考してみて適切であるかどうかなどをである。あなたが学習して獲得せねばならない役割が他にあるだろうか。

第2章

援助関係における心理力動(サイコダイナミクス)

　コンサルテーションを辞書で引くと，アドバイスもしくは専門的な助言を求めることと定義されているが，その定義は第1章で述べた専門知識購入モデルや医師−患者モデルにはとてもよく当てはまる。哲学としてのプロセス・コンサルテーション（PC）では，アドバイスや助言を求めるということのより根源的な目的は，知覚された問題に対して援助を得ることであると認識されている。われわれは1人では解決できない問題を解決するために助言を求める。そしてそのアドバイスや助言が役に立つものであってほしいと願う。しかしわれわれは誰しも自らの経験から知っていることであるが，アドバイスや助言というものは役に立たないことが多いのである。その結果，援助を求めている側からの抵抗や防衛が生じてしまう。この抵抗を理解するためには，われわれは援助関係における心理力動を探究し，援助がうまく与えられるためにはどのような条件が満たされなければならないかを調べなければならない。

　また援助関係を，人々とのあいだに成り立ちうる他のいろいろな種類の関係と区別する必要もある。他の関係としては，例えば与える人と受け取る人，教師と学生，友人同士，配偶者同士，上司と部下の関係などがある。これらの各場合には，援助はその関係の中にあるたくさんの問題の1つかもしれないが，人々の間のさまざまな交流には，援助以外のものごとの交換も含まれているのである。

　この領域を整理するには，援助者と「クライアント」と呼ばれる援助され

る人との間の，明白なおよび暗黙の心理的契約を調べることである。それぞれの側は何を与え何を受け取ることを期待しているのか，そしてこの交換がうまくいくためにはどのような心理的条件が満たされなければならないのか？例えば，援助関係がうまく機能するためには，互いを信頼し，互いのことを受け入れ，尊敬し合うことのどれもが欠かせないかもしれない。もしそうなら，どうすればこれらの条件をそろえることができるのか？最初の一歩は，一人の人が他の人に「援助」を求めるとき作用している心理的な力というものをはっきり理解することである。

◆援助関係における最初の立場上の不均衡

多くの文化では自助努力を強調し，自分の問題は自分で解決することをよしとする。援助を求め一時的に他の人間に頼るということは，事実上自らの弱さや失敗を自白しているようなものである。とくに競争的で個人主義的な西欧社会ではそうである。援助する関係の始まりでは，両者は傾斜した不均衡な関係にある。というのも，援助する側が「ワン・アップ（一段高い位置）」におり，援助を求めている人は「ワン・ダウン（一段低い位置）」にあるからだ。この一段下に置かれていることゆえに，クライアントは意識的にせよ無意識にせよ，可能であると考えられるいくつかの反応のひとつあるいはそれ以上を行うことになるのである。それらはその関係の釣り合いをとる，あるいは「ならす」ためのものなのだ。[1]

〔クライアントの側に起こり得る反応と感情〕

1. クライアントが憤慨し自己防衛（反依存）に陥っていることは，コンサルタントを無能であるとするチャンスをうかがう次のような行為に表れている。例えば，クライアントは，コンサルタント

---

1) このテーマには，より精神分析的な指向性を持つコンサルタントが多大な関心を寄せており，これについて広範な文書を書いている。Hirschhorn の研究（1988，1991）はこの分野では最も有益である。精神分析的な観点に立った優れた要約としては，Jean Neumann が "Proceedings of the International Consulting Conference（国際コンサルティング会議の会報）"（1994）に寄せた文書を挙げることができる。

のアドバイスにけちをつけたり，コンサルタントが持ち出した事実に異議を唱えたり，コンサルタントを引き摺り下ろしたりして同等の感覚をクライアントが取り戻そうとしたりするのである。

「あなたの考えはうまくいきませんよ，だって……」

「そのことなら私も考えたことがありますが，うまくいかないでしょうね。」

「あなたは本当のところお分かりになっていないんですよ。事態はもっとずっと複雑なんです。」

2．ついに問題と不満を，助けてくれそうな人と分かち与えたことに安堵する。

「この問題を共有してもらえてほんとうにうれしい。」

「誰かが助けてくれそうだと分かって心強いですよ。」

「私が経験してきたことをほんとうに理解していただけてうれしい。」

3．安心させてくれる言葉，助言，支持を主に求めていることから依存し，従属していることがわかる。

「今私は何をすべきでしょうか」

「私が計画していることは……です。これが取り組むべき正しい方向だと思われませんか」

「何をしたら良いか助言してくださる方がいて，本当にうれしい」

4．認知および感情を現在のコンサルタントに感情転移する。これは，これまでに出会ったいろいろな支援者との経験をもとに行われる。感情転移は，ここに述べてきた反応としても生じることがあるが，より深い，無意識の投影に基づいている。そして，当初はコンサルタントもクライアントも気づいていないのである。例えば，コンサルタントのことを親切なあるいは不親切な親として，または，過去に出会った大好きなあるいは大嫌いな教師に似た人として認識することがあり得るのである。

一段下にいるとする感覚が，その人自身の知覚作用に適用されるだけでな

く，組織内の他者との関係においてよりいっそう強く意識されることがある。多くの会社で，コンサルタントの援助を求めるということは，自分で自分の仕事を行うことができないと認めるに等しい行為である。私は，コンサルタントとして5年間働いていたヨーロッパの会社を四半期ごとに訪れていたが，時折，経営幹部用の食堂での昼食に招かれた。そこで私は，いろいろなプロジェクトでいっしょに仕事をしたことのある何人かの経営幹部と出くわしたのであるが，彼らは，まるで私と面識がないかのように私の視線を避け，私を通りすぎたのである。明らかに彼らは私と一緒に働いていたことを自分たちの同僚に知られたくないのだ。なぜなら，立場を失うことであるからだと，私を招いた人は説明してくれた。この種の感情によく似た例としては，精神科医の医務室を出る患者と，待合室にいる人々との間で時折交わされるばつの悪い様子がある。そのため，精神科医の中には，側面にもドアをつけて，入室と退出におけるプライバシーを確保している例もある。

援助する側の反応および感情

　クライアント側の憤慨，安堵，安心，依存などの感情によって，コンサルタント側はクライアントによって提供されたより高い立場，権限を受け入れたいとする誘惑に駆られることになるのはまず間違いがない。このような，コンサルタントが一段高い位置にいるということによって，いくつかの感情および行動が引き起こされるであろう。

　　1．時期尚早な見識を伝えることを許された力や権威を用いて，クライアントの立場をさらに下に置く。
　　　「簡単なことですよ。ただ，次のことをやりさえすれば良いのです。……」
　　　「あなたは本当には問題を抱えているわけではありません。そのような状況で，私がどうしたかをお話ししましょう。それは本当に厳しいものでありました。」
　　　「ちょうどあなたに最適の解決法があります。私は何度もそのような状況に直面したことがあります。」
　　2．頼りにされることを受け入れ，過剰反応する。このことは，通常

たとえ不適切な場合であっても支持したり，元気づけたりすることに見て取れる。

「かわいそうに。本当にお気の毒に思います。本当に大変なことですね。」

「本当にがんじがらめの状態ですね。道理にかなっていると思えることは何でもやってみることです。」

「あなたがやろうと思っていることはきっとうまくいくでしょう。もしうまくいかなくても，それはあなたの責任ではありません。」

3．自己防衛に対して，より圧力をかけることで対応する。

「私の提案を理解されていないようですね。私が本当に思っていることを説明させてください。」

「それをやってみたくない気持ちはわかりますが，私の提案することが本当にうまくいく理由を説明させてください。」

「私の話しを聞いてないようですね。こうすればうまくいくのです。私を信じて，やって見てください。」

4．関係を築くことを拒む。なぜなら，一段高い立場にいることを諦めたために，コンサルタントは影響を受け，状況に対する理解を変更せねばならなくなるからだ。

「さて，本当のところどのように援助したら良いのか分からないのですが，これをやってみられてはいかがでしょう……」

「次の……をやってみられても良いでしょう。しかし，うまくいかなかった場合は，予定を変更せねばなりません。私にはあまり時間がありませんので。」

「これについて，……とじっくりと話し合いましたか。彼なら援助できるかもしれません。」

5．逆感情転移，つまり，支援者が何らかの感情や認識をクライアントに投影する。これは，過去のコンサルタント／クライアント間の関係を再現するものである。クライアントは，これまで関係したある人と似ているかもしれない。そのため，支援者は無意識に過去のクライアントに対したのと同じように今のクライアントに

反応するようになるのである。

　支援者は，心理的傾向や文化的固定観念をたくさん抱えて，関係を築く。単に援助を求められるだけのことで，非常な権限を与えられる情況となるのである。つまり，クライアントは援助する能力，専門知識，その状況に支援者がつけこまないとする信頼を支援者に託するわけであり，援助に対して支払いが行われるのであれば，価値あるものを与える能力が支援者にあるとみなすのである。同時に，支援者の方では，欲求不満を感じるかもしれない。なぜなら，クライアントが求めているように思われることよりもずっと多くを与えることができると思っていることが多いからだ。そして自分では援助だと思っていることが，役に立つと受け入れてもらえなければ落胆するのである。コンサルタントは支援者として，いつでも人の役に立てる用意ができているのに，誰も訪ねてくれなくて不満を感じることが多い。組織内の社内コンサルタントによくありがちな光景である。やっと誰かが援助を求めてくれると，非常に安堵するあまり，コンサルタントは状況を過度に判断しすぎ，必要とされるあるいは求められるよりもずっとたくさんの「援助」を提供してしまうという危険を冒すことになる。

　関係が展開していくにつれて，解決法だと思えることをクライアントが了解するよりもずっと早く，支援者は認知することが多い。もっと悪い場合には，クライアントは本当に愚かで，めちゃくちゃで，当然のことを理解しておらず，真意を分かっていないとコンサルタントが感じるようになるのである。この結果，じれったく感じ，怒りや軽蔑の感情を持つようになる。援助を与える上で最も困惑し，欲求不満のたまることは，非常に素晴らしい識見あるいは介入であると思ったことがほとんど注目もされず，一方でいつもどおりに質問したことや観察したことが，クライアントから非常に重要な介入であったと褒めちぎられたりすることがしばしばあることである。偶然の出来事が，注意深く計算し尽くされた介入よりもはるかに大きな違いを生じさせることが多い。これは，次に挙げる短い逸話からも言えることである。

何年か前に私は創業まもない会社の経営陣と仕事をともにしており，毎週金曜日の午後に開かれる幹部会議に出席していた。私の仕事は，彼らの会議がもっと効果的に行われるように支援することであった。仕事熱心な集団ではあったが，会議に割り当てられた2時間で10項目以上におよぶ議題の半分も消化できないでいた。私は不毛の議論や，議題に上っていない話題へそれていくことをできるだけ減らすようにさまざまな介入を試みたが，うまくいかなかった。この集団がどのように会議をしているかの現実を扱わねばならないと気づいていたが，一方で私自身まだ本当には「自分の無知にアクセス」していないことにも気づいていた。つまり，どうして彼らはこのようなやり方で会議を進めているのか本当のところは知っていなかったのである。会議はこのように行われるはずであるという固定観念を基に仕事をしていたのである。

いらいらするような会議に何度も参加してから，ある時私は全く知らないでいたことつまり，いったい議題はどうやって作られているのかを質問してみた。社長の秘書がそれを用意していると知らされたのだが，その時われわれは誰も彼女がそれをどのように組み立てているか知らないことに突然思い至ったのである。彼女を会議室に呼んで来てわかったことだが，彼女は電話で内容が伝えられた順に項目を並べ，会議のためにきれいにタイプ打ちしていたということだ。私が何も言わなくても，集団はこのような仕組をすぐに変えることにし，彼女には暫定的なリストを作ってもらい，集団がそれに優先順位をつけ，あまり重要でない項目のみを後回しにしたり，削除したりすることにした。会議の質も，進行具合も劇的に向上した。集団に最も役に立ったことは，議題の出所について私が全くの無知から発した質問であった。

支援者であるための最も困難な側面は，支援プロセスそれ自体を議論する相手を見つけることである。そのような議論の場では，あなたが行った素晴らしい介入，主要な識見，破壊的な誤りについて議論し，分析することができる。コンサルタントの介入によってクライアントがいかにスムーズに主要な識見を持つことができたかに，クライアントは全く気づかないことが多い。

また，コンサルタントがこのことをクライアントに指摘することも建設的であるとはほとんど言えない。何らかの満足および承認を得るために，さらには自らの助けとするために，支援者はしばしば他の支援者仲間とつながりを持つ。そうすれば彼らは，自らの行動を安全な，身内の中で分析することができる。その場では，うまく運んだ事例を共有したり，うまくいかなかったことについて支援を受けたりすることができる。これと同じ理由から，集団や組織で働く場合には，支援チームの1人として働くのが重要である。チームは内部の人間と外部の人間の両方で構成されることが多く，介入の立案を分かち合い，その後その結果を評価することができる。

　このようなあらゆる影響力を持ってすれば，コンサルタントの大半が，何らかの専門家あるいは医師としての役割をすぐに受け入れようとするのもあながち不思議ではない。なぜなら，それこそがクライアントの本当に求めていることであると彼らは思っているからだ。われわれはこう一人思いを巡らせるのである。「もし私が素晴らしい診断を下し，適切な助言を提供しないならば，私は自分の仕事をしていることにならない。クライアントの期待に添っているとは言えない。」とか，「報酬を受ける以上，情報，診断，勧告という形の専門的なサービスを提供すべきではなかろうか。しかも，私のサービスの証明として文書で提供するのが望ましいのではなかろうか。」

　では，こういう場合の問題点とは何であろうか。このように思い描いたことの何が間違っているのであろうか。このまま進めて，医師や専門家になってはどうだろう。PCの観点から言って問題なのは，クライアントが意識していようがいまいが，自分が弱みを抱えているという感情ゆえに，クライアントは実際に悩んでいることの深いところにある部分あるいは複雑な全容を進んで明らかにしたいとは思わないということだ。支援者が受容してくれ，支持してくれ，さらに最も重要なことには，積極的に話しを聞いてくれるとクライアントが感じることができて初めて彼は，事を明らかにするのである。当初に行われる問題の説明は，支援者がどのように反応するかを見るテストであることが多い。そして，本当の問題というのは，互いの信頼関係が築けて初めて表面に現れてくるのである。最初の面接ではクライアントは，物事を自分のうちに秘めたままであるかもしれない。秘められたことの多くは，

相互信頼に基づいた関係が築かれて初めて明らかになるのである。

　それゆえ，コンサルタントが本当に支援的でありたいと思うのであれば，まず，クライアントが自尊心を取り戻し，クライアントと支援者が対等の立場に立て，クライアントが当初感じるであろう依存および反依存の感覚が取除かれるような関係を築かねばならない。もしそのような対等の関係が築けないならば，クライアントが真実を明かさず，提供される支援を受け入れず，拒否し，防衛的になったり，その他支援を損なうような危険が残るのである。クライアントと支援者の両方が敗者となってしまう。

◆交渉における暗黙の役割および立場

　関係を対等にするには，立場および役割の社会的力動を洞察する必要がある。どのような援助関係においても，文化的な規範や個人的な要件に沿って互いが相手に付与する当初の立場および役割というのが，捉えがたいのではあるが強力な力となっている。われわれは問題を認識し，援助してもらうことが必要であると感じると，意識的にしろ，無意識にしろ誰に相談しようかと思い巡らせるのである。友人，配偶者，上司，カウンセラー，精神科医，ソーシャルワーカー，医師，弁護士，その他のコンサルタントのどれが良いだろうかと考える。専門家に相談すると決めた場合，今まで会ったことのない人が良いか，知っている人のところに行きたいかをこれまでの経験から考えねばならない。初めての人のところに行くと決めた場合は，役に立つ援助をしてくれると信用できる人間を，どのようにして選べば良いだろうか。この人を選ぶという過程において，われわれは支援者が何を提供してくれるかについて固定観念を持ってしまう。そして，この固定観念のために支援者が実際に与えることができるものを妨げてしまうかもしれない。

　このため，コンサルティングを扱った文献では，支援関係を樹立する最初に「契約」を強調しているものが非常に多いのである。しかしながら，初期の段階においては支援者もクライアントも実際には確固とした契約を結べるほど十分な情報を持っていないのである。そこで，「契約」よりも「互いの期待を探索すること」の方が良いのである。支援者は，クライアントがどの

ような期待を暗黙に抱いているかを知る必要が絶対にある。しかし，あいにくそれらの期待の中には無意識のものもあるかもしれない。そして，その期待が裏切られて初めて表面に現れるのである。例えば，クライアントは自分が語ることが無条件に受け入れられ，同意してもらえることをそれとなく期待していることが多い。クライアントが行ったことや，行おうと思っていることにコンサルタントが疑問をさしはさむと，まずはショックを受け，がっかりさせてしまうことになるかもしれない。そうなって初めて，同意を期待し，求めていたことに両者が気づくのである。

コンサルタントの側で暗黙に期待されていることは，提供する提案をそれなりに聞いてもらえることである。そこで，クライアントがコンサルタントに反対して，提案はたいしたことでないとほのめかされたり，はっきりとうまくいくわけがないと言われたりすると，コンサルタントはショックを受け，がっかりするであろう。援助関係を築く際には，そのような感情を互いに失望の原因とするのではなく，学習のきっかけとすることが重要である。関係を築く上での通常のプロセスであるとしてこのような感情を扱うことが必要とされ，さらに洞察を得，学習するためのきっかけとすべきである。

これらの社会的力を複雑にしているのは，感情転移および逆感情転移の精神力動である。このため，コンサルタントはクライアントが何をコンサルタントに投影しているかを良く知るべきであるし，さらにはクライアントの現実にコンサルタントが何を投影し，どのように誤解しがちであるかもコンサルタントは良く知らねばならない。コンサルタントにとって，現実を知ることおよびそれに対処することは，まずは自分の内面の歪みを知りそれに対処できるようになるプロセスなのである。コンサルタントが，自分の無知にアクセスし，自らの固定観念を克服する方法を学習することは，極めて重要である。

両者が互いの相対的立場および役割を快適に感じられるようになったときに，両者の関係は生産的なものになる。ここでは文化的な規範が重要な役割を果たす。というのも，ある種の従属関係を築くことが，その他のことよりも適切であると考えられているからだ。名高いカウンセラー，精神科医，コーチ，コンサルタントに相談するのであれば，友人や知人と問題を分かち合

う場合よりも，その相手に依存することになるであろう。仕事上の問題を抱えて上司に相談に行く場合，同じ問題を抱えて同僚や部下に相談するよりも依存することになるであろう。

　どのような社会でも，どのような依存的関係なら適切であり，どのような場合には面目を失うことであるかの規範が存在する。西洋は，競争および個人主義の社会であるので，依存することはほとんど全て面目の喪失であると見られている。他方，アジアの文化では多くの場合，目上の人々や地位の高い人々を頼ることが期待されている。社会が平等主義的であればあるほど，他人に頼ることをどう思うべきか折り合いをつけるのが困難になる。そのため西洋の社会でそのような感情を折り合わせていくのは，他の文化においてよりももっと困難であるだろう。

◆相互受容の段階を通しての関係の構築

　援助を求める人と，援助者が初めて出会った時，これまで述べてきたさまざまな要因が働いているのである。それではどのように会話を展開させて，両者が互いの話しを聞き，互いを理解し，互いが求めているものを与え合うような関係を作り出していくのであろうか。このプロセスを説明する最良のモデルとしては，各当事者はどのレベルで他方を受け入れているかを確かめる一連の相互テストを行っていると考えてみることだ。クライアントは自らの話しを展開していくにつれて，援助者がどの程度積極的に話していることに耳を傾け，理解し，支持しているかを注意深く見守ることになる。一貫した支持が与えられ，何を言っても，たとえ必ずしも同意されるとは限らなくても，少なくとも理解はしてもらえるとクライアントが感じるならば，クライアントはより個人的なレベルまで語ってみようと思うのである。そしてついには，援助者やおそらくはクライアント自身も受け入れることが決してできないようなレベルの打ち明け話をして見ようか，と感じるところまで至ることもある。会話はどこまで「オープン」にできるかは，文化的な規範によって常に何らかの制限がされていることをコンサルタントは認識していなければならない。「全てをさらけ出す」というようなことは決してあり得ない。

たとえ信頼しているコンサルタントとであっても，クライアントが分かち合いたくないと思っている意識の層が必ずある。そして，究極的には自分自身の中にどうしても受け入れられない意識の層があって，そのため抑圧された状態を保っているのである。

　他方援助者は，自分が促がすために発する言葉や，質問，提案，援助者としての物腰全体に対して，クライアントがどの程度敏感に反応しているかを測定している。クライアントがどの程度自分を頼りたいと思っているのかをコンサルタントはテストしており，自分がその程度の依存関係を受け入れられるかも確認している。クライアントが援助者を受け入れるにつれて，援助者も自らの個人的な考えをもっと明らかにするようになり，会話がより深いレベルへと進展していく。しかし，このプロセス全体を通して，両者が絶えずテストを繰り返しており，誤りを指摘するフィードバックがないかと身構えている。そのような誤りが証明されるような事態があれば，両者は心理的契約を測定しなおし，再考しなければならない。どちらかが暗黙の境界線を踏み越え，気分を害するようなことを言ってしまったのであろうか。暗黙の契約をもう一度見直すことができるだろうか，あるいはもうこれ以上は動けないところまで関係が行きついてしまったのだろうか。もっと悪いことには，一段上あるいは一段下にあるとする感情を非常に強く持つほど関係が損なわれてしまい，クライアントかコンサルタントのどちらかがこの関係を断ち切るしかないと感じているのか。われわれ誰しもが経験したことがあるように，信頼関係を築くには，信頼を失うよりもずっと多くの時間とエネルギーを必要とする。そこで，相互受容を築くうえで最も重要な点は，ゆっくりと時間をかけ，相互受容を高め，互いがより対等の立場になる方向で関係が移行していることを十分保証していくことである。極めて重要な介入は，クライアントに話しをさせ，積極的質問を行って援助者側の無知の領域にアクセスし，それを無くしていくことである。

　このプロセスは，**相互協力の一種**と見ることもできることに注意して欲しい。クライアントが明らかにすることを全てのレベルで真から受け入れ，おそらくは何が起こっているかについて援助者自身が描いている概念を修正していくことによって，援助者は信頼関係を作り出すことができる。正確な情

報および感情を獲得するという点においては，ある意味では，援助者もクライアントに頼っているのである。クライアントから信頼してもらうためには，援助者も積極的に援助してもらうことが必要である。そしてこのような信頼関係があってこそ，クライアントはより深い部分を打ち明けられるのである。両者が互いに援助し，援助されることを通じて，関係が徐々に対等になっていく。

実用的意味

　効果的な援助関係を作り出す雰囲気を確立するには，援助者はまずこれまでに述べてきた5つの包括的原則を思い出さねばならない。つまり，「常に力になろうとせよ」「目の前の現実との接触を保て」「あなたの無知にアクセスせよ」「全てを介入として扱え」「問題を抱えているのはクライアントである」の5つである。ここで，われわれは常に守るべき6番目の原則を付け加えることができる。

原則6：流れに身を任せよ

　クライアント・システムはどこも文化を発展させており，そのような文化を維持することを通して，安定を維持しようとしている。個々のクライアントは誰でも，自分自身の性格やスタイルを育んでいる。そのような文化や個人的な現実が何かを最初から私が知っているわけではないので，私はクライアントが自らのどの部分に動機を持ち，変更する用意があるのかをつきとめねばならない。そしてまずはそれらを土台として築いていかねばならない。

　援助者はクライアントおよび関係がどこへ向かっているのかを感知しようとしなければならない。そしてその状況にあまりに多くの固定観念や要求を押しつけてないようにすべきである。その状況が抱える現実を本当に理解しようと努め，自分が本当は分かっていないことと接点を持ち，私が行う全て

の質問および行動は介入であると認識し，その問題を自らが背負い込む義理はないと知っているならば，流れに身を任せるという考えを採用するのが非常に自然なこととなる。つまり，クライアントの感情と私自身がそれにどう反応したかに沿って，次の手段を決めていくのである。コンサルタントはいかに進展させるべきであるかという独断的な規則に頼ることはしないわけだ。

　これまで述べてきた落とし穴を承知しておき，絶えず次のように問い掛けて見ることが役に立つ。つまり，われわれはチームとして一緒に働いているか。われわれの立場は対等であるか。互いに期待しているものを与え，受け取っているかと問うて見るのである。「この会話は役に立っていますか。」「私は問題を理解しているでしょうか。」「われわれは正しい議題について話し合っているでしょうか。」などプロセス志向の質問をしてみることは，目標を外さないために非常に役に立つことである。

　クライアントの状況は複雑であることが多く，援助の関係を作り始めたばかりの頃はそのような複雑な状況についてコンサルタントは無知であるという点を重大なこととして捉えるならば，コンサルタントは時期尚早な評価や判断を下すことが無くなるであろう。ただ単にそのような評価や判断を口走ってはいけないという問題ではなく，むしろ，分かっていることがどれほど少ないかや，状況を予測したり評価したりするのがいかに不適切なことであるかを認識する演習なのである。そのような時期尚早な判断を下さないためには，運転席のクライアントに話しを続けさせる全く非誘導的な面接を行うことが最も効果的であろう。そして，その過程においてクライアントは自分がより尊重されていると感じるのである。そのような「積極的質問」については次の章で詳しく取り上げる。

◆要約と結論

　私は援助関係における主要な精神力動的課題を，関係初期における心理学的状況を説明し，分析することによって概説しようとしてきた。援助を求める人および援助者たらんとする人の内面，さらには彼らの間で当初繰り広げられる交流においてこれを説明をしてきた。その戦略的目標は，次のような

心理学的状態を達成することである。すなわち，うまく機能する心理的契約が存在し，おおよそ互いが期待しているものを与え，受け取る状況にあり，援助者とクライアントが一緒に働くチームのように感じ始める状況の達成である。彼らはまず，共同でクライアントの問題を診断し，それから一緒に次の段階を探求するのである。そのようなうまく機能する心理的契約を達成するには，両者ともが，当初状況に関して自分たちが持っていた固定観念について何らかの識見を得る必要がある。そしてそのような固定観念の要素が表面化するように会話を進めねばならない。同時に，彼らは互いに多くを受け入れ，支え合うべきだ。

　うまく機能する援助関係を構築する上でのジレンマは，両者とも互いについて学ばねばならない一方で，同時にクライアントが自らの話しを語ることのできる安全な環境を作り出しているということにある。なぜなら，当初クライアントは援助者よりも立場が弱く，依存した状態にあるからだ。問題を認めたことによってクライアントが作り出した力の空白へ足を踏み入れたいとする当初の衝動に援助者は打ち勝てねばならない。そして代わりに，自分たちとクライアントとの立場の関係が対等になるように神経を集中させるのである。援助者は，クライアントの現実を明確に知りたいと思うのであれば，クライアントの助けが必要であることを認識しておかねばならない。さらに，援助関係は，たとえクライアントの課題に焦点を当てているとしても，両者が互いに援助しあっていると感じる時に最もうまく機能することも知っておかねばならない。

　常に心にとどめておくべき包括的原則は次のとおりである。

1．常に力になろうとせよ。
2．常に目の前の現実との接触を保て。
3．あなたの無知にアクセスせよ。
4．あなたのすることはどれも介入である。
5．問題を抱え，解決法を握っているのはクライアントである。
6．流れに身を任せよ。

次の章で取り上げる事例によって、ここで取り上げた項目の多くが例示されることになるであろう。

演習 2.1 援助を与えたり、受け取ったりすること

この演習の目的は、(1)「援助する」役割を明確に受け入れ、(2)援助者とクライアント間の心理的力動を観察し、(3)自らの無知にアクセスする技術に焦点を当てる練習を施すことである。

1. 友人に問題や課題を共有させてくれるように依頼する。
2. 友人が問題点を打ち明け始めると、その問題に関連して知らないことを全て頭の中で列挙するか、メモ帳に書きとめるという努力を意識して行う。
3. 無知を減らす一連の質問を考え出そうと努め、それらを質問する。
4. たとえ友人が求めてきても、友人が語ったことに対して、助言、判断、あるいは感情的な反応などを絶対に起こさないようにする。
5. 20分ほど経過した後に、最初の20分間に抱いた感情について一緒に討議する。また、あなたや友人がこの章で述べたような感情を持ったかどうかも討議する。
6. 「無知」の領域を再検討して、自らの固定観念や先入観に打ち勝つのがどの程度うまくいったかを判断する。

第3章

立場を均等化するプロセスとしての積極的質問と聴き取り

　コンサルタントが最初に行う最も重要なことの1つが，クライアントの話に注意深く耳を傾けるということであるのは言うまでもない。けれども聞くということは，非常に積極的にも非常に受身的にも行える，なかなか複雑な作業である。流れに身を任せ，自らの無知にアクセスしなければならないのだとしたら，一見したところ，われわれはクライアントにその人の流儀で話を展開させるように相当受動的態度をとりながら気を配っていなければならないだろう。しかし多くの場合，クライアントは1つか2つ質問をしただけで，期待している顔つきで黙ってしまうのが落ちである。差し出されている権力をすべて受け取ってしまうという罠に，コンサルタントが陥らないように注意しなければならないのは，この瞬間なのである。
　たとえば，クライアントは組織が直面している戦略上の課題について長々と論じたあとで，次のように尋ねるかもしれない，「それで，私はうちの幹部をどのように組織したものでしょう？」。コンサルタントは自分の専門領域を発揮したさのあまり，こう答える誘惑に駆られるかもしれない，「そのグループで何かチーム作りをしてはいかがですか。あなたがたのために私がチーム作りのセミナーをやってあげましょう」と。おそらくクライアントが提案されていることを理解することはないであろう。そればかりか，依存欲求のほうが勝てば，同意して，その人の問題とは関係ないかもしれない何かに着手してしまうかもしれない。あるいは，自分が一段下に置かれているという感情が支配的な場合は，このコンサルタントは自分のお気に入りの在庫

品を売りつけようとしているのだとクライアント側で黙って結論づけ，たとえその提案が問題に対する解答になりそうな場合であっても拒否してしまうかもしれない。どちらの場合も援助が提供されることにはならない。

　もしPCの哲学で出発するならば，何よりもまず，クライアントが初めて問題を明らかにしたり質問したりしたとき作用している，心理的ダイナミクスに気を配るであろう。そして次に，クライアントに自尊心を取り戻させ，地位を持ち上げることを主なねらいとした，多目的な質問のプロセスに携わることになるであろう。自分自身の問題をよりよく理解できた（またおそらく次に為すべきことが分かった）という感覚をクライアントに与えることが，この自尊心の確立と地位向上プロセスの本質である。クライアントがその関係の中では安心を感じられるようにならない限り，いずれにしても自分の話に関係のある要素を明かすことはないであろう。そして，援助者は誤った情報で動いてしまうだろうということがその前提としてある。支持し，傾聴する姿勢を維持しながら，このプロセスを積極的に引き受けることがこれをうまくやるコツである。こういう状況を生み出すプロセスは，積極的質問（アクティブ・インクワイアリー）と考えることができる。それは基本的な傾聴も含んでいるが，それに新たに取って代わるものである。

　積極的質問のプロセスにはいくつかの目的がある。：
　　1．クライアントの立場を高め，自信を持たせること。
　　2．その状況について集められるかぎりの情報を集めること。
　　3．クライアントを診断と行動計画立案のプロセスに携わらせること。
　　4．心配の種である情報や気持ちを安心して明らかにできる状況を，クライアントのために作り出すこと。

　戦略的には，その目標は地位を対等にし，クライアントとチームを形成することである。それによって，(1)クライアントと援助者が同じ考えを共有することができ，道理にかなった診断的な洞察が得られ，(2)クライアントが自分自身の文化に沿って有効性を調査分析しているので，その治療法は現実的になる。戦術的手段として，積極的な質問を行うにあたって認識しておくべきことは，質問に促されてクライアントが自分の話をすべて明らかにし，自

ら診断的に考え始めるようなやり方をすべきだということである。もしクライアントの話がその人自身の言葉で，その人自身の概念を用いて出てこなければ，コンサルタントは何が起こっているであろうかについて現実的な感覚を持つことはできない。クライアントが自ら経験したことを報告しているのであれば，その立場に身を置いて考えてみるのも非常にたやすいことである。したがって援助者が最初にすることは，クライアントにできるかぎり細大漏らさず話してもらえるように促し，そしてできるかぎり中立的で判断を差し控えた聞き方で傾聴するということでなければならない。

積極的だが判断を差し控えた聞き方をしてもらえることで，クライアントの方でも不安を引き起こす可能性のあることを打ち明けることができるという効果もある。クライアントと援助者の関係は，Bill Isaacsが言うところの安全な「容れ物」とならなければならない[1]。その容れ物の中では，「通常の環境のもとではあまりに熱すぎて手にとれない」かもしれない問題を扱うことができるのである。

積極的質問は表3.1に要約してある。

このプロセスは幾種類かの問いただす質問によって促されるが，その質問は話の展開を妨げないように慎重に組み立てるべきである。「話」は起こっていることに対するクライアント自身の捉え方であり，それは可能なかぎり先入観を持たずに明らかにされるべきである。

表3.1 積極的な問いただす質問のタイプ

1. 純粋な問いかけ

会話のプロセスも内容もクライアントがコントロールする。
コンサルタントの役割は，話を促し注意深く中立的に耳を傾けることである。
どんな状況なんですか？ 何が起こっているのか話していただけますか？ どうしたんです？ その状況を話してください。もうちょっと話してください。続けてください。

---

[1] 「容れ物」という概念は，対話のための条件を生み出すことに関連して，Isaacsが考え出した（Isaacs, 1993）。援助する関係は2人の間のある種の対話として考えることができる。これをどう演じるかおよび対話のダイナミクスは第10章で詳述する。

II．診断を探るための質問

コンサルタントはその内容をどのように分析し，煮詰めていくかというプロセスを扱いはじめるが，内容についての考えや提案，助言，その他の選択肢は差し挟まない。

1. 情緒的反応を探る
   そのことをどうお感じになりましたか？　あなたはどう反応したのですか？　他の人たちはどう感じ，どう反応したのですか？
2. 行動や出来事の理由を探る
   なぜそうなさったのですか？　どうしてそうなったと思われますか？　他の人はなぜそうしたのですか？
3. 行動を探る：過去，現在，未来
   それに対してはどうなさいましたか？　何をなさるつもりですか？　他の人はどうしましたか？　他の人は何をするつもりでしょうか？　他に選択肢がありますか？　あなたは何をすべきでしょうか？

III．真っ向から対決する質問

コンサルタントはその話のプロセスと内容に関して自分自身の考え方や反応を伝えて共有する。コンサルタントは自分自身の考え方を伝えることで，クライアントに新たな視野に立ってその状況を考えるように「強いる」，それゆえこの質問はその名の通り対決的なものである。

1. プロセスについての意見
   あなたは次の──をすることができたでしょうか？　──をすることについては考えましたか？　なぜ──をなさらなかったのですか？　これら他の選択肢についてはお考えになりましたか？　あなたは──をなさってもよかったんですよ。
2. 内容についての意見
   過剰に反応しすぎたという可能性はお考えになりましたか？　そのことで腹立たしく（不安に，得意に等々）思わなかったのですか？　おそらく起こっていたことは本当はあなたが思っていることとは違っていたのです。

◆積極的質問の諸タイプ

純粋な問いかけ　純粋な問いかけは沈黙からはじまる。援助者は動作と視線を合わせることで傾聴する態勢ができていることを伝えるけれども，何も

言う必要はない。クライアントはそれだけでもう話しはじめる準備が整うかもしれない。もし黙っているだけでは話を始めさせることができなかったら，コンサルタントはその場の状況に応じて，次のような促す言葉のどれかを発することになる。

「何が起きているのか話してください。」
「どうすればお力になれますか？」
「それで……」（期待をこめた表情で）
「なぜここにいらっしゃったのですか？」
「それについて何か例を挙げていただけませんか？」
「起きたことについてもう少し詳しく話してもらえますか？」
「最後にそれが起こったのはいつでしたか？」

　重要な点は，問題を前提にした質問で促さないということだが，それというのも，それこそがクライアントの否定したがっていることかもしれないからだ。最初は，何が起きているかにだけ焦点を当てるべきである。そうすれば，クライアントは自分の望むような形で話を構成することができる。これから確認していくことだが，なぜという質問に刺激されて診断的思考をするようになり，そもそもなぜクライアンは援助者の所に来たかの話を進んですることになるかもしれない。たとえば，クライアントは自分が一段下の立場に置かれているという感情に対処するために，コンサルタントの資格をチェックする質問から実際に話を始め，自分がここへ来た理由については何も述べないかもしれない。「どういう問題でしょうか？」というような問いは問題を前提としているが，クライアントはコンサルタントとくつろいだ関係を持てないうちは，それを打ち明ける用意が整っていないかもしれない。
　クライアントが語り始めることが何であれ，それに対して積極的質問で反応するというのは，よく見られるように注意しながらうなずくことや，時折ふむふむと相槌を打ったり，その他コンサルタントが話についていっていることを示す確認の合図などを送ることである。また必要なら，「続けて」「そこをもう少し詳しく話してください」「次はどうなったのです？」というようなさらなる促しの言葉を発することもある。目標はクライアントがどのよ

うに話を進めるかを組み立ててやることではなく，全てを打ち明けるように促すことである。そうすることで，コンサルタントは無知を取り去り理解を深められる。例を求めることはとくに重要な選択肢である。というのも，非常に抽象的な話で始まることが多く，何が起きているかについて自分の仮説を安易に投影してしまい，クライアントが本当に言おうとしていることを誤解してしまうことが非常に起こりやすいからだ。

耳を傾けるとき，Robert Fritzが主張しているように[2]，その場面，登場人物，設定および行動を視覚的に思い描き，起こっていることを心の中で絵にしていくことは，役に立つかもしれない。そのように積極的に映像化することによって，コンサルタントは知らぬ間に次第に自分自身の夢想や気をそらすような考えにはまっていってしまわないですむ。また，クライアントが話していることを細部まで多く覚えておくうえでも役立つ。Fritzによれば，積極的に映像化することに助けられて，聞き手はクライアントが生きている構造の現実を理解するようになるのである。

やがて，クライアントの話す速度はゆっくりとなるか，話を終えてしまう。さらに続けるように促しても，そのプロセスが再び始まることはなくなる。実際，クライアントはふいに話を打ち切り，唐突に「どう思います？」とか「それについて私はどうすべきでしょうか？」と尋ねてくるかもしれないのだ。その瞬間，コンサルタントはまたもや，その質問に答えることによって，即座に専門家になってしまうという罠を避けなければならない。もしまだ助言や提案に耳を貸す態勢がクライアントにはできていないとコンサルタントが感じるのであれば，コンサルタントはクライアントをその人自身の問題につなぎとめ取り組ませておくプロセスがいくつか選択できる。1つの選択肢は，会話を診断的質問へ向かわせることである。

診断を探るための質問　この形態の質問を用いて，コンサルタントはクライアントの内面のプロセスに影響を与えるようになる。これは，クライアントが話をするにあたって選んだのとは違う話題に意図的に焦点を当てさせる

---

[2] Fritz, 1991.

ことで行われる。こうした質問が話の内容に影響を及ぼさないように注意しなければならない。むしろ，話の中で注意が注がれる焦点が変わるのである。この再方向づけには基本的に異なる3つの変化形がある。

1. **感情と反応**——クライアントが述べた出来事に対してクライアント自身はどのように感じ，反応したかに焦点を当てさせること。
「それについてどのように感じました（ます）か？」
「それに対してあなたは何か反応をされました（ています）か？」
「それに対するあなたの情緒的な反応とはどのようなものだった（である）のですか？」

2. **原因についての仮説**——物事がなぜそのようになったのかについて，クライアント自身が持っている仮説に焦点を当てさせること。
「どうしてそのようなことが起こったと思われますか？」
「あなたは（彼女は，彼は，彼らは）なぜそのように反応したのでしょうか？」（クライアントが何らかの反応を打ち明けた後で）
「なぜあなたは（彼は，彼女は，彼らは）そうしたのですか？」
（クライアントが何らかの行動を打ち明けた後で）

3. **実行に移されたもしくは，もくろまれている行動**——クライアントや話に登場してくる他の人々がしたこと，しようと考えていること，及び将来やるために計画していることにクライアントが焦点を当てるように仕向ける。もしクライアントが行ったことをすでに打ち明けてくれているのであれば，コンサルタントはそれをもとにすればいいが，「話」の中では，クライアントや話の中に出てくる他の人たちの過去，現在，未来の行為が打ち明けられることはまれである。

「あなた（彼，彼女，彼ら）はそれに対してどうしたのですか」
「あなたは次にどうするおつもりですか」
「それでは，彼女（彼，彼ら）はどうしたのですか」

打ち明けられた話が何であろうと，これらの分類は明らかにその中で互い

に重なり合っているので，一つずつ探索していくこともできるが，その状況によっては一度に全て探索することも可能である。しかしながら，各質問によってクライアントは自分の思考プロセスから離れて，コンサルタントの思考プロセスへ入り込まざるを得ないことにコンサルタントは注意しておかねばならない。それゆえ，探るための純粋な問いかけよりもずっと強力な介入となるのである。「それについてどのように感じましたか」「そのようなことがなぜ起こったと思われますか」あるいは「それについてどうされるおつもりですか」といった類の質問はどれであれ，クライアントの心理作用の方向を変えることになる。なぜならそれによってクライアントは，新たな視点から，新たなレンズを通して出来事を眺めるように依頼されるからである。

真っ向から対決する質問　対決する質問では本質的に，コンサルタントが会話において話のプロセスや内容について自身の考えをさしはさむことになる。単にクライアントに詳細を述べることを強いる代わりに，ここではコンサルタントは提案をしたり，クライアントには思い浮かばなかったような選択肢を提供している。

「それに関して，彼（彼女，彼ら）に立ち向かいましたか」
「……をすることはできませんか」
「彼らが非常に心配していたから，あなた（彼，彼女，彼ら）がそれをしたということですか」（クライアントがそのような情緒的可能性に気づかない場合）

これらすべての場合において，介入が対決型になるのは，今やコンサルタントが自分自身の概念の領域にクライアントを誘いこみ，押しこもうとしていることにある。これまでの問いかけでは，質問によってクライアントはクライアント自身の概念や感情の領域に沿って導かれていただけであったのに対して，対決型の介入では，新たな考え，概念，仮定および選択肢が導入され，クライアントは今やそれに対処することが強いられるのである。援助者は，今やプロセスばかりでなくクライアントの内容にも手を出しているのである。

この手段が及ぼす影響力は，いくら強調してもしすぎることはない。たとえ介入が「これらの出来事における自分自身の役割について考えてみましたか」とか，「そのことであなたは腹を立てたのですか」といった控えめな質問であってもである。なぜなら，それによってクライアントは，今や自分自身の話を置いておいて，コンサルタントが提供した枠組の中で対処することを強制される，あるいは許容されることになるからだ。そして，このプロセスにおいて非常に危険なこととして，クライアントが抱える状況の現実に関する更なる情報が失われてしまうことがある。なぜなら，クライアントは今や自分自身の記憶にあることを明らかにする代わりに，新たな概念に対処することで手一杯であるからだ。真っ向から対決する質問を行う上での課題は，いつどのようにそれを行うかである。

◆建設的オポチュニズム

いつ純粋な問いかけから，診断あるいは対決モードへ切りかえるかを判断するうえで，そのタイミングは非常に重要である。始めてから数分以内でそのような転換を行うのが適切となる場合もあるが，また時には，そのやり取りの間中ずっと純粋な問いかけだけに終始した方が良いと感じる場合もある。聞かされていることおよび，自身の反応や考えの強度に応じてこれら3種類のモードを行ったり来たりするのが適切であることが多い。焦点を変更するタイミングとしてはいつが良いかを判断する単純な基準はない。理想としては，話に出てくる事がらの中で，クライアントの課題や問題をさらに良く理解する上で役立ちそうな出来事に焦点を合わせるべきである。あるいは，問題が明白である場合には，実行できそうな何らかの救済行動に焦点を当てるべきだ。危険なこととして，これまでの原則を忘れてしまうということがある。すなわち，力になろうとし，現実を扱い，自らの無知にアクセスし，質問は全て実際介入であると認識し，問題はクライアントに担わせておき，流れに身を任せることが必要だとする原則である。洞察や提案を抱えて飛び上がり，自分自身が描いた現実をクライアントに押しつけたいとする誘惑は非常に大きい。

同時に，受動的に問いかけるだけの機械にもなれないのである。なぜなら，話に耳を傾けているうちに感情や考えが強力に浮かんでくるからである。そして，そのような自身の感情や考えは，クライアントが自分自身の現実を理解するのを援助するうえで非常に関連している場合がある。流れに身を任せることは，それゆえ，「建設的なオポチュニズム」という別の原則とバランスがとられねばならない。焦点を変える好機をいつ捉えるかについて，私が採用している主な基準は，クライアントが自らの話に明らかに重要な意味を持ち，クライアントの記憶にも残るくらい強烈である何かを語ったときである。言いかえれば，介入は，クライアントが語ったことと明白な関連を持たねばならないのである。単に自分自身の考えや感情だけで行ってはならない。

タイミングの好機であると感じられると，コンサルタントは何らかのリスクを犯して，新たな洞察，選択肢，あるいは物の見方を提供する機会を捉えねばならない。以下に挙げる事例が示すように，そのような機会を捉えるにあたって，コンサルタントはタイミングあるいは介入のレベルにおいて時には誤りを犯すこともある。その結果，クライアントから拒絶され，しばらく緊張した関係になったりもする。そのような時には，クライアントの反応からコンサルタントが誤りを犯してしまった可能性が分かるだけでなく，ある種のアドバイスに対してクライアントがどのように反応するかという新たなデータも明らかになると，コンサルタントは認識すべきである。つまり，起こったことは全てそこから学び取るべきデータなのである。

われわれは会話をしていて何を言うか，どのように言うか，いつそれを言うかのタイミングにおいて常に誤りをしでかしている。そのような誤りによって意気消沈するのではなく，それによって学習の機会が与えられているのだ，だから歓迎すべきであると認識する必要がある。[3]「物事の言い方にもっと気をつけよう」とか「仮定の話をしないで，無知にアクセスしよう」など

---

3) Don Michael はずっと以前に，その著名な『企画を学び，学習を企画する』(1973, 1997) という本で誤りを否定したり後悔するのではなく，学習の鍵として「喜んで受け入れる」べきであると指摘している。幸運なことに，組織的学習に関するこの重要な本は，新たに序文と終章を書き加えて再発行された。なぜなら，以前にも増して今日その本はよりいっそう的を射たものになっているからだ。

ど教訓を学ぶことであろう。だが，われわれは常にその教訓を越えて，新たなデータによってその状況について何が分かったかを問いかけねばならない。このように学習は2つの領域で起こる。つまり，誤りに対する反応によって，われわれはどこを間違えたのかという自分自身に関するデータとクライアントが物事をどう考えており，どのような覚悟が出きているかというクライアントに関するデータが手に入る。これら全ては，更なる3つの原則にまとめられる。

原則 7：タイミングが極めて重要である。

どのような介入であっても，うまくいく時もあれば失敗する時もあるだろう。そこで私は，常に診断的モードを維持し，クライアントが注意を向けてくれていると思われる瞬間を探していなければならない。

原則 8：真っ向から対決する介入については建設的にオポチュニスティックであること。

いかなるクライアント・システムにおいても，不安定な開放型の領域がある。その領域では変更したいとする動機が存在する。私はそこを探し出し，既存の動機および文化的長所という土台の上にものごとを構築せねばならない（流れに身を任す）。だが同時に，新たな洞察や代替案を提供する機会となる瞬間を捉えねばならない。流れに身を任せることは，介入するというある種のリスクを犯すこととバランスをとる必要がある。

原則 9：全てはデータである。誤りは常に起こるものであるが，それがまた主要な学習のきっかけを提供してくれる。

いかに注意深く私がこれまで述べてきた原則を守ろうとしていても，クライア

ント側に予期せぬ，望ましくない反応を引き起こしてしまうことを言ったり，したりすることだろう。私はそこから学ばねばならない。そして，あらゆる手段を尽くしてクライアントが防衛的になったり，恥をかかされたと思ったり，罪悪感を抱いてしまうのを防がねばならない。私が誤りを避けられるほど十分にクライアントの現実を知ることは決してできない。だが，それぞれの誤りによって生じた反応から，クライアントの現実について非常に多くのことを学ぶことができる。

◆選択プロセスの諸要素

　以下の事例では，この選択プロセス，タイミングの重要性，誤りから学習するプロセスなどの要素がいくつか例示してある。

実例

　同僚の Jim は，管理者に対するコンサルタントという役割を担っていたが，4 件立て続けに管理者に送った報告書があまり評価されず，これら 4 箇所のクライアントとの契約を打ち切られるという経験をしてきたのはなぜかを知るために，援助を求めていた。Jim の仕事は，会社の情報関連の職務をいかに組織するかについて助言を与えることであった。私は，これらの出来事について話してくれるように Jim に求めることから会話を始めた。そして，純粋な問いかけをすることで Jim を促した。約15分間話してもらった結果，Jim がもっぱら医師－患者モデルでクライアントを処遇してきたことが明らかになった。彼は自分が注意深く診断を下し，適切な勧告を与えたと思っていた。そのため，どうしてこのように注意深く考え抜かれた診断および勧告がこんなにもたやすく退けられてしまうのか，理解できなかったのである。

　話をしていく中で，彼は自分のなした多くの反応をすでに明らかにしてくれた。そこで，私は感情について質問する必要がなかった。彼は欲求不満を抱き，自分

が無能であると感じ，どうしたらいいのか本当に途方にくれていた。質問するプロセスを飛ばして，彼が自らのやり方によって防衛的反応を促してしまったのではないかという私自身の反応や仮説を彼と共有したいという誘惑は，この時点で非常に強いものがある。彼は正式の報告書を作成してきたのであるが，それは組織を徹底的に批判したものであり，その報告を彼はいろいろな階層の管理者で構成されることが多い管理職集団に提出していたのである。しかし，私がそれをすれば，私は彼がやってきたことと全く同じことをやってしまうことになると知っていた。すなわち面と向かって彼の行動を批判するということである。このような類のフィードバックは，自分が一段下にいるとする彼の感情を強化することになり，彼が防衛的になるという危険を冒すことになる。

　私はこの衝動を抑え，代わりに診断的質問をした。「これらの報告が高く評価されなかった理由は何だとあなた自身はお考えですか」実のところ，「なぜこのようなことが起こったとお考えですか」と私は聞いていたのである。つまり，一般的な出来事に焦点を当て，私と一緒に状況を診断するのに彼を関わらせようとしていたのである。彼はすぐさま，クライアントは自分自身に関して否定的なことを聞きたくなかったのではないかという可能性を指摘した。クライアントが防衛的になったのも当たり前であるとした。しかし，彼は何をどのように報告するかについて自らが下した判断によって，この防衛的反応が引き起こされたかもしれないと推測することはしなかった。だが，彼がこのように分析したことで，彼に見えていないのはどの点であるかについてさらなる情報を私は得ることができた。しかも，何が起こっていたであろうかについて彼が思いを巡らせ始めるきっかけとなったのである。

　「なぜ」という質問は強力な介入である。なぜなら，それによってしばしばクライアントはそれまで全く当然と思い込んでいたことに焦点を当てざるを得なくなるからだ。そして，クライアントはそれを新たな視点から検討するのである。「なぜ」と尋ねる主題を注意深く選択することによって，コンサルタントは，異なる心理作用を生じさせることができ，その結果全く異なる洞察へと導くことができる。なぜクライアントである彼がそれをしたのか，あるいは話の中の<u>他の人</u>がな

ぜそれをしたのか，あるいはまたクライアントも話の中の特定の誰も関わっていない出来事がなぜ起きたのかのどれにクライアントの焦点を当てさせるかということが主要な選択肢となる。

　なぜ自分が否定的な反応を受けたのかを推測していく中で，Jim はとりわけ辛い思いをした会合について話してくれた。その会合で彼が経営幹部に対して発表を行うと，それを聞いた CEO（最高経営責任者）は会議の最中に真正面から異議を申し立ててきたのである。そして，企業文化が情報関連職務のために設けられた長期目標にどれほど適合していないかを指摘したことは，依頼された仕事の範囲を踏み越えてしまったのだと強制的に認めさせられたのである。CEO は，Jim に文化についてコメントして欲しいなどとは一切頼んでいないと主張した。CEO は，会社の創業者の 1 人であったので，その文化に一体感を持っていた。Jim はこのことを非常に心苦しく思い，公の場で CEO に謝罪したそうだ。しかし，彼が驚いたことには，チーム・メンバーの他の人の中には何人か，彼の支援に回って，彼が文化を掘り下げたことやそれについて報告した行為は正しかったとし，歓迎されるべきでさえあると言ってくれたのである。

　診断的な質問によって新たなデータがいくつか明らかになった。これまでには知らされていなかったことであり，明らかに重要なことであった。この時点で，私は行動に目を向けた質問に移ることで，行われきたさまざまな行動をさらに探求することに焦点を当てることにした。この種の質問によって，さらに診断が強制されるだけでなく，クライアントが経験している心理作用およびどのような行動なら選択できるかについていっそう多くのことが明らかになる。行動に目を向けた質問とは，おそらく，「あなたはその時何をしたのですか」といった類の促す言葉であるだろう。純粋な問いかけであれば，それとは対照的にクライアントに「次に何が起こったのですか」と尋ねるか，あるいは，他の人の行動について尋ねることであろう。過去に焦点を当てたままにしておいて，その話の続行を促していくこともできる。あるいは，現在や将来について質問することもできる。つまり，「次に何をするつもりですか」とか「何をしようと思われていますか」と尋ねるのである。また，他の人のことについて聞くこともできる。例えば，「誰それさ

んは何をするでしょうか」とかである。あるいはまた，プロセスをもっと複雑にして，ファミリー・セラピストが「循環型質問」と呼んでいる事を行うこともできる。クライアント側のある行動に対して，他の人は何をするだろうかと尋ねるのである[4]。例えば，私は同僚に対して，彼が CEO に謝罪する代わりに，CEO と対決していたら何が起こっただろうか尋ねることもできたのである。この事例の場合は，私は CEO に焦点を当てることにした。なぜなら，最も不可解に思えたのは彼の行動であったからだ。

私は Jim になぜ CEO はあのような行動をしたのだろうかと尋ねた。驚いたことに，Jim は CEO の行動を説明することができなかった。そこで私は，ギアを切り替えて，どうして彼は CEO に謝罪しなければならないと感じたのかを尋ねた。彼の何がいけなかったのだろうか。私は，実際のところ，Jim はまず CEO に非公式の場で草稿を見せて，CEO が文化に関する批判にどのように反応するかを推し量っておくべきだったのだとする，私自身の仮定をテストしていたのである。Jim の説明は，彼自身の罪悪感，および間違いをしでかしたという気持ちを長々と繰り返すのみであった。そこで私は，もっと対決型の介入を試してみようと決めた。私は Jim に真正面から，どうしてまず CEO の所に分析結果を持って行かなかったのかと尋ねた。

この質問によって，私が初めてその状況および，何が起こったであろうかに関する自分自身の考えを明らかにしていることに注意して欲しい。これによって，クライアントは話の内容の他の要素について考えることを余儀なくされる，それゆえ，この質問が「対決型」と見なされるのももっともである。それでも，このような種類の対決型質問も「CEO に私的に面会し，文化的データについて話し合おうと考えましたか」のように表現することもできる。あるいはまた，クライアントをそのままの状態にしておいて，複数の選択肢を提供するような質問の形態にすることもできる。つまり，「報告書の草案を持ってまず CEO か集団の所に行くことはできなかったのですか」と聞くのである。

---

4) Borwick, 1983.

自らの無知にアクセスしないことの危険は，私の質問に対する Jim の応答で明らかになった。Jim は快活に答えてくれた。「私は実際個人的に CEO の所に行き，同じ資料を渡しておいたのです。でも，明らかに私は満足してもらえる仕事ができなかったのです。あるいは彼に真意を伝えられなかったのです。」実際，Jim が最も困惑しているのは，CEO は個人的には何も言わなかったのに，公の場で否定的反応を示したことであった。

この時点で私は，自分が行った質問は言葉の上でだけの質問だったことに気づいた。私は実際には，彼は CEO の所に行くべきだったのにと言っていたのである。そして，そのような事はやっていないと仮定していたのである。これは私の側の誤りである。なぜなら，単純にそれをやったかどうかを尋ねる代わりに，それをやらなかったと決めてかかっていたからだ。Jim の応答によって，私の誤りが明らかになった。彼は防衛的になり，自分のせいであると再び責めを負っていることからもそれが分かる。だが，新たに重要なデータが表面化した。次に私がどこと取り組めばよいかの課題が明らかになった。私は人に質問をするときはもっと注意深くなろうと決意した。そして，私がどうして誤りを犯してしまったのか振り返ってみた。それは，時間の制約であり，忍耐の欠如であり，おごりであった。同時に私は，この事例で起こったことをさらに詳しく知ることになり，さらには Jim が完璧な仕事をできなかったことで自分を責める傾向にあることも分かった。また，なぜ Jim が話をする中でこのきわめて重要な出来事を省略したのだろうかと私は不思議でもあった。このことから，何が重要で何が重要でないかとする彼の精神地図に関して何が分かるだろうかと思いを巡らせてみた。彼の自分を責めるパターンから，より対決型の介入をするのが本当には援助的であるような状況に至ったのである。

CEO と個人的に会っていたのに，公の場で怒りを爆発させる事態がいずれにしても生じてしまったという話を Jim から聞いて，おそらく CEO は<u>自分のチームの面前で</u>文化を批判されて狼狽してしまったのだろうという新たな仮定を私は述べた。Jim はそうかもしれないと応えたが，彼は経営幹部のチームもこのプロジェクトに「一緒」に携わっていると思いこんでいた。Jim は，CEO とチームのその他の

人々との間にある地位や権力の違いに鈍感であるように見受けられた。彼はまた強い調子でこうも言った。コンサルタントとして、インタビューを行う中で発見したことをできるだけ明確に、確かな報告をする義務があると。そしてその義務は聞き手がどのような人々で構成されていようとも遂行されるべきであると。自分がプロの専門家であるとする意識が強すぎるあまり、自分のクライアント・システム内で何が起こっているかを察知することができなくなっていたようだ。

　これまでの教訓は、誤りは起こるものであり、誤りはそこから学習するために存在し、内容に関する誤りは、タイミングや発表の誤りとは明確に区別されるべきであるということだ。CEOに関して何かが起こっていると感じたのは正しかったかもしれない。しかしいつどのように自分の考えを提示するかにおいて私は誤りを犯した。JimとCEOの間で起こったことに関していくつかの選択肢を提供する代わりに、たった1つの仮説を提示してしまったことで必要以上に対決型にしてしまったのである。私はまた、部下の前で公にされたことが問題だったのではないかとする私の仮説は、ある程度的確であったとする感触は十分すぎるほど得ていた。

◆立場が対等になった状態を感じ取ること

　会話が進展していくにつれて、Jimは、安心して何が起こっているだろうかと私と一緒に推測していくことができるようになっていった。彼は、過去の出来事について自分の考えの幅を広げ始めた。もっとも、CEOとのある特定の問題については防衛的であった。われわれの関係は対等になりつつあり、Jimの方の頼りたいとか、自分は弱い立場にあるとする感情が減ってきているのを私は感じた。そこで、これまでよりも対決的になることが可能になった。関係が安定したとコンサルタントが感じるならば、相手が防衛的になるという危険を冒すことなくより深い会話へと進展させることができる。なぜならクライアントは今や、活発に学習しており、アドバイスを歓迎しているからだ。「安定した」というのは必ずしも両者が文字どおり対等の立場

にあることを意味するわけではない。それが意味することは，両者間の暗黙の契約，依存の度合い，コンサルタントの役割，クライアントが受け入れられていると感じる程度が互いの期待に合致しているという状態である。両者とも互いに与え，受け取るものに満足を感じている状態である。

　この状態に達しているとする信号は微妙である。クライアントは，自らの話をより積極的に診断し始める。声の調子も変わり，内容もいっそう断定的となる。自分を責めたり，他人を責めたりすることが減り，客観的な分析が増えてくる。クライアントとチームを組んでいるという感覚が，何が間違っていたのか，何が原因であっただろうかと考えていく中で生じてくる。私とJimとの会話において，彼は当惑した口調が減り，彼の関わった4件のクライアントとの間に何が起こっていたのだろうかと，より客観的に探索し始めた。以下で述べるように，このおかげで私はもっと対決的に対処することができた。

実例（続き）

　Jimの話のパターンから，彼は「超専門家の医師，診断士」として仕事をしており，その役割の中でいかにして最善を尽くすかということにとらわれているので，プロセスの問題には全く鈍感になってしまっていると私はますます強く感じた。彼がこの自分で規定した専門家の役割に直面する用意ができているかどうかためしてみることにした。そこで，単なる問いかけではなく，彼に直接的な，対決型のフィードバックを提供してみた。コンサルティングの役割に関して私が挙げているタイプの区別を彼が理解していることを知っていたので，私は単刀直入に行うことができた。

　私は次のように言った。「あなたが拒絶されることになったこれら4件の例では，プロセスの役割がもっと必要とされているかもしれなかった状況で，あなたは本当のところ患者に診断を下し，処方箋を与える医師として働いていらっしゃいませんでしたか。何を誰に対して報告するかというプロセスの問題を，内部の誰か1人ないし複数の人と相談してみても良かったのではないですか。CEOと相談しても良かったのではありませんか。どうして，何を誰に対して報告するかという

決定をすべて，あなたが1人で行わねばならないと感じていたのですか。しかも，文書を用意しさらに公の場での発表も行わねばならないとどうして思ったのですか。」

　私はこのように長々と質問を行っている中で，自分の内部で不満がたまっているのにも気づいた。なぜなら，Jim はプロセス・コンサルテーションのことを非常に良く知っているのに，彼はこの知識を活用していないと感じたからだ。私は次のように付け加えた。「コンサルタントはなぜ，自分たちだけがプロセスに関わるあらゆる決定を下さねばならないと感じていなければならないのでしょうか。どうしてクライアント・システム内の人と相談してそのような決定をしてはいけないのでしょうか。どのように進めていくかについて問題を抱えている時は，自分たちでプロセスに関わるあらゆる決定を下さねばならないと感じたりしないで，われわれはそのような問題を分かち合うべきです。」危険であるとは思っていたが，私はこれら全てを言ってのけた。と言うのも時間がなくなりかけていたからだ。面談を終了させなければならなくなる前に，私は自分の考えを伝えておきたかったというのが，その場の現実の1つとしてあった。

　Jim はこの爆弾発言に対して，前向きに反応した。そしてすぐに，どうして彼は医師として行動することが必要だと実際に感じていたのかという質問に思いを巡らせた。彼は，結局，診断を下して報酬を得ていたので，自分の専門知識を用いて良い仕事をしたいと思っていた。だが，彼はまたどのように，誰に対して報告をするべきか，さらに報告はどのような形で提出すべきかは，組織内の信頼できる何人かと話し合っておくべき選択肢であるとする，極めて重要な洞察も得たのである。Jim は今や，(1)情報関連職務とそれが企業文化とどう関連しているかの組織に関する内容のエキスパートであることと，(2)クライアント・システムの主要な人から受け入れられ，役に立つと思ってもらえるようなやり方でデータのフィードバックを行うプロセスをどのように管理すべきかを知っているエキスパートであることの，違いをしっかりと区別することができた。この洞察を，他の3つの事例に当てはめることもすぐにできた。なぜなら Jim は，各事例において「完璧な」発表をすることにどれほど骨を折ってきたか，だが，このような発表がク

ライアント・システムの文化的，政策的プロセスにどのくらい一致しているかにはほとんど注意を払っていなかったことに，今では気づいていたからだ。

　われわれは，1時間ほどこの問題に時間を費やしたことで，新たな洞察を得るに至ったと互いに感じて別れた。私は，不可解であり，不満な感情を持ち続けたままだった。プロセス・コンサルテーションのことを非常に良く知っているジムが，それにもかかわらず完全に医師の役割に陥ってしまい，自分ではそれに気づくことができず，そこから抜け出すことができなかったという事実が，私には不可解であり，不満な気持ちもずっと続いていた。
　重要な原則がフィードバックの中で明らかになり，これまでの9つの原則にさらに付け加える必要があるが，それは，「問題を共有せよ」ということである。コンサルタントは次に何をしたら良いか分からなかったり，あることが何を意味するのか分からない状況に陥ることがよくある。PCの観点から言えば，これを適当な内部の人やクライアント・システムのある部門の人々と相談して分かち合うのは全く適切なことである。Jimの場合，CEOと個人的に面談した際に，そのデータを組織の他の人々にフィードバックする良い方法として次にどうしたら良いか，CEOの考えを聞くことは容易にできたはずである。しかし，われわれは専門家としての自分たちの決定に固執するあまり，無知にアクセスすることを忘れてしまうのである。ジムは，報告をどのように返すべきかが分かるほど組織のことを十分に知ってはいなかった。彼はこの問題を共有し，それについて情報を収集すべきであった。そうすれば，あるがままの現実に対処することができたのである。

原則10：疑わしい時は，問題を共有せよ

　次に何をしたら良いか，どのような介入が適切か分からない状況になることが良くある。そのような状況では，その問題をクライアントと分かち合い，次にする事を決定するのにクライアントを巻き込むようにするのが適切である場合が多い。

◆評価的質問の概念

　援助プロセスはこれまで，クライアントが援助者に提示した問題や課題という観点から概念として説明されてきた。この見方に重要な修正を施して，多くの執筆者およびコンサルタントが，「評価的質問」というプロセスを主張してきた。これは，「問題」の周囲により肯定的な枠組をはめている[5]。表3.2にその主張の重要な要素を挙げた。評価して焦点を当てることと問題に焦点を当てることがいかに異なっているかを指摘している。われわれが現実を解読し，区分するのに用いる精神モデルや比喩的表現によって，われわれが何を見，それをどう考えるかということが体系化されてくるということを，われわれは皆ますます気づいてきている。Cooperriderは，「問題に焦点を当てる」ことそれ自体が，比喩的表現であり，それによって，われわれは不利で，否定的で，改善しなければという観点で考えることになってしまいがちだと実務的指摘を行っている。もっと肯定的に，成長しているという観点で考え，うまく機能していることは何か，どのような理想をわれわれは達成しようとしているのか，そして将来に対してどのような展望を持っているのかということに焦点を当てる方が有益であることが多い。ある意味では，評価を含む質問によって，当面の問題を解決する「適応的学習」と学習する能力を形成し同様の問題が再発しないようにする「生成的学習」の違いが際立つ[6]。PC哲学の基本は，明らかに生成的学習にかみ合ったものである。しかし，そのような学習もしばしば，改善を必要とする当面の問題としてクライアントが経験していることから出発する。

---

5) Cooperrider, Bushe, Srivastva, Barrett, 他 (1987)。
6) この区別は Senge (1990) が行い，第一次学習，第二次学習，あるいは学習することを学ぶなどの区別について多くの著者が指摘した相違に基づいている（例 Bateson, 1972; Argyris and Schön, 1974, 1996)。

表3.2 評価的質問の概念

問題解決に焦点	評価的質問
「必要性を感じる」	現状を評価する
問題を特定する	現状を尊重する
原因を分析する	可能性を想像する
実行可能な解決法を分析する	あるべき状態について討議する
行動計画を作成する	将来像を開発していく

問題解決型は,「現実」とは解決せねばならない一連の問題であるとする仮定に基づいている。一方,評価的質問型では,「現実」とは奇跡であり,歓迎し,強化していかねばならないと仮定されている。[7]

似たような論点を,最近 Marshak も指摘している。彼は,われわれが変更について考えることができる少なくとも4種類の異なるやりかたを特定している。それを表3.3に示す。[8] この表は,いかにわれわれが暗黙のうちに次のような立場で仕事に従事することがあり得るかを示している。例えば,物理工学の観点から,固定し,移動させ,あるいは物事を構築するということを考え,あるいは,化学処理の観点から,物事の働き方に触媒を作用させたり,変化を引き起こしたりする。適任者を集めて一緒にし,望ましい「化学反応」を作り出すのである。あるいはまた,農業生物的観点から言えば,成長や発展は主に援助を受けている個人やグループの管轄下で成し遂げられていくものとされているが,援助者は,栄養,日光,肥料を提供して自然の展開を支援することができるとなる。

表3.3 変化を表す比喩的表現[9]

物理／化学的比喩（固定,再建）

機械の比喩	問題を固定する；再設計
移動の比喩	新しい場所へ移行する；方向転換

---

7) この表は,Barrett, Cooperrider (1990) から引用した。
8) Marshak (1993).
9) ここで挙げている分類は,Marshak が最初に出版した本（Marshak (1993)）にも載っている同様の区分けを推敲し改訂したものである。

建設の比喩	何か新しいものを建設する；再構築
化学の比喩	触媒を作用させる，混ぜる，化合する，結晶化させる
生物／医学的比喩（治療および成長）	
農業の比喩	成長，再生，実を結ぶ，収穫
医学の比喩	治療，予防接種，切断，切開
心理／精神的比喩（再生，回復）	
心理的比喩	洞察を提供，精神モデルの変更
精神的比喩	改心，解放，創造，変容
社会学的比喩（再編成，再組織）	
役割，規範の変更，文化の変更	

　これらの暗黙のモデルは，初期の質問プロセスには影響を与えないかもしれないが，コンサルタントがどのように診断および対決型の質問を行うかにはまず間違いなく影響を与えるであろう。それゆえ，コンサルタントが自身の比喩や仮定に気づいていることが重要となってくる。もし，われわれが問題志向で始めるなら，何が問題であるかを強調する質問をすることにほとんど必ずなるであろう。もし，われわれがもっと評価する目を持って始めるならば，何がうまくいっているか，どうすればクライアントの気分が良くなるか，目標や理想は何か，クライアントは何を目指しているのかを重要視する質問をする傾向が高まるであろう。同様に，われわれが固定させるという機械モデルを志向しているか，あるいは成長を支える生物学的モデルを志向しているかによって，クライアントが自らの状況を診断するのをわれわれがどのように援助するかも決まってくる。さらに，変革について考えるためどのような精神モデルをわれわれが提供するかも，それによって決まるのである。

　援助関係を築いた始めのうちは，いろいろなやり方の違いによる差はほとんど生じないであろう。なぜなら，その状況を左右するのは，**クライアントの比喩**であるからだ。われわれの文化において援助を求めることについていわれていることから考えて，おそらくほとんどのクライアントは，問題処理を志向して開始するであろう。彼らは修繕を求めている。そしておそらくはすばやく修繕してしまうことを求めているのである。もし，コンサルタントがもっと評価的な質問をする能力育成の立場から仕事を始めるならば，関係

が展開していくにつれてもっと肯定的な健康志向の質問をするようになり，うまくいかないことを嘆くよりもうまくいっていることを評価することの大切さをクライアントが理解するのを支援するであろう。最近の会合で，Cooperrider[10]が，最適の事例を紹介してくれた。

　　社内コンサルタントをしている友人がCooperriderに援助を求めてきた。なぜなら彼女は，ここ何十年間もセクハラに関わる研修を行ってきていたが，それが本当には役に立っていないと感じるようになっていたからである。なぜ，研修が役に立っていないのかを詳細に調べる代わりに，Cooperriderはこのクライアントに彼女が求めていることは本当のところ何であるかを尋ねた。彼女は，本当に求めていることは，性別に関わらず職場での円滑な人間関係を築くことであると答えた。そこで，彼は，一緒にうまく仕事ができていると感じている男女のペア，あるいはグループは存在しないかと彼女に問うた。彼らは，組織全体に呼びかけて，うまく仕事ができていると感じている男女のグループに出てきてもらって，自分たちの肯定的な経験を語り合ってもらうことにした。10を越えるそのようなグループが名乗りをあげ，経験を分かち合ってくれた。そのおかげでコンサルタントは，セクハラの問題に対処するために全く新しいやり方を開発することができた。うまく機能している人間関係に関わる共有財産を分析することで，彼らはこれまでのとは全く異なる研修プログラムを構築することができ，そのプログラムの方がはるかにうまくいったのである。

◆要約と結論

　私は，援助関係におけるいくつかの問題となる力動をどのようにすれば改善できるかを示そうとしてきた。それには，積極的な質問を行うプロセスに従事し，クライアントを運転席にとどめるのが良い。そうすることでクライアントは，自分自身のために問題を解決する積極的な主体者となり，立場を

10）アメリカ経営学会の大会での発表。1996年8月12日シンシナティにて。

取り戻すことができる。さらに，クライアントに自信を与え，ある程度まで自分たちの状況を解読し，クライアントとコンサルタントが一緒に取り組んでいくためのデータを最大限明らかにすることにもなる。積極的質問は，良く耳を傾けて聞く以上の効果がある。誰かが援助を求める際に働いている心理的力動を理解することも，それには含まれている。さらに，異なる種類の質問によってクライアントの精神的，感情的プロセスには，それぞれどのような影響が及ぶかを理解することも含んでいる。

　質問のレベルは，区別されねばならない。(1)もっぱらクライアントの話に集中する純粋な問いかけ，(2)感情，診断型の問いおよび行動志向の質問を取り入れた診断的質問，(3)何が起きているだろうかに関するコンサルタント自身の見方を取り入れた対決型の質問の3種類がある。

　いつどのレベルの質問をするかの選択は，実際の状況，明らかにされてくるその話での出来事，そして最も重要なことには自分が一段下の立場にいるとする感情をクライアントがもはや抱いていないと，コンサルタントが判断したかどうかによって決まる。クライアントやコンサルタントが取ることになる実際の役割は情況によって変わるであろう。しかし，対等の関係が達成されるのは，質問するプロセスによって援助者およびクライアントが互いの役割について思いを巡らせ，互いを受け入れることができ，それによってうまく機能する心理的契約を結ぶことができて初めてできることである。関係を築くまず最初の段階では，純粋な問いかけの方がもっと関係してくる。なぜなら，それによってクライアントが期待していることがいっそう明らかになり，援助者が受け入れ，支持を示すことができるからだ。いったんクライアントが積極的に問題を解決しようとし始めるならば，より深いレベルの診断及び対決型の質問を行うことが可能になる。

　質問のプロセスを管理するにあたっては，介入のタイミングが極めて重要である。そして，コンサルタントはクライアントの流れに身を任せる必要性と，建設的オポチュニズムである必要性のバランスをとることができねばならない。そのプロセスにおいて，コンサルタントはある危険を冒すことになり，誤りを犯してしまうのも仕方のないことである。しかし，そのような誤りは学習のきっかけとして歓迎されるべきである。コンサルタントに関して

ばかりか，クライアントが置かれている状況の全容および介入に対するクライアントの反応に関しても，これをきっかけに学ぶことになる。

　質問のプロセスは，クライアントとコンサルタントがその状況に対して，変化，学習，問題解決，成長に関するどのような比喩を抱いているかに否応なく左右される。コンサルタントが自ら暗黙のうちに抱いている比喩に気づき，状況の現実に応じて選択を行っていくことが重要である。しかしながら，コンサルタントがどのような比喩を用いていようとも，質問プロセスの中心的機能の1つには（これまで述べてきたことを除けば），クライアントが安心感を得て，心配を引き起こすようなデータを打ち明けることができる条件を作り出すということがある。援助者として，好むと好まざるとに関わらず，われわれがまず最初に行う介入によって，その場の雰囲気が形成され始め，関係がどのように展開していくかも決まってくる。できるだけ純粋な問いかけに従事することによって，自らの無知にアクセスすることは，関係の進展に合わせて対処していかねばならない現実を明らかにする最も安全な方法である。

　これまでに明らかにしてきたPCの一般的原則10ヵ条を再度ここに挙げておきたい。

1．常に力になろうとせよ。
2．常に目の前の現実との接触を保て。
3．あなたの無知にアクセスせよ。
4．あなたのすることはどれも介入である。
5．問題を抱え，解決法を握っているのはクライアントである。
6．流れに身を任せよ。
7．タイミングが極めて重要である。
8．真っ向から対決する介入については建設的オポチュニズムであること。
9．全てはデータである。誤りは避けられないが，そこから学習せよ。
10．疑わしい時は，問題を共有せよ。

これまでのさまざまなコンサルティング，援助のための出会いを思い出してみて分かったのだが，私の観点からみてうまくいかなかった例では，例外なくこれら10原則のうちのどれかを破ってしまっていた。同様に，私は暗礁に乗り上げ，次の何をすべきか分からない場合は，この10原則を思い出すことにしている。そうすればすぐに何をすべきであって，何を行っていなかったのかに気づき，それゆえ次に何をすべきかが分かる。そしてそれでも問題の解決にならない場合は，私は10番目の原則に従って問題を共有するのである。

◆実例

Hansen研究所で医師の役割を演じることを断る

この事例は，期待されていたことと，コンサルタントの必要性が真っ向から対立したケースである。コンサルタントは自分の役割を注意深く演じるだけでなく，専門家としての明確な基準を持つ必要がある。プロジェクトの戦略的目標として私が喜んで受け入れたいと思ったことが，クライアントがコンサルタントに期待していたことと明らかにかみ合っていなかった。そのため，コンサルテーションは早い段階で打ちきられた。

私の教え子の1人は，ある中小企業の上級管理者であった。その会社は世界中から主要な管理者を集めて年次大会を開いていた。その会社は教え子の伯父と社長であるその兄が経営していた。私の教え子は私のようなコンサルタントに（ありがたいことに当時私にはそれだけの時間があったのだが），次回の年次大会の討論に世話役として出席してもらってはどうかと，私と伯父の両方に提案した。

聞かされたことによれば私の仕事は，経営陣のトップが行うことになっていた将来の戦略に関する発表に対して発言していない人々に対決型の質問を投げかけて，彼らの発言を促すことであった。彼らは，私のようなプロセス専門家であれば，彼らにはできないようなやり方で，発言しない人々に喋らせることができるだろうと感じていた。

私は大まかなことを問いかける質問を行った。「なぜこの目的のために部外者が必要であると考えるのか」と。すると，ここ何年間も大会は「ひどい」ものであったと聞かされた。海外在住の管理者たちは大概期待しているほど会議に参加してくれなかったと言うのであった。私は，彼らにこれらの大会の様子を説明してくれるように頼んだ。このように一般的な質問をしていく中で，この交渉を診断的に考えるようになった。私は，上級管理者が未来戦略に関する講義を行い，彼らはそれに対して反応を欲しがっているのを知った。しかし，彼らが作り出した雰囲気は，反論しがたいものであった。さらには，それに反応したり，批判を加えたりすることが期待されている管理者の多くは，言語上の問題を抱えており，互いにそれぞれの激しさで競争し合っていた。年次大会で発言するのは安全なことではないかもしれないと私は推測した。なぜなら，同僚に対しても上級管理者に対しても悪い印象を与えてしまうことになりかねないからだ。さらには，上級管理者が本気で他の人の発言を聞きたがっているかどうかもはっきりしていなかった。

この時点で，私は，参加する条件が整っていないことおよび，部外者をつれてきても問題が解決しないことにコンタクト・クライアントが自分で気づくようにさせることが，私にできる最も支援的な行いであると感じた。そこで私は一連の対決型の質問を行った。つまり，上級管理者が参加をどれだけ真剣に欲しているのかと，彼らが設定している大会の雰囲気について尋ねたのである。他の人々をどのように参加させるかの方策を考え出そうとする前に，彼らはまず自分たちの参加を宣言する必要がありはしないかと私は思っていた。もし彼らが本当に参加を求めているのであれば，そのことを伝え，発言しない管理者に発言を促す独自の仕組を作り出すことが必ずできるはずだと私は主張した。そのような仕組を考案するための支援を私は申し出たが，この状況において部外者の世話役が援助を行い得るとする考えには同意しなかった。

私の教え子であるコンタクト・クライアントは，伯父は責任を引き受けたがってはおらず，社長も参加を促すのがそれほど上手であるとは思えないと感じていた。そこで，彼らは部外者に頼りたかったのである。しかし，両者とも参加にこだわっていると彼は信じていた。私はこれについて，熟考した結果，その大会に関わらないことにした。なぜなら，そこで何が起こり得るか，および上層部の経

営陣の感情がどのような表れ方をするかについて，ほとんど何も分からなかったからである。この状況で援助的であるためには，この家族に自分たちの問題をもっと明確に理解してもらわねばならないと感じていた。私は教え子に，会合の立案について話し合うためであれば喜んでお会いしたい，と伯父に伝えてくれるように頼んだ。部外者を出席させることが理に適っているかどうかを検討したいが，これは，コンサルテーションのための訪問であるので，私に時給を支払ってくださいということも伝えた。この時点での私の目的は，彼らが本当にこの問題に取り組みたいと思っているかどうかを確かめ，その伯父についてもっと知ることであった。

その伯父が実際に電話を掛けてきて，2時間の面談を設定した。その面談で彼は，甥が言っていたことを繰り返し，1年に一度通常の仕事を離れて行われる大会に出席するよう私に要請した。われわれは皆バスで地方のホテルに行き，3日間をそこで過ごし，またバスで戻ってくることになっていた。バスに乗っている間に，その集団がうちとけるのを私が助け，会合で発言しない人には質問を投げかけ，戻るバスの中でもさらにそのプロセスを促進するように期待されていた。どうしてもっと参加しやすい雰囲気を自分たちで作ることができないと思うのかと私が尋ねると，その伯父は，言葉を濁して，彼らには技術がないからだと主張した。ここでもとりわけ弟のことを引き合いに出していた。

私はこれに反応してますます緊張し，抵抗する気持ちが強くなった。その動機と提案されていることがかみ合っていないので，状況は間違っていると感じられた。伯父と話したことに基づいて，彼らは自分たちが何を求めているのか本当には分かっていないと私は判断した。彼らはおそらくごちゃ混ぜの信号を発していたのだ。もしかしたら，彼らが欲しているのは従順に従ってくれることだけだという，非常に正確な信号を発していたのかもしれない。この状況でコンサルタントが関わっても，歓迎されないかもしれないレベルの参加を奨励してしまって，事態をますます悪くしてしまうだけかもしれないと私は感じた。私はこのような考えをその伯父にそっと伝えてみたのであるが，彼はびっくりするほどそれを否定し，ますます防衛的になってしまった。彼は，外部の世話役が解決法になるに違いないと決めてかかっていた。私にはそれをすることは無理だと思うと私は彼に伝え，内部でその問題を解決してみて欲しいと希望した。

私の理解した限りでは，実際に起こっていたことから考えて，クライアントが提案している次の段階に同意するのは賢いことではなく，おそらく有害でさえあるだろう。実際，彼らは医者に来てもらって，問題を診断し，改善して欲しいと思っていたのだが，自分たちが診断を誤っていたのかもしれないのだ。しかも，彼らはプロセス管理をもっと自分たちで行うことで，提案されている介入方法に共同して責任を担おうとは思っていない。下級管理者らの発言を促すことを上級管理者らが歓迎するかどうかも分からない。しかもそれが立場の低い管理者にとって最善のことであるかどうかも分からない。

　この事例において私が援助できることは，これらすべてのことを表面化させ，甥とその伯父が自分でこれらの課題について何らかの洞察を得られるようにすることである。私は自分の分析と懸念事項を詳細に説明する長い手紙を書いて，口頭で説明したことをさらに補充した。私は2時間のコンサルテーションに対する報酬の小切手を受け取ったが，それ以上は向こうから連絡がなかったので，私が行った介入が最終的に役に立ったのかどうかは分からない。だが，私が早い時点で対決型の介入を行い，クライアント側の暗黙の期待に関する更なるデータを明らかにさせることができて実際満足だった。

演習3.1　問い正す質問の形態

1．問題を共有するように友人や同僚に依頼する。そのような頼みがやりにくい場合は，その人に最近起こった出来事を話してもらうように依頼する。

2．「クライアント」が話し始めたら，純粋な問いかけの質問だけをするように意識して努める。

3．まだクライアント自身の言葉で話を引き出そうとしているのに，ある人がなぜ，あるいは何をしたのかという類の質問をいかにたびたびしたくなるものか，心の中で気をつけておく。

4．クライアントが自分の言葉でできる限りを話し終えたと感じるまでは，たとえ，そうしたくなっても，診断，あるいは対決型の質問に移行しないことにする。

5．ある時点で，診断型の質問に移行する決定を心の中で下し，その影響を観察する。
6．さらにある時点で，今度は対決型の質問に移行する決断をして，その影響を観察する。
7．20分ほど経過した後に，その20分間に互いが抱いた考えおよび感情について話し合う。それぞれの異なる形態の問い正す質問によって，どのような影響が会話に生じたかをふりかえる。

演習3.2　評価的な質問
1．友人や同僚に，彼らが現在抱えている問題を共有するように依頼する。
2．これまで述べてきた積極的質問を行い，その話を聞き出す。
3．あなた自身の考えを伝えようとして対決型の質問に移っていく際には，あなた自身の考えを肯定的な言葉で投げかけるよう意識して努めること。つまり，うまくいっていない「問題」に目を向けるよりはむしろ，何がうまくいっているか，どんな積極的目標を達成しようとしているか，そこに到達するためにどのような支えを利用できるかなどにクライアントの目を向けさせるような質問を行うのである。
4．この演習を以下の要素からふりかえる。(a)肯定的質問に移行したことがクライアントに与えた影響。(b)問題からもっと肯定的見通しを持つように移行しようとすると，あなた自身の心理作用に何が起こったか。

第4章

クライアントの概念

　どのような援助や変化のプロセスにも，対象者つまりクライアントがいる。これまでの議論で，私はクライアントのことをあたかもいつでも明確に定義できるかのように語ってきたが，現実には，誰が実際のクライアントかということが難しい問題になりうる。私はときには自分が誰のために働いているのか分からなくなっていたり，それぞれの目標が食い違っている複数のクライアントといっしょに働いているのに気づくこともある。こちらにはその人たちの問題がはっきり見えて援助してあげたいと思っても，先方は自分の問題が分かっておらず，「クライアント」と見られることに抵抗する，そういう相手を変化の「対象者」と定義できることともしばしばある。私は個人を相手に仕事をすることもあれば，小さな集団あるいは大きな集団を相手にしたり，時には大きなミーティングにおいて全組織の中のほんの一握りを相手に作業することもある。私がある個人や集団とともにしている作業によって，何かが行われていることに気づいてもいない他の人々や集団に影響が及ぶことになるのに気づくこともある。究極的には，われわれが介入をするときに行うことは何でも，われわれが生活しているより大きなコミュニティや社会に対して何らかの影響を及ぼすのである。
　誰といっしょに作業しているかが曖昧であるのは，なにもコンサルタントにだけ限ったことではない。部下や同僚らの集団を相手に仕事をする管理者，隣家の人たちとの付き合いがある友人，1つの学級を任されている教師などは皆，実際上同じ問題を抱えている。つまり，──正確には影響を及ぼすべ

き対象者は誰であるのか？――という問題だ。誰がどのような援助を必要としているのか？誰が援助を求めているのか？これらのどの場合にも PC の哲学は変わらない。つまり，力になろうとせよであるが，これから見ていくように戦略と戦術はクライアントをどのように定義するかによって異なってくる。また時が経ちコンサルテーション・プロセスが展開していくにつれて，本当のところ誰がクライアントであるのか，取り組んでいる問題や課題とは何かという問題もますます複雑になるのである。この複雑さを単純にする1つの方法は，誰といっしょに何をしようとしているのかをそのつどそのつど明らかにしておくことである。[1]

◆誰が？ クライアントの基本的諸タイプ

1．コンタクト・クライアント 要請や懸案や問題を持って最初にコンサルタントに接触してくる（1人または複数の）個人。

2．中間クライアント プロジェクトが展開していくにつれて，さまざまな面接調査，ミーティングその他の活動に関与するようになる個人または集団。

3．プライマリー・クライアント 取り組んでいる問題や課題を最終的に抱えている（1人または複数の）個人；たいていはこの人がコンサルティングの費用を支払うか，この人の掌握している予算でコンサルテーション・プロジェクトが賄われる。

4．自覚のないクライアント 組織またはクライアント・システムの中で，プライマリー・クライアントに対して上位か下位か横並びの関係にあり，介入の影響を受けることになりそうだが，自分に影響が及ぶことに気づいていないメンバー。

---

1) この章に述べられている考え方の一部は，Otto Scharmer によるもので，ここまでの章を書く上で彼の援助とフィードバックが非常に役立った。

5．究極のクライアント　コミュニティ，組織全体，職業集団およびその他の集団であり，コンサルタントはそれらの集団のことを気にかけており，どのような介入をする場合もその福利を考慮しなければならない。

6．巻き込まれた「クライアントでない人たち」（ノン・クライアント）　最後に注意しておかなければならないのは，変化を起こそうとする時，そこには進行中のことに気がついており，上に挙げたどのクライアントの定義にも当てはまらず，援助作業の足を引っ張ったり止めたりすることが彼らの利益であるような，個人や集団が存在するかもしれないということである。どんな社会的組織的環境にも政治的な問題や権力劇やかくれた協議事項や対立する目標があり，いろいろな介入を計画したり遂行したりするとき，援助者はそういうものに気づいていなければならない。

　最初にコンサルタントに接触する人であるコンタクト・クライアントは，普通，コンサルタントを組織の他の人々に紹介する。すると今度はコンサルタントはその人たちと一緒に働いて，組織のさらに別の人たちのための活動を計画することになるかもしれない。プロジェクトが進んでいくにつれて，コンサルタントは慎重にクライアントの類型を見分けなければならない。とりわけ仕事に対して金を払ってくれるプライマリー・クライアントと，それによって影響を受けることになる自覚のないクライアントや究極のクライアント，およびそれに抵抗し覆そうとすることになるノン・クライアントとを見分けなければならない。何が助けになるかの定義は，中間，プライマリー，無自覚および，究極のクライアントのどのクライアントを相手にするかで変わってくるであろう。だからコンサルタントはネットワーク，影響のライン，力関係および，より大きな社会システムのダイナミクスについて考えることができるような，もっと幅のある心的モデルを使う必要がある。

◆何を？　問題や課題のレベルによるクライアントの役割

　援助関係が展開していくにつれて，コンサルタントは，扱われている問題

の性質に基づいてクライアントの役割が異なる種類に分けられることも考えなければならない。この点をもっとも明確に論じたのは，RashfordとCoghlanの1994年の著書，『組織的レベルでのダイナミクス』*The Dynamics of Organizational Levels* である。彼らの枠組みに基づいて問題や課題を7つのレベルに分けることができるが，それぞれのレベルはいくらか異なった個人または集団をクライアントとして含んでいる。

1．個人のレベル　個人のレベルは，人が援助関係に持ち込んでくる「心の中の」問題と考えることができる。集団や組織という場においては，RashfordとCoghlanが他者とのきずなおよび組織やコミュニティの一員であることに附随する基本的問題として定義している事柄も，これに含まれてくる。

もっとも適切な介入を行うには，通常個人の経歴その他の私的な問題に触れることになり，ふつう個人的なカウンセリングやコーチや指導や研修の中で行われる。組織という文脈では，ある従業員がその組織にもっと有効に参与できるよう援助することに焦点を当てられることが多い。これらのどの形態であれ，こうした個人的援助は，コンタクト・クライアントに対してなされることもあれば，クライアント・システムの中間またはプライマリー・クライアントである個人，さらには自覚のないクライアントや究極のクライアント集団のメンバーに対してなされることさえある。

2．対人関係のレベル　このレベルは，個人と組織やクライアント・システムの他のメンバーとの間の対人関係に関する問題または課題を扱っている。これらのケースでは，コンサルタントは一度に1人以上の人を相手にし，個々人と一度に1人ずつ向き合っている場合でもその個人の単なる心の中の問題よりもむしろ関係に取り組むことになる。1対1という文脈は同じままでも，質問は探求の対象となっている関係や，クライアントの集団の中での役割や，チームの一員としての活躍ぶりに焦点がおかれる。個人のレベルでの介入について述べたことが，このレベルでの最も適切な介入にも当てはまるかもしれないが，個人のレベルの場合，コンサルタントは関係がその個人に及ぼす影響のほうに焦点を当てるのに対し，対人関係のレベルの場合は，

その個人の行動が他の人々に与える影響の方に焦点を当てる。

特にこのレベルに対応する典型的な介入をいくつか挙げると，役割の交渉，調停，問題解決に「第三者」を活用すること，結婚カウンセリングや家族療法でよくあるような関係を扱うカウンセリングなどがある。もちろんさらに集中的で本格的なこの種の介入は，コンサルタント－クライアント関係が一定のレベルにまで到達し，両者が対人関係の問題に本格的に焦点を当てようという決断をした場合にしか用いられない。

3．対面的集団のレベル　このレベルでは，ある集団やチームが集団としていかに機能するかということの中に存する問題や課題に焦点を移している。「対面」というのは，たとえその集団メンバーが同じ場所にいなくても，常日頃実際に顔を合わせなくても，自らを集団として意識しているということを意味している。メンバーが自分たちは一緒になって働いているのだと考えるなら，電気通信が対面でのコミュニケーションの代わりになり得る。この場合コンサルタントはミーティングの無指示的な推進役であることから協議事項を管理することまで，さまざまな援助の役割を担うことになる。果てはその集団の業務を構成することを支援することさえある。コンサルタントは，関連する問題や協議事項をみきわめるためにメンバーと個人的に会うかもしれないし，その個人は前述のクライアント類型のどれでもありうるが，焦点はその集団がいかにして集団として働くかということにある。「チームづくり（team building）」（Dyer, 1995）の名のもとに行われる作業の多くはこのレベルに当てはまり，このとき「クライアント」の概念は集団全体にまで拡大される。

4．集団間のレベル　このレベルでは，集団，チーム，部門，その他の組織単位が互いに関係を持ち，組織あるいはさらに大きなクライアント・システムを代表して業務調整を行っているそのやり方から生じてくる問題や課題に焦点が当たっている。コンサルタントは今やシステムのレベルで介入し，大規模な複数単位にまたがる介入という観点に立って考えることができなければならない。インターグループ・エクササイズ[2]（Intergroup　Exercise）

(Blake 他, 1989) とコンフロンテーション・ミーティング (Confrontation Meeting) (Beckhard, 1967) は，各単位を合わせた全体が「クライアント・システム」として関連を持っている例である。またコンサルタントはさまざまな部門や集団の個々のリーダーを相手にするかもしれないし，単位の代表の役割をしているメンバーが集まった小集団を相手に仕事をするかもしれない。クライアントの構成はいろいろでも，このレベルにおいて扱われる課題は，関係している組織単位間の調整と提携を改善することに関するものとなるに違いない。あらためて強調しておく必要があるのは，そのような介入はクライアント・システムのメンバーとの関係がすでにできあがっており，そのため大々的で全体的なこの介入で自分たちが何をやろうとしているかをクライアントも知っており，理解していることを前提にしているということである。

5．組織的レベル　このレベルは，家族単位であれ部門であれ組織であれコミュニティ全体であれ，クライアント・システム全体の使命，戦略，総合的な福利に関わる問題や課題に関している。コンサルタントがともに取り組んでいる相手はここでも個々のリーダー，集団，集団間とさまざまだろうが，焦点は全体システム－レベルの問題にある。その例としては，全体組織規模で行われたサーヴェイ・フィードバック・プロジェクト (Survey Feed-Back Project) (Likert, 1961)，Weisbord の未来探索会議 (Weisbord と Janoff, 1995)，オープン・システム計画 (Beckhard と Harris, 1987)，Blake と Mouton のグリッド組織開発 (1969, 1989)，Worley, Hitchin, Ross の統合的戦略転換 (Integrated Strategic Change) (1996) などのある部分がそうであり，トップ・マネジメントが追求するのであれば文化分析のある形態 (Schein, 1992) もその例だろう。

6．組織間のレベル　このレベルは，組織やコミュニティの単位全体が連結し組織間ネットワークを形成し始めるときに起こる調整や協力や提携の問

---

2) そのような介入については優れた論評を Alban と Bunker が行っている (1996)。

題に関係している (Chisholm, 1997)。コンサルタントは大小の代表者集団とともに働き，個人とともに取り組む場合でもさらに幅広いネットワークの問題に焦点を当てるのが普通である。このレベルの課題が，集団間の課題と異なっている点は，各単位が「自律的」であり，必ずしもより大きな単一の目的や「国家」に縛られているわけではないということにある。例えば，コンサルタントは次のような場で働くことになるかもしれない。つまり，国連委員会，「組織学習」といった目的のために結集した企業連合，地域開発プログラムを作ろうとしているコミュニティ・ネットワークなどである。

7．さらに大きなシステムのレベル　最後に，このレベルはもっと広いコミュニティや社会と関係した問題や課題に関している。そこではコンサルタントは社会的なネットワークや組織集団やコミュニティ集団とともに働くことになるかもしれない。そして，より大きなシステムの安定に関する問題を扱うであろう。その対象は，「ザ・ナチュラル・ステップ (The Natural Step)」[3]のような環境問題を志向したプロジェクトのように，地球全体ということさえある。

　私がこれらの類型を示したのは，クライアントの定義につきものの複雑さに焦点を当てるとともに，たとえコンサルタントが大部分の時間を1対1であるいは小集団場面で働いているとしても，そのクライアントがとる役割が変われば，それにつれて問題の焦点も劇的に変わることに注意を促したかったからである。問題のレベルに違いがあるということからわれわれはまた次のような事実に着目させられる。つまり，後になって行われる介入，しかも最初の診断的な介入の結果「より深い」介入になることが多いが，その介入がより大きなクライアント・システムに関わりを持ち始めるにつれて，その結果には大きな相違が生じるという事実である。大部分のコンサルティング・モデルにおいて，数人の主要な経営陣との「診断面接」は通常「ただの

---

3) 「The Natural Step」は，K. H. Robert が地球規模の環境問題に対する関心を社会のあらゆるレベルで持ってもらうようにするためと，われわれ1人1人がそのために始められることを知ってもらうために開発したプログラムである (Eriksson and Robert, 1991)。

診断」とみなされるのにひきかえ，組織の意識調査が「介入」とみなされるのは，調査範囲も取り扱う問題も，一般的な場合に較べ前者がいっそう多岐にわたるためである。しかし，問題の焦点のレベルが変化しても，コンサルタントとクライアントの関係の心理的ダイナミクスは，本質的には変化しない。それでは，焦点が変わることで変化するのは何であろうか？

　コンサルタント－援助者の関係が個人カウンセリングや集団内を円滑にすること以上の内容を含んでくると，誰といっしょに作業するのか，何に焦点を当てるのか，次の段階や大きな介入を計画するにあたって誰の利益を考慮すべきかの判断は，ひじょうに複雑になってくる。PCモードを保つためには，そのときコンサルタントがいっしょに取り組んでいるのがクライアント・システムのいずれであろうと，その人たちとこの仕事を分かち合う必要がある。コンサルタントは一人で先を行って次になすべきことの答えを出してしまうべきではない。そのような決定ができるほど，大きなシステムの文化や駆け引きを熟知することなど決してないからだ。その代わりに，どのレベルでどんな方法で援助を続けるかを計画するにあたって，自分が接近できる中間およびプライマリークライアントのシステムにいるできるだけ多くの人に関わってもらうようにすべきである。すべてを1人で解決しようとすることより「問題を共有せよ」という原則がとりわけ当てはまるのは，まさにここにおいてなのである。

　われわれが話題にしているのがコンサルタントのことであれ，管理者が部下を援助することであれ，友人が別の友人を援助することであれ，援助するということの倫理的なジレンマの1つは，援助者は常にクライアント・システムの複数の部分を相手にしているという事実からきている。しかも，ある部分が必要とし期待しているものは他の部分が必要とし期待しているものと同じではないかもしれないのである（Schein, 1966）。経営管理の文脈においては，われわれはこれらの人々をそれぞれの利害関係者と見なして，これらの集団の利益のバランスをとるのが管理する者の役割の中心であるとする。したがって管理者とコンサルタントは，複雑なシステムに介入する際に，そういう多様な関係をどのように概念的に説明し，管理し得るかについて，何かしらお互いから学ぶものがある。

クライアントの一般的な分類と問題のレベルについて述べてきたが、次にそれぞれのクライアントの類型から生じるそれぞれに特有の問題を見てみたい。

◆コンタクト・クライアントと中間クライアントに関する問題

　援助のプロセスはつねにコンタクト・クライアントから始まる。その人は、取り組むことになる問題を自分のものと認めるか否かにかかわらず、その問題や問題点に関連してコンサルタントが出会う最初の人物と考えてよいだろう。もし PC の前提に立って力になろうとするなら、私はこのクライアントと組織内のほかの人たちが、私や私のコンサルティング哲学に対してどのような認識および期待を抱いているかを、なるべく早く知る必要がある。とりわけ私は早まって専門家や医師の役割に陥ってしまうようなことになりたくない。また同時に、電話で短いやりとりを交わしただけであっても、コンタクト・クライアントには力になってもらえたと感じてほしいと思う。どんな会話も役に立つと相手に感じてもらえるものでなければならない、という原則が当てはまるのである。

　これまでに述べたことを踏まえるなら、私は広範囲に探求する質問から始めて、その状況における現実を見極め、進行中の事柄に対する私の無知を減らさなければならない（第3章を参照）。クライアントを悩ませているのは何か？　その人はなぜ電話をかけるなり訪ねるなりしてきたのか？　なぜ今このときになのか？　これらの問いに対するコンタクト・クライアントの答えはその人の物の見方を知る手がかりになり、私は次のような自分の予測をさらに強めたり、「訂正する」こともできる：

- コンタクト・クライアントは、私のコンサルティング・スタイルに関する本か論文を読んだ。
- 以前のあるいは現在のクライアントから紹介された。
- 私のスタイルと関心領域を知っている同僚から紹介された。
- 私が講師を務めたワークショップで私を知った。
- 私の講演を聞いたか、「キャリア・アンカーズ」(1990) や「組織文

化とリーダーシップ」(1992)といったあるテーマについて私が書いた論文や本を読み、そのテーマと問題の領域が関係あると思った。

　私は答えを聞きながら、その状況で援助の関係を続けていくことができるかどうか、すなわち私がその状況で究極的に役に立てるかどうかをできるかぎり見極める。PC モデルで主張されているような、共同で行うインタビューや問題解決というようなことに取り組む意志およびそれをする態勢が、コンタクト・クライアントや組織内の他の人たちにあるかどうか、もしないなら、クライアントが必要としている他の専門技術が私にあるかどうかを見極めなければならない。知らぬまに誰かの政治的なゲームの駒に使われたりしないように、クライアントの意図が建設的なものであるか否かを見極めなければならない。

　しかしもちろんこれらの疑問に対する答えは、探求的であると同時に援助にもなる慎重な質問のプロセスを通してのみ見出すことができるのである。私が言ったりしたりすることは何であれ介入であって、それは現前の状況で（できるかぎり）助けになるものでなければならない、という包括的原則にのっとって私は常に動かなければならない。私の目標は、電話をかけてきた人に、求めていた情報がもらえたというだけでなく、その問題自体を考える上でも何らかの援助が得られたと感じてもらうことである。たいていの場合、この援助はコンタクト・クライアントがそれまで考えてもみなかった質問をするとか、コンタクト・クライアント自身が役に立つ介入や提案を組織に持ち帰れるようなやり方を提案することであったりするだろう。例えば、組織に戻ったとき他にクライアントになりそうな人がいて状況をもっと探求したいと望んでいるのであれば、その人たちと一時間かそこらお会いして私がさらに関わり合うことに意味があるかどうかを見てみたい、ただしその時間に対して支払いを申し受けますよと、提案するかもしれない。

　そうした探求のためのミーティングに対して支払ってもらうのが正当なのは、概してそういう最初のミーティングから役に立つ洞察が生まれて、それ以上関わる必要がなくなることも多いからである。コンタクト・クライアントおよび最初のミーティングに連れてこられた人は、そのミーティングで次

になすべきことが分かり，次の段階にはもう外部のコンサルタントからの援助を必要としないことも多い。さらに，探求的なミーティングに対して支払ってもらうことは，援助を得ようというコンタクト・クライアントがどの程度本気であるかを確認する役割も果たすし，3つ目には，援助は「時間きざみ」で受けることができるのであり，必ずしも長期的なプロジェクトや入念で正式な契約に携わる必要はないというメッセージを伝えることにもなる。

　最初の接触が有益と認められれば，コンタクト・クライアントとコンサルタントはいっしょに次の段階を計画することになるが，その段階にはふつう中間クライアントが関わるか，さもなければプライマリー・クライアントが直接関与する。コンタクト・クライアントがプライマリー・クライアントであれば理想的だが，しばしばプライマリー・クライアントは，最初の接触によってコンサルタントが「正当と認め」られるまで問題を明らかにしたがらないものである。もしかするとコンタクト・クライアントは，そのコンサルタントがプライマリー・クライアントとうまくやっていけるタイプかどうかをテストしているのかもしれないし，その上／または，プライマリー・クライアントは「成り行きを見守る」ための最初のミーティングを要求するかもしれない。それに満足して初めて，作業を進めていこうと宣言を下すのである。

　問題のレベルについて言えば，コンサルタントはどんなレベルでも取り組む心構えができていなければならないし，最初の接触（コンタクト）を利用して，その問題が個人レベルのものか，対人レベルのものか，集団レベルのものか，集団間レベルのものか，全システムレベルのものかを診断するための情報収集を始めなければならない。会話が進むにつれて，コンサルタントは自分の無知を減らす作業をしていかなければならないだけでなく，いっしょに取り組んでいるのがどの類型のクライアントであろうと，診断を共有できるチームを作り出そうとつねにその人との関係を築いて，次の段階が共同のものになるようにしなければならない。

　コンタクト・クライアントが，取り組まねばならない問題を抱えていて最終的にコンサルタントのサービスに対して支払いをする人物であるかもしれないが，そうでないかもしれない。じつは組織内の誰かの代理にすぎない場合さえある。当の人物は時間をとられたくないのか，気恥ずかしさや煩わし

さが大きすぎて直接援助を求めることができないのかもしれない。例えば，私はよく会社の人事部門や研修部門の人たちから電話をもらうが，彼らは私がこれこれのコンサルティングをするかとライン管理者に代わって問い合わせてくるのである。電話してきた人は，名簿を持っていてそれに載っている人ぜんぶに同じ質問をしていることを認める。役に立てるか，それもどんなふうにして役に立てるかちゃんとした答えをしようとすれば，どういう組織なのか，どういうライン管理者が社員に電話をかけさせたのか，それはなぜかを知る必要があるだろう。それゆえ私は電話してきた人をコンタクト・クライアントと考えてさまざまな探索的な介入を試み，さらに踏み込んで中間クライアントやプライマリー・クライアントを特定する必要があるかどうかの判断をするであろう。：

「この管理者と状況についてもう少し話していただけますか？」
「どんなことがあってここで外部のコンサルタントを求めることになったのですか？」
「この管理者は組織の中であなたとどういう関係にあるのですか？」
「どんなふうにして私の名前をお知りになったのですか，あるいはとくに私に電話をくださったのはどうしてでしょうか？」

　この種の質問をする私の目的は，(1)先へ進むために情報を得ること，(2)コンタクト・クライアントが考えてみたことのなさそうな質問をして彼を援助すること，(3)私のコンサルテーションの進め方について正確な第一印象を作り出すことである。そういうわけで，コンタクト・クライアントもまた質問によって何か自分で探索できる道について示唆を得ることになる。質問に助けられて彼は次の段階を構成することができるのである。この戦術のもっとも一般的な形は，コンタクト・クライアントに，そのライン管理者がなにゆえに援助を求めているのか，そしてなぜコンサルタントになりそうな人の名簿を誰かに作らせるという方式をとくに選んだのか考えてみてもらうことである。その質問に触発されて，コンタクト・クライアントは診断的に考えはじめ，自分の側の問題は自分で引き受けることができるようになる。

　会話が進んでいくうちに，私はプライマリー・クライアントになりそうな

人に代替案を提供してみてはどうかと電話してきた人に持ちかけるかもしれない。——例えば，私と管理者とでミーティングを持つとか，管理者と直接電話で話すとか，もしかすると管理者が考えていそうなことに関して管理者に何かもっと質問するというだけのことであるかもしれない。もしコンタクト・クライアントと私が，次の段階はこの「中間クライアント」から私に直接電話してもらうか，ミーティングを設定してもらうことだということで合意できたら，私の焦点は中間クライアントとの関係を作り，その関係を管理していくことへと移る。これには，スケジュールの設定，電話やミーティングのための時間を調整すること，どこで会うか，そのミーティングには誰が出席するべきか，どのくらいの時間をとるべきか，何をミーティングの目的にすべきかの決定といったことが含まれる。質問そのものによってコンタクト・クライアントは診断を要する問題に関与しつづけることになり，次の段階を自分で引き受けられるようになるだけでなく，自ら診断的に考え始めるにはどうしたら良いかの訓練にもなっていることに注意してほしい。

◆プライマリー・クライアントに関する問題

　プライマリー・クライアントとは，援助を求めるプロセスの発端となったある特定の問題ないし課題を抱えている人物あるいは集団である。プライマリー・クライアントを特定するのに使える1つの方法は，コンサルテーションの費用が誰の予算から出るのかを尋ねることである。その質問によって，コンサルタントが慎重に診断しなければならない複雑な状況が露わになることがよくある。私は，お金を出すのは上級管理者であるが，援助して欲しいのは組織の他の人であるという状況に置かれたことがある。このジレンマを示しているある特殊なケースがあるが，実際のところそれは私が初めて組織のコンサルティングをした体験であった。

　MITの助教授となって2年目のこと，私は指導教官であったDouglas McGregorから，1人の同僚と私とで近くにある会社のコンサルティングの仕事を引き受けてくれないかと言われた。Doug自身は時間がなかったし，われわれ教職員全員に

コンサルティングを体験させたいと切望していたのだ（会社が接近してきたのはDougであるから，定義上彼がコンタクト・クライアントであった）。

割り当てられた仕事というのは，その会社の調査研究所の技術職員に対する面接調査であった。労使関係および人事担当の副社長によれば，研究所には士気の上で問題があり，研究所の所長は問題を解決するため所員が何を考えているかを知りたいと思っているということだった。McGregorを個人的に知っていて，彼に彼本人がその調査に当たるかそれとも誰か代わりにできる人を捜してくれと頼んできたのはこの副社長だった。副社長はこの調査を正式に認可したばかりでなく，われわれのコンサルティングの費用も彼の予算から出ていた。彼はDoug（McGregor）に調査研究所の所長は調査をしてもらうことに乗り気でたいへん喜んでいると請け合った。こうした情報はすべてコンタクト・クライアントであるDougから伝えられた。われわれは副社長と会ったことは一度もなかったが，研究所の所長とは短時間話をし，彼は面接調査をすることに賛成しており，自分のところの技術者を対象とした調査プロセスの準備をしてくれるつもりでいることを知った。

数ヵ月間の慎重な面接調査のあと同僚と私はデータをつき合わせ，技術職員が指摘した課題のすべてについてかなり完璧な報告書を書いた。予想通りと言うべきか，挙げられた不満の中には所長の管理スタイルに関するものがたくさんあった。われわれはこれらの不満に報告書の一部を割いた。所長とのあいだでフィードバックのセッションの予定を組んだ。同僚と私はそのセッションで報告書中のすべてのデータを検討するつもりでいた。触れるべき情報がたくさんあり，われわれはさまざまな統計を通してその情報には確かな裏づけのあることを十分に示したかったので，セッションのために2時間を要請した。

同僚と私は所長のオフィスに入っていき，報告書のコピーを彼に差し出し（彼はそれを目にする社内で最初の人だった），彼が報告書をめくっているあいだに報告を始めた。所長はすぐに自分の管理スタイルに触れているところを見つけ，すばやく目を通すと，かなり怒った様子でそっけなく「ありがとう」と言って話を遮り，われわれを退出させてしまった。所長と顔を合わせてから15分とたっていなかった。そしてわれわれは彼からも副社長からも呼び戻されることはなかった。所長の手元に置いてきた報告書がどうなったかわれわれには知る由もなかった。

このケースは PC の立場から，とりわけクライアントの定義という観点から見て，われわれがさまざまな間違いを犯してきたことを示している。振り返ってみるに，われわれは一度も自分たちのプライマリー・クライアントが誰であるかを特定していなかった，すなわち正しく捉えていなかったのである。それは副社長だったのか，研究所の所長だったのか，それともひょっとすると Doug McGregor だったのであろうか？ この人たちのそれぞれが結果に対して利害関係があり，解決すべき問題を抱えていた。しかしわれわれは行動に移る前にそれ以上探求するということをしなかったために，自分たちがその調査で本当はどのような問題に取り組んでいたのか決して分かっていなかったのである。Doug がなぜわれわれにこの仕事をしてほしいと望んだのか，本当のところは知らなかった。副社長は進んで金を出したが本当は何を考えていたのかわれわれは全く知らなかった。例えば彼はその所長を非難していて，彼を黙らせる絶好の機会と見たのだろうか？ 所長の管理スタイルに影響を与えようとしていて，調査をその状況に対してきっかけを与えてくれる外部の人間からのまたとない介入と見なしたのか？ それともただ誰かに提案された組織開発活動を支持していただけだったのか？

　研究所の所長が本心からプロジェクトに賛成していたのか，それとも副社長に乗せられるとか「強制」されでもしたのか，われわれは全く知らなかった。何より重要なことには，所長がほんとうはその調査から何を求めていたのかを全然見極めていなかったのである。彼は明らかに自分の管理スタイルに対して否定的なことを聞きたいとは思っていなかった。われわれはプライマリー・クライアントが誰かを明確にし，そのプライマリー・クライアントにプロジェクトの企画に関与してもらわなかったばかりに，ありとあらゆる罠に陥って不測の事態を招いてしまったのだ。その報告書や，所長や，副社長とマクレガーの関係がどうなったか，われわれには全く分からなかった。振り返ってみると，そのプロジェクトに金を出したのが副社長だという事実に注意を払っていたら，われわれはあくまでも彼とのセッションを持ちたいと主張し，彼の動機や請求書の支払いをする理由についてもっと知ろうとしただろう。われわれは請求先が調査研究所でない理由を尋ねるべきだった。自分たちの無知と無知にアクセスしなかった結果，われわれはどういう影響

が出るか判断のつかない介入を次々にしてしまったのだ。

　ひとたびプライマリー・クライアントが明確に特定されたなら，コンサルタントはその個人あるいは集団といっしょに積極的に探求するための質問プロセスに従事すべきである。上述のケースが示すように，プライマリー・クライアントが望み必要とすることについて，コンタクト・クライアントや中間クライアントが伝える言葉を鵜呑みにはできない。プライマリー・クライアントから直接情報を得るならば正確さが保証されるばかりでなく，さらに重要なことには，コンサルタントとプライマリー・クライアントがいっしょにその状況の診断に取り組んで，さらなる介入を展開していけるような関係の構築がそこから始まるのである。問題はクライアントのものなのだという原則を忘れずにいれば，コンサルタントが又聞きの情報に基づいて提案や介入を始めてしまうという罠を回避することができる。コンサルタントが勝手に進んでいけば，プライマリー・クライアントはほっとして依存的になり，最終的にコンサルタントが問題を背負い込むという不適切な状況を作り出してしまうかもしれない。だから，私が喜んで新たなプライマリー・クライアントを引き受けるのは，いっしょに取り組んでいる現在のクライアントがその決定に対して共同して責任を引き受けてくれ，新たなクライアントを巻き込んでいくために共同して考案した手段が双方にとって意味をなす場合のみである。

◆自覚のないクライアントと究極のクライアントに関する問題

　自覚のないクライアントと究極のクライアントは，たとえコンサルタントと直接接触がなくても，究極的にその利益を守らねばならない利害関係者である。言い換えれば，援助プロセスによってコンサルタントが気にかけるべき他の集団が明らかに被害を受ける場合，プライマリー・クライアントを援助すべきではないのである。もしある管理者から他の管理者との政治的抗争で勝つための援助を求められたら，私はその部門全体あるいは組織全体にとって究極的には何が最善であろうかと自問しなければならない。私自身の価値観に照らして，究極のクライアントにとってよりよい状態になると自分の

頭で考えて判断できた場合にのみ，私にとってこの管理者を援助することが正しいこととなる。

　ここでは，自覚のないクライアントと究極のクライアントとの違いはほとんど程度問題である。自覚のないクライアントは私がいっしょに作業しているプライマリー・クライアントの同輩や上役や部下であり，身近であるがゆえにわれわれの行うことの結果を直接的に考慮することが必要である。究極のクライアントは組織全体，コミュニティ全体，さらには社会全体と考えるのが適している。たとえば，われわれはコンサルテーションの援助を潜在的な犯罪者やテロリストには，決して提供しないことからもそう言えるのである。極端な例では価値観の問題は単純である。しかし身近にいる自覚のないクライアントについては，状況はもっと曖昧かつ複雑であるかもしれない。たとえば先述のケースで，同僚と私は，所長が自覚のないクライアントである可能性，および好ましくない調査結果のために制裁を受けることになるかもしれないという可能性を一度も真剣に考えていなかった。また所長が自分の管理スタイルに対する批判的なコメントに腹を立てた場合，技術スタッフに対してどんなふるまいに出るかということも考えなかった。面接調査は無記名にしておいたからあるレベルでは従業員の保護も考えてはいたのだが，その状況において従業員だけが自覚のないクライアントというわけではなかったのだ。

　プライマリー・クライアントはサービスに対して直接支払いをする。究極のクライアントはその結果の影響を受けるが，何かが起きているということすら知らないかもしれない。したがって自覚のないクライアントと究極のクライアントは，コンサルタントが自分自身の専門家としての基準に従って，明確にしておかねばならないのである。管理者をコンサルティングの役割に当てはめて考えてみると，論点はいっそう明確になる。たとえば，第2位の管理者は，自分の部下である管理者がその下で働いている人たちを食い物にするのを援助すべきか？営業部長は，営業マンたちが顧客の犠牲のもと成績を上げるのを援助すべきか？工場閉鎖によってコミュニティが明らかに被害をこうむるという場合，コンサルタントは会社が工場を閉鎖するのを援助すべきか？

そのような問いかけに対して安易な解答などないけれども，問いかけを意識しているということはすべての援助する関係において重要である。要するに，われわれは誰かを援助するときはいつでもその人たちが表明している目標や価値観にわれわれ自身も与していることになる。ある援助が組織の他の部分や別の集団に悪い影響を及ぼしたことが分かったとしても，もはやその援助に対する責任を放棄することなどできないのである。

こうした問題は，私が学部長として教職員と学生の利益を管理する役割を果たす際にしばしば持ち上がった。教授らから，プロジェクト，授業スケジュール，さらにはコンサルティング旅行を企画するのを援助するよう求められた際に，それが私の考えでは学生の利益を損なうことになるというとき，究極のクライアントとしての学生のほうがプライマリー・クライアントである教授らより重要になる場合を，私は判断しなければならなかった。そのような課題について私の中に懸念が生じた際の最良の介入は，いつでもただちにその疑問を共有して，クライアントにもその問題を担わせることであった。そうすれば，自覚のないクライアントや究極のクライアントの要求と合わせて，プライマリー・クライアントの要求も汲んでいくにはどうしたら良いかに，いっしょに取り組むことができるのである。

◆クライアントとして影響を受ける対象になることとノン・クライアントが及ぼす影響

多くのコンサルテーション・プロジェクトでは，ある個人や集団や部門が変更の対象とされるが，そこのメンバーはべつに援助が必要だと思っていないという場合，大きなジレンマが持ち上がってくる。実際彼らは自分たちが誰かの注目の対象になっていることすら知らないという点では，自覚のないクライアントであるかもしれない。このような状況が生じるのはたいてい，中間クライアントやプライマリー・クライアントの面談中に，さらにはコンタクト・クライアントとの面談中の場合さえあるのだが，そのような面談から，われわれが直接接触できないA氏とか部門Bが問題であるらしいということが明らかになったときである。

その対象が階層上クライアントより低い地位にあるなら，多くの場合コンサルタントが進んで彼らのところへ出向き，ともかくも接触することが期待される。たとえば前述のケースの場合，われわれは技術スタッフがどんなふうにしてわれわれに会ってくれることになったのか疑問に思わなかったし，調査に関わってもらうからには彼らはクライアントになると考えることもしなかった。対象が上位の人であったり地理的な事情で接近できない場合だと，われわれは行き詰まってしまって，そのプロジェクトはうまくいかないと判断することも多い。企業内コンサルタントはときとしてこの状況を非常に巧みに処理する。次の巨大銀行のケースがその例である。

Apex 銀行の組織開発 (OD) 部長の Frank は新しいチームづくりプログラムを導入したいと思った。このプログラムは他のいくつかの銀行でたいへんな成功を収めていた。しかし Apex 銀行の CEO はひじょうに保守的で打ち解けない人だったので，Frank はそのプログラムの導入を直接提案したのではうまくいかないだろうと考えた。そうかといって CEO の同意と支持なしにプログラムに着手しても意味がなかった。

そこで問題は，変更の対象である CEO にいかにして受け入れてもらい，クライアントになってもらうかということであった。Frank は時間をかけて CEO の行動を研究した結果，CEO は非常に意識して，Apex の活動基準を他行と比較して定めていることに気づいた。Frank はまた Bata 銀行の組織開発部長である Mary を知っていたが，Bata ではチームづくりプログラムがうまく進んでいた。彼はまた Apex と Bata の CEO がたびたび会っていることも知った。そこで Frank は Mary と相談して，いつかこの頭取二人が昼食をともにするとき，Bata の CEO から Bata でのチームづくりプログラムのことを持ち出して，いかにうまく運んできたかを報告してもらうように手筈を整えた。そのような昼食会が何度かあり，やがて Apex の CEO は Frank を呼んで，Apex 銀行においてチームづくりプログラムを開始するように要請した。

状況がこのように管理でき，好都合に展開していかない場合，コンサルタントと彼がいっしょに仕事をしている直接のクライアントはこの難局を共有

し，どうすればこの対象がクライアントになってくれるかをいっしょに考えていかねばならない。PC哲学の観点からすると，これは対象となっている人（または人々）を何らかの形で支援することによってのみ可能になる。そこで今度は，対象者が何らかの援助を必要としているとすればそれは何かを明らかにする質問のプロセスが必要になる。そういう質問のプロセスを始めるには最初の接触(コンタクト)を成立させなければならないが，そのためには，多くの場合コンサルタントはまずクライアントの援助を求めることから始めねばならない。たとえば企業内コンサルタントなら，究極的対象となる管理者に接近し，その管理者がコンサルタントにやってもらいたいことがあるならそれは何かと尋ねることができる。その対象者が抱えている問題に取り組もうと申し出ることが，関係を築く機会となり，そのお陰でその後その人が当初は気づいていなかったり，あるいは深く関わりたいと思っていなかった別の領域について質問していくことが可能となるのである。

　ノン・クライアント，つまり進行中のことに気づいているが，それに反対する立場をとる組織内の人々の場合はどうだろう？この難題で一番よくある形は，コンサルタントが技術や文化の転換を援助するために呼び入れられるが，組織の一部のメンバーからは，それが自分たちから力を奪うための，それどころか失職させるための偽装工作だと受け取られるという場合だ。こういう場合，コンサルタントはある一集団がプログラムを創案し，実施するのを生産的かつ円満に援助するかもしれない。そしてそのプログラムは彼らにとってまことに道理にかなったものであるのだが，その結果は他の集団から抵抗や反対を受けるだけとなる。従業員を仕事の立案に関与させようとする生産性向上プログラムは，従業員から同じ賃金でさらに多くの労働を引き出そうとするものと受け取られて，労働組合の反対に会うかもしれない。「職務拡大（job enlargement）」のプログラムの多くは，従業員からは反対される。なぜなら彼らは決まりきった仕事に満足しているからだ。調査やチームづくりの取り組みは，従業員の助けになるよりは食い物にする手段のように見えるので，反対されることが多い。

　そのようなあらゆる場合において，コンサルタントはどうするのが究極的に援助することになるのかを考え，建設的な形でノン・クライアントの集団

に対処しなければならない。それはつまり，相互の意思疎通を円滑にさせ，対立している当事者間の対話と理解を促し，問題点を明確にし，反対者の言い分を現在のプライマリー・クライアントが十分理解していることを保証してやるといったことであるだろう。いったん明確に理解がなされれば，どのようにことを進めていくかは，コンサルタントとプライマリー・クライアントが共同して決めることができるのである。

　組織のダイナミクスに関してコンサルタントが持っている知識や体験は，そのような問題を解決する上で大きな役割を演じる。なぜなら，主要な介入を行う前に，多くの場合反対派集団がいることが予測でき，しかもそれが誰であるかを特定することが可能であるからだ。私が自分で行っている最も重要な役割の1つは，管理者が大きな改革を提案するとき，得をするのは誰で，脅かされそうなのは誰で，反対するのは誰かをとことん彼らに考え「させる」ことだ。そのような分析に基づいてこそ，われわれは賛成派も反対派もすべて考慮に入れた介入を計画することができるのである。

◆結論とその意味するところ

　クライアントに関してもっとも重要なのは，コンサルタントはどの時点においてもつねに今のクライアントは誰かということを明確にし，コンタクト・クライアント，中間クライアント，プライマリー・クライアント，自覚のないクライアント，究極のクライアント，ノン・クライアントをはっきりと区別しなければならないということである。とくにコンサルタントが組織の中である程度の期間働いていたり，複数の異なる単位といっしょに働いていたりすると，誰がクライアントかを忘れてしまいやすい。

　第2に，とくに自覚のないクライアントと究極のクライアントとノン・クライアントは，扱っている問題の水準によって変わるかもしれないということをコンサルタントはつねに念頭においておかなくてはならない。たとえばCEOとの1対1で行う仕事が，他の人々にはほとんど波及していかない個人的な問題についてのカウンセリングである場合もあれば，組織の全ての人や外部のコミュニティにまで関係してくるある大きな戦略的問題を援助する

場合もあり得る。

　第3に、いずれにせよ、次の段階の措置が他の人たちにも関わりがあるにもかかわらず、クライアントはそんなことを考えてみたこともなさそうだと感じたなら、コンサルタントがそのことを表に持ち出して、プライマリー・クライアントがそれを十分に自覚し、責任を担う覚悟を持ってもらうようにすることが大切である。コンタクト・クライアント、中間クライアント、プライマリー・クライアントに「誰がここでの本当のクライアントなのか？」と問うてみるのは、まことに適切なことである。彼らがこの問題を明確に考えることができれば、それはコンサルタントだけでなく究極的には彼らにとっても役立つのである。

◆実例

ケース4.1　Multi社におけるクライアント問題の複雑さ

　プロジェクトが進行していく中でのクライアント問題の複雑さを例証するには、私がMulti社とともにした仕事のいくつかの側面を振り返ってみるのが一番良い。この会社はヨーロッパにある多角経営の化学薬品会社で、私はそこで数年間にわたってさまざまなコンサルテーション活動をした（Schein, 1985）。このケースはクライアントの問題だけでなく、コンサルタントが演じなければならないいくつもの役割と、コンサルテーションが個人の問題から集団の問題、組織の問題へと展開していくさまを示している。

　初め私は管理者啓発部長のPeter Stern博士から電話をもらい、6ヵ月後の年次ミーティングで、Multi社のトップ45人の管理者を対象としたセミナーを開くことを考えてもらえないかと頼まれた。Sternは以前セミナーで私の話を聞いたことがあり、面識があったので、私はとりあえず承知した。Sternはあれと同様のプレゼンテーションが彼らの会社にちょうど向いていると言って私を納得させ、私のほうも、巨大多国籍組織の経営陣のトップらと近づきになる機会でもあり、興味を引かれた。

第 4 章　クライアントの概念　　**111**

　だがこの仕事について最終的な決断をする前に，私は社長の Richard Maire と会って，そのプレゼンテーションの目的にわれわれが合意できるかどうか，また Maire がそのミーティングに対する私の取り組み方を気に入るかどうかを確かめなければならなかった。わざわざ Maire に会いにいくための旅行が手配されたが，このとき彼は中間クライアントになったのだ。われわれは会い，目標について合意に達し，互いに気持よくつき合えることを確かめ，そこで，両者の合意のもと先へ進めて行くことになった。今や Maire はプライマリー・クライアントになったのである。

　次なる段階は，1ヵ月後，年次ミーティングの企画と管理を担当している研修部長の Otto Kunz と会うことだった。私がいつどのようなプレゼンテーションを行うか，それを年次ミーティング全体の構成の中にどのように組み込むかという細かい計画を練っていくために，彼もまたプライマリー・クライアントになった。しかし彼の要請は，社長の Maire が私にプレゼンテーションをしてもらいたいと思って私に伝えた基本的な目的と一致していなければならなかった。同時に Kunz は私のコンサルタントになって，私のセッションが当時 Multi 社に噴出していた問題点に関連したものになるように，また Multi 社の文化に調和したプレゼンテーションになるように立案を助けてくれた。

　年次ミーティングのまさに当日には，私は他の管理者達にも多く出会った。常務会のメンバーは明らかに将来のプライマリー・クライアントであった。プライマリー・クライアントとしては，これに事業部長や支部長が何人か加わるのであろう。これらのどの関係においても，探求すると同時に力になるという一対の目標を基準にして，私は新たに出会う一人一人の人との関わり方を決めていった。その年次大会が開かれている間，Stern が率いており，社長と常務会のメンバー数人からなる計画立案グループは，ミーティングをモニターし，必要に応じてイベントの計画を立て直した。彼らは私に同席してこのプロセスを援助して欲しいと求めたので，集団としての彼らが，その目的に関するプライマリー・クライアントとなった。

　実際のプレゼンテーションに関しては，そこに集まった45人全員が私のプライマリー・クライアントであった。なぜなら，私がセミナーで扱っている問題を抱えているのは彼らであったからだ。大会期間中に私の援助を求めてきた個々のメ

ンバーは，その後各自の問題に関してプライマリー・クライアントになった。大会終了後 Maire は，会社をさらに革新的にするために引き続きコンサルティングを続けてほしいと求めた。彼は自分と常務会と Stern をプライマリー・クライアントと位置づけ，会社に来ているあいだの私の時間の管理を Stern に依頼した。Stern は再びコンタクト・クライアントになった。

　この話が展開していくにつれて，私は上層部，常務会のさまざまなメンバーや，その後二度の年次ミーティングの参加者たちといっしょに仕事をしていくことになった。会社全体が明らかにある種の究極のクライアントであったが，特定のプロジェクトによって影響を受けるさまざまな部門は自覚のないクライアントでもあった。——特にこれには会社がいくつかの事業部を縮小化するプロセスに着手しかけていたという事情が影響している。Stern と Kunz は，管理者啓発と研修の問題がその後のコンサルテーション作業のもっとも重要な焦点の1つになったので，引き続きコンタクト・クライアントとプライマリー・クライアントという二重の役割を担った。他にもさまざまな管理者が，ミーティングに出席することや特定の問題で援助を得ることについて私と直接連絡し合うようになり，コンタクト・クライアントやプライマリー・クライアントになった。

　年次ミーティングの結果，会社を好転させるプロセスを立案するための運営委員会が作られたが，そのプロセスはいくつかの事業部を縮小させると同時に，一方で他の事業部の収益性は高めていくことを目指すものであった。この委員会はそれぞれのプロジェクトを25の別々の作業部会に割り当てたが，責任者の中には自分のところのプロジェクトを組織するにあたって私の援助を求めてくる者もいた。だが，たとえ私が個々の作業部会の責任者といっしょに仕事をしていても，これらの関係において焦点となっているクライアントは明らかに会社全体であった。

　Stern はまたキャリア開発システムを見直したいと考え，研究プロジェクトを立案するにあたって私の専門的な能力に援助を求めた。それはどういう形で国をまたぎ，職能上の枠を越えた異動を行うのが一番うまくいくかを判断するために，経営陣のトップ200人の経歴を研究しようというものだった。これらのケースの資料を慎重に調べたところ国境を越える異動の重要性について驚くべき洞察がいくつか生まれ，その結果経営陣の異動のさせかたに大きな変更が加えられた。

私がこのケースで学んだのは，Multi社で出会う一人一人の人に対して自分はどういう関係にあるのかをそのつど評価しなおすことと，クライアント・システムの一部分に対する介入が他の部分にどのような影響を及ぼし得るかに絶えず目を向けているということだった。そのような影響について確信が持てないとき，私は自分だけで決断を下そうとするより内部の人たちにもその疑問や課題に関わってもらい，「問題を共有すること」をあてにした。

私はまた自分が扱っている多くのクライアントに対して，多くの役割をとらなければならないことも学んだ。コンサルタントといっしょにいるところを見られると立場が悪くなるという規範に私が出会ったのも，この組織でのことだった。私はまた，コンサルタントは専門家－医師でなければならないというのがいかに強力な規範であり得るかも学んだ。と言うのも彼らといっしょに仕事をした年月のあいだずっと，彼らは常に私が意見や勧告を彼らに伝えることの方を好んでいたからだ。私といっしょにPCモードでたくさん経験を積んだのちに，初めて彼らはプロセスに介入することや共同でインタビューをすることや共同で診断をすることの価値を認めるようになったのである。

ケース4.2　コンサルタントとのコンサルティング——Jackson Strategy Consultants社の場合

究極のクライアント問題に関する興味深い実例は，私が教授会グループの一員として戦略コンサルティング会社を援助していたあるプロジェクトから，現われた。その会社はコンサルタントのための啓発セミナーに参加してより効果的なコンサルタント業務に従事することを目指していた。多くの教授会メンバーが，その会社のベテランのコンサルタント数人とともにマーケティング，財務，人事，コンサルティング技術といった課題に取り組んだ。教授会メンバーの役割は研究情報を提供し，コンサルティング集団がこの情報を用いて，クライアントの問題を分析するのに使うツールを改良するのを援助することであった。

私はコンサルティングの方法とプロセスの専門家として参加することになって

いた。この会社のメンバーとの個人的なセッションやグループセミナーでは，次のような課題について討議した。つまり，クライアントが本当に望んでいるのは何かをどのようにして読み取るか，クライアント組織の文化とは何か，またどのようにしてコンサルタントは最も望ましいやり方でクライアントとの関係を管理していくかなどである。私が概念的なことを説明し彼らは素材となるケースを出し，そのあとわれわれはそのような事例を用いて，彼らのクライアントとの仕事のために新たな分析のツールを開発すべく話し合うのだった。

　基本原則は明確であった──教授会のメンバーはよほど特別の理由がないかぎりクライアントと直接関わりを持たないということである。その結果，究極のクライアント（Jackson 社がいっしょに仕事をしている会社）に提供される援助は，何であれ中間クライアントである Jackson Consultants を通して提供された。表面だけ見るとこれは単純明快なケースだが，コンサルタントらを研修している教授団に Jackson 社が最終的に引き受けるクライアントの選択に関していくらかでも口を出す権利があるかどうか，そしてそのような権利を持つべきだったのかどうかということが解決できないジレンマとして残った。気がついてみると，私は Jackson Consultants が提示するケースに対する自分自身の反応を吟味しながらこのプロセスをモニターしていた。彼らのケースと彼らがとっているアプローチは，概して妥当な援助であるとする私の判断基準に合致していたので，この問題はいざこざなしに解決された。

　このケースは，トレーニング・コンサルタントや「影のコンサルタント」の役割をするもっと一般的な状況とは異なっていた。なぜなら，教授集団はより効果的なコンサルタント業務ができるようにコンサルティング会社全体を援助するという契約であったからだ。そういうわけで，われわれと共有できない価値観を持っている人を会社が雇い入れたり，われわれが賛成できないクライアントを引き受けたりしても，それに対してわれわれはどうすることもできなかったのである。私がしていたのは，Jackson Consultants にクライアントについて素材となる事例を査定できるほどたくさん出してもらい，このプロセスを絶えずモニターすることだった。

第4章 クライアントの概念　**115**

演習 4.1　クライアントは誰か？（1 時間から 2 時間）

1．1人以上の他のコンサルタント同士で組を作る。もしあなたが管理者であれば，管理者同士で組むこと。
2．過去1，2年のことを振り返って，人に援助を提供していたという場面を1つか2つ選び，グループの各メンバーが交替で話をする。
3．一度に1つのケースを取り上げて，誰がコンタクト・クライアントで，誰が中間クライアントで，誰がプライマリー・クライアントで，誰が自覚のないクライアントと究極のクライアント（あるいは対象となった人）だったかという観点からそれを再構成する。誰がどの分類に属するか決めかねる場合は，その曖昧さにどんな意味があるかを考える。
4．それぞれのケースについて，あなたがどの程度自覚のないクライアントや究極のクライアント（あるいは対象となった人）の要求を考慮したか，またこのことがあなたの行動にどう影響したかしなかったかを振り返る。
5．ケースの分析からあなたはどんなことを学んだか？

第Ⅱ部
隠れた力とプロセスを読みとること

　有能な援助者になるには，第1部で述べたような哲学，たくさんの実践，そして実際に役立つ理論が必要だ。理論と言うとき私が意味しているのは，世の中がどのように動いているかの心的モデルである。これに助けられてわれわれは，今進行していることを知覚し・理解し・単純化し・説明し・予測し・コントロールすることができる。善良な意図とやる気があるというだけでは十分ではない。有能な援助者／コンサルタントであるには，人間性に関わる問題に影響を及ぼす，心理的な人間相互間，集団内，組織内，および組織間のダイナミクスを，何ほどか理解していなければならない。われわれは第2章でそのようなモデルの1つを取り上げ，援助関係の心理的なダイナミクスをある程度検討してきた。そのような「理論」と実践を結合させることで，理解がもたらされる。つまり，概念を学び，個人や集団，さらに大きな組織単位やコミュニティを援助する実体験の中でそれらの概念がどのように現われてくるかを学ぶのである。だが実践だけでは役に立たない。

　関係の成り行きに影響を与える力の多くは隠れたものであり，かつ／または，読みとるのが難しい。より効果的な援助者になるには，何が起きているかを見聞する能力を高め，この隠れた力をつきとめ読みとることだけでなく，そうした力に反応できる人間的柔軟さを培うこともまた必要である。プロセス・コンサルテーションのもっとも重要な役割の1つは，見えないものを見

えるようにすることだ。しかし，物事を目に見えるようにするプロセスは単純でも，明白でもない。クライアントに今これこれが起きていますよと教えるだけでうまくいくことはめったにない。なぜなら，われわれが抱えている文化的な前提，自己防衛，偏った先入観のおかげで，われわれはそこにあるものも，われわれの内側で作用しているものも見えなくなってしまっているからだ。専門家や医師は起こっていることのすべてを広げて見せる見事な診断を提供することができるとしても，それでも，クライアントはその診断を完全に誤解する可能性がある。それを読みとる能力も意欲もないからだ。

したがって物事を目に見えるようにするための第1の手段は，(1)クライアントがもっと深く知りたくなるように意欲をかきたてる条件を作り出すことと(2)クライアントがものの見方を学ぶのを援助することである。ちょうど芸術家が自分の表現したいものを見ることを学ばなければならないように，問題を解決する者としてのわれわれも，作り出し，強調し，解決したいと思うものを見ることを学ばなければならない。誰しも自分の人生を支配下においていると感じることが必要だ。だが制御不能であると感じたり，如何ともしがたい他人の行為や社会的条件の犠牲になっていると感じることもよくある。われわれは支配下においているという感じを持てない場合，しばしば，われわれは自らを責める。そして，わが身に起こっていることの多くは，自分の気づかない力や構造がもたらしたものだと理解することはしない。これらの力の中には，文化的前提によって生じたものもある。われわれが学習して獲得した結果，今やその前提がわれわれの思考を形作っている。だがわれわれはその力がもともと自然に備わっていたのではなく，学習し獲得されたのだということを忘れてしまっている。また，これらの力の中には，われわれが住む社会構造や社会システムの結果生じたものもある。さらにまた，われわれの心や人格の複雑な構造から生じたものや，無意識の産物，脳と身体の結びつき方に由来する力もある。

次の2つの章では多数の概念とモデルを検討する。それらは，2人以上の人間が何らかの関係にあるとき水面下で起こることを理解する上で，私にとって役立ってきたものだ。これらの「隠れた力」は，人が人を援助しようとする場合にとくに関係してくる。第5章では，まず頭の中で起こっているこ

とに焦点を当てる。次に第6章では，対面関係を支配する本質的なパターンとルールを決定する文化の力を分析し，第2章で概略を述べた，援助関係の心理的ダイナミクスのいくつかを説明する。

第5章

内面のプロセス：ORJI

　どのような関係においても，理解すべき一番重要なことは，頭の中，とりわけ自分の頭の中で起こっていることだ。関係する当事者がみずからの感情や偏見，知覚の歪みや衝動を観察し，評価することができなければ，自分の行為や介入が現実を認知した結果であるのか，それともただ単に自分を主張し防衛する必要があってのことなのか分からない。頭の中で何が進行しているか，またそれがおもてに表われる行動にどう影響するかを理解するためには，実際はきわめて複雑なプロセスを単純化するモデルが必要だ。内面のプロセスが複雑であるのは，われわれの神経系が，データの収集，処理，順向的(プロアクティブ)管理を同時に兼ねるシステムであるためだ。すなわち，われわれは観察し observe（O），観察したものに情緒的に反応し react（R），観察と感情に基づいて分析し処理し判断を下し judgement（J），そして何かを起こすためにおもてに表れる行動をとる——すなわち介入する intervene（I）[1]。

　最も単純な形としては，これを図5.1のような，継時的につながる円環型モデルとして示すことができる。現実の内的プロセスはそんな単純で論理的な順序で起こりはしないが，このモデルのおかげで，心の内に起こる複雑なあれこれや，どんな罠にわれわれは陥るものであるか，そしていかにすれば，われわれの介入を多少なりとも効果的にすることができるのかをさらに詳し

---

[1] 学習のサイクルや問題解決のサイクルをさまざまな形で扱うこの種のモデルは，数多くある。だがここで示すモデルは，それらの多くが取りこぼしているもの，つまりプロセス全体の中で感情が果たす役割を含んでいる。

く分析することができる。

◆観察 Observation（O）

観察とは，環境の中で現実に生起しているものを，全感覚を通して正確に登録することであるべきだ。だが実際，神経系は順向的（プロアクテイブ）で，多くの先立つ経験のフィルターを通してデータを取り入れるようにプログラムされている。われわれは多かれ少なかれ以前の経験に基づいて「期待」あるいは「予想」しながら見たり聞いたりしており，それが期待，先入観，予想と一致しなければ，利用できる可能性のある情報もたくさん閉め出してしまう。われわれは情報を受動的に登録するわけではない；手に入るデータの中から，自分が欲し必要とするものだけでなく，言語や文化的に学習された概念に基づいて登録・分類できるものを選び取っている。もっと劇的な表現をするならば，われわれは自分が見ることを考えたり話したりするのではない；考えたり話したりできるものを見るのだ。

```
観察（O） ·············▶ 情緒的反応（R）
  ▲                              │
  │                              ▼
介入（I） ◀············· 判断（J）
```

図5.1 基本的な ORJI サイクル

精神分析理論や認知理論によって，知覚することがどれほど広範囲に歪曲され得るものであるかが示されてきた。否認（ある情報カテゴリーが自分自身に当てはまるとき，それを見ないようにすること）と投影（実際は自分自身の中で作用しているものを，他人の中に見ること）という自己防衛のメカニズムは，おそらくもっとも明白な例であろう。だが，われわれの欲求もまた知覚を歪めてしまうことが分かっている。喉の渇きのために砂漠にあるあらゆる物がオアシスに見えるのはその例である。「現実」を扱い，客観性を得るために努力し，物事をありのままに見ようとする（画家が写実的な絵を

描きたい時にそう努めるように）ためには，知覚システムによって最初から歪曲されてしまうことが起こり得る，しかも得てして起こりがちであることを理解し，そのような歪曲を減らそうとしなければならない。

　一部の心理学者は，この「見る能力」を右脳対左脳の機能に関連づけ，さまざまな誤認を引き起こすのは，左の「批判する」脳であると論じている。この説は，多くの美術教師たちが論じていることと一致している。つまり，われわれが上手に描けないのは，自分が描いている対象を実際には見ておらず，物はこう見えるべきだと思うものを描いているからであると彼らは主張している。[2] 同様に，一部のスポーツ心理学者は，あるショットが打てないと思い込んだテニス・プレイヤーが，結果的にそのショットを打ちそこねる場合のように，批判する脳が物事を行う「自然な」能力のじゃまをすることを論じている。[3] それゆえ，観察することを学ぶというのは，これまで経験し学習してきたことのためにわれわれの前に現れた罠について学び，これを克服することである。コンサルタントは，進行していることを正確に捉えることを学ばなければ，現実を扱えない。そのことは，自分の傾向や固定観念や先入観をみきわめるために，自らがこれまでに蓄積してきたことを常に念頭においておかねばならないということだ。

◆反応 Reaction（R）

　自分の情緒的な反応について知ることで最も難しい側面は，われわれはそれに全然気づかないことが多いということだ。われわれは感情を否定してしまうか，さもなければまったく当然と受け取って，要するにそれを省略して，まっすぐ判断や行動へ移ってしまう。われわれは不安や，怒りや，やましさや，恥ずかしさや，喜びや，あつかましさや，幸せを感じているかもしれないが，それでもどう感じているかと聞かれたり，自分の内部で起こっていることを省みる手間をかけないと，自分はこう感じていると気づかない。

---

2)　「見ることの学習」に関する優れた記述としては，Frank, 1973 および Edwards, 1979 がある。
3)　たとえば，Gallway（1974）。

感情は生きている瞬間瞬間の多くの部分を占めている。だがわれわれは人生の早い時期に，感情を制御し，抑圧し，克服し，そのほかさまざまな形で消去したり否定したりしなければならない場面がたくさんあることを学習する。性別や職業による役割を学習し，特定の文化に適合するよう社会生活に順応していくにつれて，どんな感情は受け入れられどんな感情は受け入れられないか，どのような時は感情を出して良いが，どのような時はいけないのか，どのような時感情は「良い」ものでどのような時は「悪い」ものであるかを学ぶ。

またわれわれの文化においては，感情によって判断が影響されてはならないとも教えられる。──感情は歪曲の源であり，感情に基づいて衝動的に行動してはならないのである。しかし皮肉なことに，われわれが最も感情に流された行動をしてしまうことになることが多いのは，自分の感情に一番気づいていない時であり，その間ずっとわれわれは理性的な判断のみにのっとって慎重に行動していると思い違いをしているのである。しかも感情が判断に及ぼした影響にまったく気づかないことが多い。

自覚していない力は，抑えることもうまく扱うこともできない。自らの本当の感情とその感情が生じるきっかけをみきわめられるようになれば，われわれはその感情に従うか従わないかを選択できる。感情とは何であるか，何によってそれが引き起こされるのかを知っていなければ，われわれは事実上感情の餌食になってしまう。厄介な事態を引き起こすのは衝動性そのものではない。意識して理解されていない衝動に従って行動することが問題なのである。そのため，われわれは厄介な問題を抱えてしまう行動を取る前にそれについて検討することをしないのである。そこで，感情をめぐる主な課題は，感情を認識する方法を見つけ，選択の幅を広げられるようにすることとなる。コンサルタントにとって自分が何を感じているかを知ることは，必須事項である。それによって反応において偏見を避けることができ，クライアントとの関係の中で起きていることを教えてくれる診断的な指標としてその感情を用いることができる。

◆判断 Judgment（J）

われわれはつねにデータを処理し，情報を分析し，評価し，判断を下している。行動する前に分析するというこの能力こそ，人間が，複雑な目標を達成するために緻密な行動を計画したり，何年もかかる行動の連鎖を途切れないように続けるのを可能にしてくれるものだ。将来の計画を立て，計画に従って行動を組み立てていく能力は，人間の知性のもっとも画期的な側面の1つである。[4]

論理的に思考する能力はむろん必須である。しかしわれわれが行うどのような分析や判断も，その基礎となっているデータと同等の価値しかない。依拠しているデータが誤って認識されたり，感情によって歪められれば，分析も判断も損なわれてしまう。だから，用いる情報の入手のしかたや，そこにどのような偏見が存在し得るかに注意を払わないならば，手の込んだ計画も分析の演習を行ってもほとんど役に立たない。無意識のうちに自分の情緒的な反応に思考が偏ってしまうのであれば，分析も役に立たない。もっともよい条件のもとでさえ理性の働きには限度があり，われわれは認知において系統的に誤りを犯すものだ。だからせめても最初に情報を入手する際の歪曲を，最小限に食い止めようとすべきである。[5]このことがコンサルタントに対して持つ最も重要な意味は，論理的に考えるわれわれの能力には限界があり，依拠しているデータと同程度に頼りになるにすぎないことを，最初の認識として持っておくということだ。

---

4) Elliot Jaques（1976, 1982）は，管理レベルの相違を見分ける方法の1つとして，計画を立てるとき考慮される計画対象期間と裁量を任される単位時間の長さによって判断できると述べている。かくして，店舗で働く人は分単位，時間単位，日単位でその場を任される。下位レベルの管理者は日や週単位で任され，上級管理者は月や年単位で計画を立て，その期間を任される。

5) Simon, 1960; TverskyとKahneman, 1974; NisbettとRoss, 1980; Carroll, J.とPayne, J. W.（編）1976.

◆介入 Intervention（I）

　何らかの判断を下したとき，われわれは行動する。その判断が感情的な衝動に基づいて行動する「決心」でしかなくても，いずれにせよそれは判断であり，それを自覚していないのは危険なことだ。言い換えれば，衝動的に行動するとき——いわば膝反射的反応をするとき，われわれは論理的な判断をするプロセスをはしょっているようにみえる。実際は，われわれがしているのははしょることではなく，初めの観察とそれに対する自分の感情的な反応を信用しすぎているのである。トラブルのもとになる膝反射的反応は，不正確なデータに基づいた判断である介入なのだが，必ずしも判断が悪いというわけではない。もし誰かに攻撃されて直ちに反撃したら，それはまことに妥当かつ適切な介入かもしれない。だがもし私の思い違いでその人は攻撃などしていなかったとしたら，私は反撃したことで非常に攻撃的な人と思われ，その結果は重大なコミュニケーションの断絶に至るかもしれない。私はコンサルタントとして，自分のあらゆる言動が結果を伴う介入であることを，常に忘れないようにしていなければならない。
　グループ・ミーティングでよく起こる典型的な例を検討してみよう。

　あるグループ・ミーティングで，私はメンバーの1人であるSteveと同席している。過去のミーティングで，彼はいつも私をけなしたり，絶えず反論を述べたりしていた。私があることを主張すると，Steveはすぐに私の論点に関連して何かを言うのである。サイクルは今回次のように展開するかもしれない。：
　観察——Steveは私の論点に賛同しないことによって私を攻撃している。私が気づいていないかもしれないのは，私は反対されることを予期していたからSteveの言ったことを意見の不一致と捉え，また攻撃されると予期していたから，意見の不一致を攻撃とみなしていることだ。
　反応——私はいつも反対され，攻撃さるのが気掛かりであり，その結果腹を立てている。私は自分の立場を明確にするために，本心からやり返してやりたいと

思っている。私が気づいていないかもしれないのは，Steveが実際に抱いていたかもしれない動機ではなく，Steveならこういう意図でやっているのだろうと私が勝手に思いこんでいる動機に基づいて，私がこのような感情を抱くという反応をしているということだ。また私が気づいていないかもしれないもう1つのことは，攻撃されていると受け取ったことに対して不安という反応は妥当であっても，怒って反撃する以外にも不安に対処する方法が考えられるということだ。私はその怒りが，ある意味で自分が【選んだ】感情であることに気づいていないのかもしれない。それは自動的に起こるものではない。

　判断——私は，Steveはこのグループにおける地位を私と競っているにちがいない，おめおめとやり込めさせておくわけにはいかない，と判断する。私は自分の立場を守るために自己主張しなければならない。この時点で私がおそらく気づいていないのは，この一見まったく論理的に思える結論も私が見たと思ったものを最初どのように解釈したか，さらにそれにとりわけどのような情緒的反応をしたかを，どれほど前提にしているのかということだ。もしこのときこの判断に基づいて行動すれば，私の行動は適切かもしれないし，そうでないかもしれない。なぜなら自分の最初の観察が正しいかどうかは実際分かっていないからだ。

　介入——私はSteveの論旨を猛烈にけなして彼を困惑させ，彼自身のORJIサイクルに対処しなければならなくなる。彼の側の反応が今回予想外のものだったら，私は何が起こったか理解できないだろう。なぜなら私は，いかに自らの先入観のため，結果的にSteveの意図とは関係がないかもしれない介入をしてしまったかに気づいていないからだ。

　よく考えてORJIサイクルを再構成してみると，判断は論理的だが，不正確な可能性のある「事実」に基づいており，それゆえ結論も全く論理的とは言えない可能性があることがしばしば明らかになる。したがって，このサイクルでもっとも危険な部分は最初の段階ということになる。そこにおいて，われわれは可能なかぎり実際に何が起こったのかに焦点を合わせるよりも，こうに違いないと決め込んで早まった判断をしてしまう。ある人が論理的ではなく「感情的に」行動したと言う場合，それはたいてい，われわれが認識

する状況に対してその人が不適切に行動したということを意味している。その人がとった類の行動を正当とするデータがわれわれには見えなかったのだ。後になってその「感情的になった」人と話し合ってみると，その人の観点から見ればその行動は合理的で論理的だったこと，その人は何かを「観察し」，観察したものに対して適切に反応したことが分かる場合が多い。行動が不適切だというとき，それはその行動が合理的でなかったからではなく，不正確な最初の観察に基づいていたからである。

　このプロセスの痛恨の一例が，ある経営幹部から最近われわれが行った経営者育成短期集中プログラムで報告された。Dave（その経営幹部）は，翌朝行われることになっている財務審査のための検討に没頭していた。彼は自宅の書斎に閉じこもり，6歳になる子供にじゃまをしないようにと言った。30分後，子供がドアのところに現われてDaveがしていたことを中断させた。Daveはたちまち腹を立てた。なぜならじゃましてはいけないと言ってあったからだ。子供が入ってきたのは禁止しておいたことを行っているのだと「観察した」。Daveは自分が怒るのはまったくもっともだと考え（判断），じゃましてはいけないと言っただろうと怒鳴ることで子供を罰した（介入）。

　あとになって，Daveは子供がとてもうろたえ，よそよそしいなど，Daveが当然と思う以上に強く反応していることに気づいた。この新たな観察が引き金になって，不安や気がかりという新たな感情が起こり，子供のことが心配になった。その結果何が起きているのか調べるべきだと判断した。Daveは妻にいくつか質問してみることにした（介入）。この質問で第二サイクルが完結した。

　今やっとDaveは，子供が妻に言われて，コーヒーはどうですかと尋ね，お休みなさいを言いに来たことを知った（新たな観察）。この説明を聞くと，Daveは悪い事をしたと思い，ひどく怒ったことを恥じた（反応）。確かめもしないで急いで行動したのは間違っていたと判断し，子供に謝って仲直りすることにした（介入）。

　この場合，Daveは自分が先に犯した誤りを償う機会があった。自分がい

かに情況を誤認し，その結果不適切な介入をしたかに気づいたので，この先出会う状況では「感情的に」反応してしまう前に，自分が観察しているものをチェックするようにしようという訓練を積むことができた。彼は，感情は自動的なものではなくわれわれが認識することに基づいていること，自分の認識をチェックすれば，そのプロセスによって感情のコントロールも可能であることに気づいた。だがわれわれは Dave のように第二のチャンスが持てない場合が多いことに注意してほしい。われわれは誤認に気づかず，自分の行動がなぜ望んだ反応を引き出さないのかをおそらく決して理解することがないのである。さらに重要な教訓は，そもそもの初めから ORJI サイクルに対してより現実的な視野を持ち，われわれの「見る」能力を高め，判断を下し行動に跳び込む前に自分の見ているものを顧みる能力を伸ばすことである。コンサルタントは自分自身の心の中のこのダイナミクスを自覚しなければならないだけでなく，クライアントが次の二点を理解できるよう援助しなければならない。つまり，これらのプロセスによっていかに不適切な行動をとってしまう可能性があるかということと，さらに知覚や思考と感情や行動との関係をいかにしてより現実的に捉えるかの二点である。

◆より現実的な ORJI サイクル

ここで今まで述べてきたことを描き直すなら，図5.2のようになる。

この図から，われわれは ORJI サイクルの中にある罠を以下のようにまとめることができる：

罠1．誤認　早まった判断，期待，防衛，原因の勘違いのせいで，何が起こったのか，なぜかを正確に認識しない。

罠2．不適切な情緒的反応　不適切な情緒的反応は，2つの理由のどちらかのせいで起こる：(1)何が起こったか・なぜ起こったかを誤認（罠1）し，基礎になっているデータが不正確なことに気づかないまま，自分の解釈に情緒的に反応するのを「許して」しまう。(2)有効なデータに過度に情緒的な反

目標：1）自分自身の中で，観察・反応・判断・行動（介入）への衝動を見分けられるようになること。
　　　2）これらそれぞれのプロセスを扱う際に自分の中にある偏向をみきわめること。

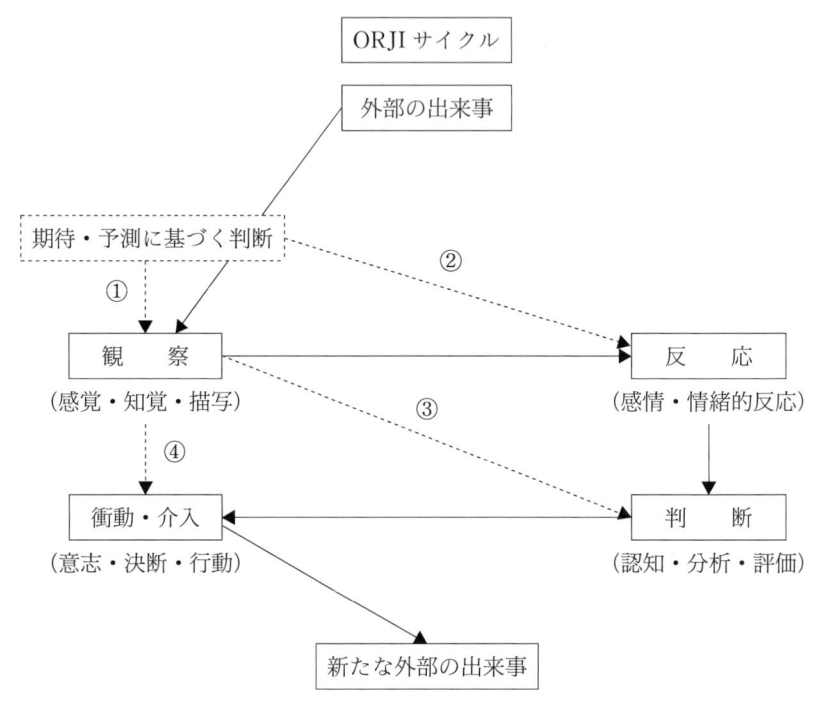

```
                    ┌──────────────┐
                    │ ORJI サイクル │
                    └──────────────┘
                    ┌──────────────┐
                    │  外部の出来事  │
                    └──────┬───────┘
                           │
    ┌─────────────────┐    │
    ┊ 期待・予測に基づく判断 ┊    │         ②
    └─────────────────┘    │
           ①  ┊            ▼
              ▼      ┌──────┐         ┌──────┐
                     │観　察│────────▶│反　応│
                     └──┬───┘   ③    └──┬───┘
                  （感覚・知覚・描写）  （感情・情緒的反応）
              ④  ┊     │                 │
                  ▼    │                 ▼
              ┌──────┐ │              ┌──────┐
              │衝動・介入│◀────────────│判　断│
              └──┬───┘                 └──────┘
              （意志・決断・行動）    （認知・分析・評価）
                  │
                  ▼
              ┌──────────────┐
              │新たな外部の出来事│
              └──────────────┘
```

罠：①誤認
　　②不適切な情緒的反応
　　③不正確なデータに基づいた合理的分析
　　④不適切なデータに基づいた介入

図5.2　さらに実際的に表した ORJI サイクル

応をしたり，親愛のジェスチュアに不安や怒りで反応するようなそれ自体不適切な情緒的反応をしたりすることを学習してしまっているのかもしれない。

罠3．不正確なデータや不完全な論理に基づいた分析と判断　この罠につ

第5章　内面のプロセス：ORJI　131

いても2つの型がある。(1)自分の観察や情緒的反応を正しいとしてしまうと（罠1かつ／または2），適切に論理的に考えることはできるが，入力データが不正確であれば誤った結論を出してしまう。あるいは，(2)自分の認知の偏りや論理的思考力の欠如に気づいていなければ，不正確なあるいは非論理的な考え方をしてしまうかもしれない。

　罠4．一見正しく見える判断に基づいて介入するが，実は判断が誤っている　もし全サイクルを省みて再点検する——自分の観察や情緒的反応が正しくて適切かどうかを点検する——ことなしに介入してしまえば，論理的に行動しながらも事態をもっと悪くする可能性がある。

　罠は積もり積もっていくことに注意して欲しい。最初の罠にかかってしまえば，自動的に他の罠にもはまることになってしまうのである。だがわれわれは，自分の意思決定および行動を十分に振り返り，詳細に分析することを学ばねばならない。そうすることで全サイクルが見えるようになり，救済のための行動が必要なのはどこであるかが診断できるようになる。ここでも自分の頭の中におけるこれらのダイナミクスを理解し，クライアントがその人自身の心的プロセスの中にあるそのような罠をみきわめられるよう援助することがコンサルタントの務めとなる。

◆いかにして罠を避けるか

　コミュニケーションが途絶したり，感情が傷ついたり，関係が壊れたりといったことが起こるのは，しばしば悪意や意図した結果というより，今見てきたような罠に落ちるためであることのほうが多い。部下を扱う管理者，クライアントを扱うコンサルタント，同僚と一緒に仕事をする集団メンバーは皆，精神内界のプロセスにある落とし穴に鋭敏になる必要がある。また，皆がこの落とし穴を避けたり立て直したりするためのある決まった手順を学ぶ必要がある。

誤認のもとになる可能性のあるものをみきわめること

明らかにする必要がある誤認のもととしては，少なくとも区別可能な次の3種類がある：

1．当然のものとなっている文化的な仮定　同一の行動でも，文化的な環境が変われば意味が変わることがある。ある組織では，あらゆる点について議論するのが文化的に適切かもしれないが，別の組織では，公の場ではつねに集団の中で上級のメンバーに賛同するのが適切かもしれない。どちらの場合でも，もし私がコンサルタントとして，彼らの文化的仮定ではなく，私自身の仮定に立ってその行動を解釈したら，意味を取り違え，不適切に反応し，不適切な介入をしてしまうだろう。この章の終わりに挙げた事例5.1はそれを示すさらに具体的な例である。

2．個人の防衛的なフィルター（偏り）　他人のある種の行動を，私はいつもある特定の意味を持つと受け取るかもしれない。それはこれまでの経験に基づく私自身の自己防衛のメカニズムや偏向のせいである。私は相手が同意してくれないと攻撃されたと受け取り，沈黙は同意と受け取るかもしれない。そのように見ることが私には「必要」だからだ。コンサルタントとして私は，自分が物事を認識する際の体系的な偏りを特定するために，行動している自分をある期間観察し，他人から誤りを矯正するフィードバックを得るように努めなければならない。その偏りがどういうものであるかが分かれば，反応してしまう前に物事をもっとよく注意してチェックすることができる。

3．過去の経験に基づいた状況への期待　ある状況や人物にこれまで何度も出会ったことがあると，私は何を予期すべきか分かっていると思い込むようになるかもしれない。この場合誤認を引き起こす原因は主に過去の学習だが，これはおそらく一番訂正するのが困難であろう。なぜなら，それにはこれまでの「知識」を「なかったことにする」，あるいは無視することが要求されるからだ。役に立つコンサルタントになろうとするなら，できるかぎり客観的であること，状況と人は変化するという事実を考慮に入れることが肝

要なのだ。それゆえ私は，たとえ何を予期すべきかがすでに「分かっている」状況であっても，できるかぎり観察者でありつづけなければならない。私は自分の無知にアクセスすることを学ばなければならない。

自分の情緒的反応の偏りをみきわめること

もし私に，ある種のデータに対してある種の情動で反応するという系統だった偏りがあるなら，状況に対する反応が適切であるかどうかを判断するために，その偏りがどのようなものであるか知る必要がある。例えば，クライアントに楯突かれたりあなたは間違っていると言われると，いつでも防衛的に反応して腹を立てる傾向があるとしたら，私はこれを偏りと認めて，その感情を抑えたり埋め合わせたりすることを学ぶ必要がある。とりわけ，クライアントと論争を始めたところで，コンサルテーション・プロセスの役には立たないと判断される場合はとくにそうだ。だが，防衛的になって怒ることがつねに悪いというわけではない。ときにはそれが適切な反応だということもある。しかしその状況において最も助けになることを選び決定するために，われわれは自分の偏りを知る必要があるのだ。

判断と論理の中にある文化的仮定をみきわめること

論理的に考えることや判断を下すことは，文化と無関係なプロセスではない。文化によってわれわれはいろいろな仮定を持つに至るが，その仮定から論理的な筋道の立て方や，どんなデータからどんな結論を引き出すかが決まってくる。もし自分が何を仮定しているかを知らなければ，われわれが考えた理屈は自分の観点からは正しくても，他人の観点からは間違っているかもしれない。そういう間違いは，時間と空間に関する暗黙の仮定がもとでよく起こる[6]。例えば私はクライアントとプライベートなミーティングを持ちたいと思ったとする。私の文化的背景では，大きなオフィスビルの静かな片隅であればプライバシーが確保されそうだが，クライアントのほうは，プライバシーとはドアを締め切って誰の目にも触れない状態と定義するかもしれない。

---

6) Hall (1959, 1966, 1976, 1983) および Schein (1992) によい例が出ている。

もしその人のプライバシーの定義を理解していなかったら，開かれたオフィス空間で話をしようとすると，われわれの話は誰にも聞こえないのに，その人がなぜ落ち着かないのか私には分からないだろう。

　もう1つ例を挙げよう。時間を守ることが，私の文化では能率性と他人の忙しいスケジュールに対する尊重の証であれば，約束の時間より15分もクライアントに待たせられたら，私は気を悪くするかもしれない。ところがクライアントの文化では，15分の遅刻は適切なのかもしれない。その人は，われわれ両者があとの予約の人たちをこちらの望むだけ待たせておくのは当然と思っているのかもしれない。そしてそれがわれわれのミーティングの重要性を尊重していることを示す方法なのかもしれない。こうした異文化間的な罠は，あまりにも浸透しているのでみきわめるのが難しい。そこで，どのような援助プロセスにおいても，その地域の文化を理解している人といっしょに取り組むように配慮しなければならない。

　例えば，私はかつてメキシコで，ある銀行の2つのグループを対象としたセミナーを行った。管理者のうちの一人は私のクライアントであった。セミナーの途中で，彼はさまざまな組織開発の介入について話してほしいと求めた。各グループが出会って自らの自己イメージを明らかにし，併せて相手グループのイメージも明らかにする，グループ相互の演習の話をしたところ，クライアントと彼の同僚が，実際にどうやるのか見せてほしいと求めた。私は，彼らはやってみることでもっと明確な例証を得たいのだろうと考えた。彼らがこの演習を，自分たちのあいだにある大きな問題を解決するために使いたがっていることには気づかなかったのだ。

　その演習によって，私のクライアントのグループは彼の指導力に全然満足していないことが明らかになった。そしてこれが公に明らかになると，もう一人の管理者は，私のクライアントが担ってきた役割の多くを自分が引き継ぐと言い出した。大論争が起こり，私はミーティングをコントロールできなくなってしまった。両グループともたちまちスペイン語でしゃべりだし，会話は英語でという最初の合意は消し飛んでしまったからだ。その演習の結果私のクライアントは面子も政

治力も失ってしまい，私は，遅まきながら，演習を体験したいと言い出したときの彼らの意図を完全に誤解していたことに気がついたのだった。

　何が論理的で筋が通っているかは，われわれが形成している深い暗黙の仮定に大きく依存しており，その前提はわれわれの中にあまりにもしっかり根付いているので，われわれはそれを当然のこととしている。だからこそ，当然と思えることも検討し疑ってみるように仕向ける思索する手続きを開発していくことが，必要かつ適切となる。

体系的な点検手続きの制定
　はっきり尋ねる　罠を回避するもっとも重要な方法は，こちらの観察や反応や推論が正しいか間違っているかを，できるかぎり確認することだ。それには，さらに質問すること，介入の前にもっと観察すること，自分以外の人の観察と照らし合わせてみること，自分の観察をクライアントに伝えることだ。「ちゃんと理解できたかどうかちょっと確かめさせてください。あなたがおっしゃっているのは……」とか「あなたは……と言っておられるように受け取ったんですが，それでよろしいですか？」と言うのは，ぶざまに感じる場合もあるかもしれないが，ときには絶対的に必要だ。

　介入としての沈黙　その気になればできるもっとも重要な介入の1つは，沈黙を守って，何が進行しているかを観察することである。沈黙を守りながらも積極的に傾聴する姿勢でいるというのは，介入のように見えないかもしれないが，実のところ誤認や不適切な情緒的反応や偏った判断といったリスクを最小限にするために，極めて重要なことでありそうだ。沈黙を守ろうと努力しつつ見聞きすることからさらにデータが得られ，いっそう役に立つ反応ができるようになることがよくある。先の例にあった中断させられた父親にしても，ほんの数秒待ちさえすれば，子供はお休みなさいとコーヒーはいかがを言いたがっていると分かったのだ。

　端的な質問がなされた場合でも，沈黙はしばしば適切である。私は何度も

経験したことがあるが，こちらが答えを思案して——「パイプを弄んで」いると，相手は先を続け，時には自分の質問に自分で答えたり，私からの返答を本当は求めても，期待してもいなかったとでも言うかのように話を先へ進めることさえある。

探求精神を持ちつづける　罠を避けるのに一番よい全体的な予防策は，探求精神，つまり真に進行していることを読みとりたいという欲求である。自分の衝動や感情をそれが適切かどうかも分からないうちにこちらから出してしまう代わりに，傾聴と援助に専心することだ。3つのコンサルテーション・モデルの重要な相違点の1つは，専門家モデルと医師−患者モデルでは探求モードがさほど強調されず，私には答えが分かっていると思い込んでしまう誘惑が強いことである。PCモデルでは，いずれにせよ問題を解決できるのはクライアントだけなのだから，このモデルを実践するコンサルタントや管理者は，心安らかに探求役を務めていればいい，またそうすべきであると主張される。結局はこの役割こそが最良の解決をもたらすと分かっているからだ。

◆結論

役に立ちたいと思うなら，コンサルタントは状況に介入しなければならない。そして人は介入しないでいることなどできない。何も言わずにいることも，それ自体が介入だからだ。そのような介入が適切で役に立つためには，正確な観察と，適切な情緒的反応と，クライアントの観察や考えの筋道を反映する（少なくともある程度取り入れる）論考のプロセスに基づいていなければならない。これらはどれも自己洞察を必要とするが，そうした自己洞察を得る最良の方法は，何よりも自分自身と他者に関して純真な探求精神を持ち続けることである。自己洞察は自然に生まれてくるわけではない。それには，ORJIモデルのような概念上のツール，探求精神および，1人また親身な他の人と一緒に吟味・分析する時間が必要である。

観察し吟味するスキルを確立するには，時間をかけて，見ること・自分の

見ているものについて考えることを身につけるように、自らを訓練しなければならない。ちょうど画家が描き彩色しようとしているものの特徴を研究しなければならないのと同じように、援助者は現実をできるかぎり明確に捉えるために、クライアントや状況やそれに対する自分自身の反応を研究しなければならない。注意深く耳を傾け物事を生き生きと頭に描くことは、この積極的な探求プロセスの重要な要素である。それによって焦点を絞ることができ、無関係なものに気が散ってしまうことが抑えられる。知らないことを積極的に理解しようとすることによって自分の無知にアクセスすることこそ、結局は、手に入れられる最も重要なプロセス・ツールである。

実例5.1　Esso Chem Europe 社における管理職の選抜

　私はこの例で敢えて会社の名前を出すことにしたが、それは個人的に傷つく人は誰もいないことと、述べられている事例は20年以上も前のことだからだ。このケースは、自分の文化的な偏りと、それがマネジメントの決定にどう影響するかを「見抜く」ことができなかったことから生じた、劇的な結末を示している。

　企業内コンサルタントが、私の支援を求めてきた。年長の管理職の勤務評定が年齢とともに組織だって低下を示すように見える理由を探るプロジェクトで、力を貸して欲しいということだった。このプロジェクトの準備をする中で、私は毎月開かれるトップ・マネジメントの委員会に出席することになっていた。この会議では、とくに見込みのある候補者の評価を行い、その人たちの今後のキャリア・プランが話し合われた。（年齢に関係した調査結果については後で取り上げたい。ここでのこの事例に関する議論は、この上層部の役員会が、非常に見込みのある管理者を社内取締役に登用するという課題にどのように対処したかに焦点がある。）

　とりわけ数回のミーティングでの焦点は、取締役に昇進させるべきヨーロッパ人の管理者が見あたらないという問題にあった。子会社のビジネスはすべてヨーロッパで行われているという事実から見て、この状況は困ったことだった。トッ

プ・マネジメントの委員会は，事実上取締役会であったのであるが，そこに何名かのヨーロッパ人を加えたいと思っていた。というのもこの委員会は12名のトップの管理者で構成されていたが，皆アメリカ人だったのである。候補者を評価するに当たって，その集団は一定の手順を踏んでいたが，それには非常に見込みのありそうな管理者それぞれについて詳細に話し合うことも含まれていた。私の役割は，そのプロセスがどのように機能しているかを知るために傍聴することだった。

候補者の多くはアメリカ人で，議論はいつもどおりに運んだ。最初のヨーロッパ人候補者が取り上げられたとき，私にある洞察が浮かんだ。この候補者はイタリアの子会社の管理者だった。委員会は彼の勤務評価と今後の見込みについて討論したが，将来性は非常に有望であった。それでも彼らはこの人を優秀な候補者とするのをためらっていた。彼ら自身このためらいに苦労していたが，一人が，この管理者はたいへん有能ではあるが「感情的すぎる」ことを取り上げた。彼は判断に感情を絡めることがあり，管理職会議でもしばしば感情を露わにした。彼は「感情的」だから，さらに上級の管理者の役目を担うにあたって，十分に「客観的」でいられまいというわけだった。その集団のアメリカ人たちは自分たちが「感情的にならず客観的である」ことを誇りにしており，それを最も重要な能力とみなしていた。

その仕事には感情的でない人間でなければならないとする前提を検討してみようとこの集団が思ったことは一度もなかった。また，彼らがヨーロッパ人をこのレベルに昇進させられないのは，彼らが仕事に求められる要件をそのように定義していることの直接の結果であるということにも思い至らなかった。その集団は2つの文化的な仮定にとらわれていたが，それに気づくことができないでいた。：その仮定とは(1)上級管理者になるには感情的でないことが要求される。(2)やや感情的なきらいのあるヨーロッパ人の管理者は，感情に流されないアメリカ人の管理者ほど有能でない。の2点である。

私はこのプロセスに介入するよう望まれていたわけではなかったので，ただ起こっていることを観察しているしかなかった。しかし，もしその集団が彼らのプロセスを観察してほしいと私に求めていたのであったなら，何と言っていただろう，あるいは言うべきだっただろうと推測してみるのは興味深いことである。こ

の状況では，どうすることが役に立つ介入になっただろうか？

演習 5.1 自分の ORJI サイクルの中にある罠をみきわめること

1. 最近のことを振り返って，あなたの行動が望ましくなくかつ予想もしなかった結果になってしまった出来事を1つ選ぶ。
2. あなたが介入をする直前に観察したこと，あなたが体験した情緒的な反応，あなたの下した判断，およびあなたがその介入（実際にしたこと）を選択することになった筋道を詳細に再構成する。各段階を書きとめ，いやが上にも具体的になるようにする。
3. サイクルのどこで間違いを犯したか，みきわめる。
4. 何も間違いを見つけられない場合，同僚に頼んで，一つ一つ出来事を再構成しながら話を聞いてもらい，あなたが見たり感じたり考えたり行ったりしたことにその同僚が何か間違いを指摘しないかどうかみる。
5. 行動を伴ったいくつかの出来事に対してこれをやり，あなたの受け取り方，情動，判断，および介入に存在する体系的な偏向傾向をみきわめる。

第6章

対面関係の力動(ダイナミクス)：相互作用とコミュニケーションの文化的なルール

　この章ではわれわれは「隠れた力」のもう1つのカテゴリー，すなわち互いに関わり合い，意思の疎通を図り，関係性を築こうと試みる時に人々の間で生ずる力について探求したい。表面的にはこれは情報や意見の交換として捉えられる。しかし実際は，対面的状況でコミュニケートする人々の間に発せられているのは，非常に複雑に相互に関わり合うダンスなのである。その中では，多様なチャンネルを通じ，多様な目的を持って多様な意味を持つ情報が伝達されている。この複雑さのいくつかの面については，援助プロセスの精神力動を分析した第2章で検討してきた。しかし援助プロセスは，相互の関わり合いとコミュニケーションの1つの形にすぎないから，われわれはこの章でさらに広い局面でのコミュニケーション・プロセスと，そこに働く隠れた文化的な力を探索し理解しなければならない。

◆そもそも　何故　人々はコミュニケートするのか？

　私たちはコミュニケーションや人間同士の交流を当然のことと受けとめていて，話に加わったり，付き合いに加わろうともしない人を変わっているとか時には恐ろしいといって世捨て人のように思う傾向がある。それでは何故，私たちはコミュニケートするのか，そしてそれを人間社会の出来事としてあたりまえのこととみなすのは何故なのか。コミュニケーションの明確な機能のいくつかを表6.1にまとめた。

表6.1 人間同士のコミュニケーションの6つの機能

1. 自らの要求を満たすこと
2. 他者を理解すること
3. 曖昧な状況を明確にすること
4. 優位に立つこと
5. 協力的な関係を築くこと
6. 自分自身を表現し，理解すること

---

1. 自分自身のことおよび自分の要求を他に知らせて，それらの要求や希望がかなえられるようにする。われわれは幼児期の幼い頃から知っていることであるが，自分は他者に依存して生きており，自分の要求を満たすには他者とコミュニケートすることを学ばなければならないのである。
2. 他者がいったい何者なのかを理解し，彼らをよく知る。
   これもまた幼児期の初期に学ぶことだが，他者とは満足をもたらすものであり，脅威であり，またおそらく殆どの場合は不可解な存在である。私たちは彼らの謎を解き，彼らを理解し，その理解に基づいて彼らにどう対応すべきかを決定するために，コミュニケーションを確立しようと試みる。このテーマは異邦人を訪問することや彼らとコミュニケートすることの本質的な難しさを扱った物語で非常に多く取り上げられている。
3. 曖昧で不明瞭な状況を，認識や考察を共有することで明確にする。社会生活を営む私たちには，次から次へと解読が必要な新しいデータが絶え間なくもたらされる。われわれが他者と共通の言語を持つや，われわれは何が起きているのかをまとめて解明し，了解していく。"今日は雨が降るかしら？ 誰に投票したらいいだろう？ あの部門はわれわれにとって脅威となるのかそれとも……？ Jane があの時言ったことはどういう意味だったのかしら？ 売上高の落ち込みは何を意味するのだろう？"人々の間で交わされる会話を分析すると，その多くの部分が共同の理解作業，

第 6 章　対面関係の力動：相互作用とコミュニケーションの文化的なルール　　**143**

すなわち状況を解明し定義づける共同作業のために費やされていることが分かる。そうすることで私たちは社会の中でどう対処すれば良いかを知るのである。

4．説得し，売り込み，納得させ，教育するための，自らに必要な状況を構築することで有利な立場に立つ。

私たちがコミュニケートするのは，単に理解するためだけでなく，自分にとって有利な状況を作るためでもある。多くの場合私たちは自分が何を望んでいるか知っているので，できるだけそれを実現させるようにコミュニケートする。隠された懸案事項を勝ち取るために，時には美辞麗句を並べて儀礼的手法で迫ったり，あの手この手で状況を操作したりすることもあるが，どの場合でも私たちは目的を達成するために，何らかのコミュニケーション手段を用いている。

5．他者と共同の支援関係を築くことにより，自分だけでできる以上のことを可能にする。

私たちは協働の関係性を築き，援助を求めたり申し出たり，またチームを作ったりするためにコミュニケートする。なぜなら，自らの要求を満たすような仕事を成し遂げるためには，他者とともに働かねばならないことに私たちは気づいているからだ。もし自分の要求を満たしたいだけであれば，そのことを知らせる，あるいは要求するというコミュニケーションで事足りる。優位に立とうと思うのであれば，説得し，その気にさせ，うまく操るということになる。だが協働の関係性，プロセス・コンサルタントでいうところの「援助関係」を築こうとするのであれば，私たちは相互の理解を促進するような方法でコミュニケートすることになる。

6．自己表現および自分自身の言葉を聴くことを通して，自分を十分に表現し自分の事が良く分かるようになる。

ある種のコミュニケーションは純粋に表現それだけのために行われる。私たちはどんな言葉が自分たちの口からとび出してくるのかを知ること自体が楽しくて啓発的だという理由でコミュニケー

トする。「私は自分が言っていることを聞くまで，自分が何を考え感じているのか分からない」と誰かが語ったそうであるが，まさにそれである。純粋に表現的なコミュニケーションでは，私たちは自らの聴衆となることが可能だ。もっとも，私たちの自己表現に対する人々の反応を観察し，彼らから"フィードバック"を得ることでさらに自分のことが良く分かるようになるのではあるが。

これらの機能のどれかを満たすためには（乳児が欲求を満たそうとして行う最も基本的な表現を除いて）何らかの言語形式，すなわちその場にいる人がその意味を共有している記号の基本セットが必要となる。

◆言語の役割

人類の最も偉大な業績の1つは，共有言語を発達させてきたことである。これにより抽象的概念を伝達できるようになった。コミュニケーション機能の中にはぶつぶつ言うことや身振り手振りで用が足りるものもある。しかし曖昧な状況を明確にしたり，自分が有利な立場に立ったり，援助を求めたり，協働の関係性を築いたり，自分自身を表現したりを実際にするには，まず共通の記号システムが必要である。それにより状況を抽象的に分析できるようになる。言語によって人間社会で調和を保って生活することができるようになり，共同生活から利点を引き出すことができるようになった。言語を用いて抽象的な思考パターンや記号が扱えるようになり，それによって集団は世界の本質に関する規範や仮定を発展させることができた。さらにまた言語を用いて，私たちが文化と考えているものも形成されてきた。それはつまりある集団が対外的目標や内部的調和を達成しようとして積み重ねてきた学習である。結局，言語は文化の最も重要な人為産物なのである。言語はある集団が歴史的に経験してきた対外的現実を表象すると同時に，新来者に外部環境をどう受け止めどう考えるべきかを教育することを通して，そのような現実を定着させる。

すべての文化は，その構成員が互いに安心できる関係でいられるためには，対面関係をとり仕切るルールや規範を発達させねばならないと認めている。例えば，生物学的本能からくる欲求や衝動をどのように制御するかのルールや規範は守られるべきである。私たちにとって，攻撃的感情の管理と性的感情や恋愛感情の管理を統括するルールは特に必要である。社会は，愛してよい相手まずい相手，攻撃的になってもよい相手まずい相手を規定するさまざまな家族単位を発達させてきただけでなく，あらゆる対面関係を統括するもっと微妙な一連のルールをも発達させてきた。これにより生活はより安全で予測可能なものとなる。殆どの社会ではこれらのルールが大変よく浸透していて，それらが破られる事でもない限り，私たちはその働きに全く気づかないほどだ。そのようなルールはよく"礼儀正しさ"，"エチケット"または"機転"などと呼ばれるが，そうした呼び名の背後には，社会的環境をわれわれ全員にとっていかに安全なものにするかという，もっともっと深い問題が存在している。幸運なことに多くの社会学者がいくつかのルールについて既に脱構築を行っており，われわれの分析に活用できるようにしてくれている。[1]

◆対面での相互関係の文化的ルール

われわれ自らの社会における相互関係の文化的ルールを正しく評価するためには，対面での関係の中で「実際に」何が起きているかについて，いかに言語が手がかりを提供しているかじっくり考える必要がある。例えば，礼儀正しさ，機転，落ちつき，敬意，物腰，屈辱，当惑，面目を保つ，失う，などという言葉を私たちはどういう意味で使っているのだろうか。なぜ人間に関することでは礼儀や如才なさが必要なのか。なぜ私たちは社会的出来事や状況を"場面"として記述し，それぞれの"役割"を正しく演じているかいないかを話題にするのか。なぜ私たちは社会的関係の中で"だまされた"と感じたことを話題にし，誰かが自分たちに話しかけてきたら注意を"払う"

---

[1] これら相互作用のルールに関しては，Erving Goffman (1959, 1967) と John Van Maanen (1979) の著作が論評としてすぐれている。

べきだと言うのか。なぜ私たちは人間関係に"投資をする"と言ったり，人を"正当に処遇する"必要があると言ったりするのか。

　私たちの言葉が教えてくれることには，人々の間で起きていることを詳細に最も良く説明するモデルは(1)社会経済学と社会正義および(2)社会劇またはドラマ，のふたつに集中しているということだ。私たちは人生のさまざまな舞台で演ずることを学ぶにつれ，演技者として，観客として適切な態度とはどういうものか，またどのようなやりとりが公平か不公平かを学んでいく。われわれの感情的な反応は，何をその場面において適切と見なすか，何を"適正な"または"正当な"社会的交換と見なすかによってほとんど決められている。

　これらのすべてのことがコンサルタントや管理者とどのような関連があるのかについては，援助はこれらの文化的ルールによって規定される制約の範囲内で行われねばならないという事実からきている。何が援助となるかということさえ文化によって決まってくるので，援助者は自分がその中で仕事をしている文化についてよく知らなければ役目を果たせない。メキシコでのセミナー（p.134）のことを思い出してほしい。プライマリー・クライアントや彼の同僚たちがそれによって仕事をしているルールを私が理解していなかったために，そして一旦彼らがスペイン語に切り替えると，私には何が起こっているかを観察することすらできなかったために，彼に痛手を負わせることになってしまった。そこで必要上この章での議論は，西欧とアメリカ合衆国の文化に焦点をしぼることにする。

◆社会的正義：基本的コミュニケーションは公正な交換でなければならない

　私たちは皆生まれてまもなく，人間の交流は相互作用であることを学ぶ。誰かがあなたに話しているとき，あなたは注意を払う。誰かが何かをくれたら，あなたはお礼を言う。誰かがあなたを侮辱したら，何らかの態度であなたは自分自身を守ろうとする。私たちはまたどのような返礼行動が適切で，それがいつ期待されているかも学ぶ。さらにこれらがどの程度の量であるべ

きかについての意識も持っている。もし自分が重要だと思うことを話していて，身振りや声の調子，前置きを用いてそれを伝えようとしているのであれば，もっと注意を向けてくれることを期待するだろうし，聞いている人があまりにも注意を向けてくれなければいらいらすることになる。大切な贈り物をしたり大きなパーティーを開いたりするときは，相応の感謝を期待するもので，受け取る人や招待客がそれを当然のことと考えているようだと動揺する。もし誰かが私たちを侮辱し私たちが適切に自己防衛できなかったら，私たちは気分を害して復讐にもえる。私たちは侮辱や傷の度合いと同等の謝罪を期待する。ある関係を保つために多くを"投資"したが，その投資した相手が気軽にその関係を壊すようなことがあれば，私たちはだまされた気分になり，怒り，傷つく。その関係を継続していくつもりであるなら，私たちは何らかの返礼を期待しているのである。

　このような反応が起こるのは，何が適切で公正な交換であるかについて強力な，学習した感覚をわれわれが持っているということを示している。しかも，このような計算が自動的に暗黙のうちに行われているのである。ものごとが公正に運んだときは，その状況を普通だと感じ満足するというように，私たちは結果について感情を抱くだけである。そして，公正でないと認められるときは，私たちは何かがおかしいと感じ不満に思う。その関係から「利益」を得ようという意図を持っており，それが成功したときは，私たちは得意になるのだ。

　相互関係が地位や階級をまたいで行われる場合については，さらにこれらに加えて習得しているルールがある。これらのルールは，自分より上の者に対してどの程度の量の敬意をどう表すのが適切な方法か，同様に下の者に対してどのような態度をどう表せばよいかを示している。地位が下の人は，上の人が部屋に入ってくると立ち上がって敬意を表し，主張するよりはむしろ質問し，その場に応じて従順な姿勢を体で表し，命令に従い，そして例えば上の人の話を遮らない，熱心に聴く，大っぴらには反対しない，公の場では援護するなどあらゆる服従の素振りで，敬意を表す。

　上位の人はその代わりに，状況を掌握し，指示や命令に従いやすいように明確に伝達し，落ち着いてふるまい，不適切に心配したり防御的になったり

せず，節度を保ち上司と一体感を持つ部下に恥ずかしい思いをさせるようなことはしないよう，適切な態度を示す。下位の者は冷静さを失うこともあり得るが，上位の者は落ちつきを保たなければならない。下位の者は人間的欠点をさらしたり機転がきかないことがあったとしても，上位の者は公の場で機転がきかないことは許されない。階級が上がれば上がるほど，身のこなしや服装その他の公的な面に関しての典型例にイメージが近づくようにしなければならない。このため上級の指導者は公的イメージの管理に大変気を遣う必要がある。さもなければ部下たちを"落胆"させ，だまされたという感情を彼らに抱かせることになってしまう。重役専用の化粧室はその地位の必要条件だと思っているが，もっと重要な機能を忘れている。それは指導者が公的な体面を整えるために気持ちを鎮め，超人的つまり普通の肉体的欲求を持たないという，神話的イメージを保つための"舞台裏"を提供することだ。

　言い換えれば，他者と互いに関わり合いコミュニケートする状況になったときはいつでも，私たちは直ちに無意識のうちに，その個別の状況をとり仕切ると思うルールに従って演じている。これらは私たちが幼少の頃から学び書きとめてきた台本である。つまり，観察してきたり，両親や先生から正式に指図されてきたことであったり，指導やフィードバックによることであったり，さらに私たち自身の，要求が満たされなかったり人のいやがることをして他人を怒らせてしまったりした時に何が悪かったのか分析する苦い経験を通して獲得してきたものである。要約すると，人間の相互関係をとり仕切る重要な隠れた力の1つは，何が正しく公正な交換かを知覚する私たちの暗黙の感覚だと言える。

◆ドラマとしての人間的交流

　相互関係のルールや私たちが何を公平で公正だと見なすかは，どのような状況，関係であっても同じように当てはまるというわけではない。むしろ，私たちは人生の初期にさまざまな場面でさまざまな役を演じることを学ぶ。適切であるか公正であるかのそれぞれの場面特有のルールは，これらの役割や場面と密接に結びついている。人間の最も驚くべき才能の1つは，演じ尽

くしている多くの人間ドラマに適応するいくつもの台本を記憶する能力である。私たちは子供としての振舞い方を知っている。また，友達としても振舞えるし，先生にも，夫または妻にも，部下にも，上司にも，顧客にも，リーダーにも，親にも，もてなす側にも，もてなされる側にも，その他いろいろな者になれる。私たちがいろいろな社会的状況にでくわすのに応じて，私たちの脳みそはこれらの役柄を即座に選びとっていくのだ。

ドラマとしての援助

　相談や助言の複雑さの1つは，"援助する"という考え方がわれわれの社会できちんと定義されていない，もしくは筋書きができていないことから派生する。"助ける"が何を意味するかという定義や概念はたくさんある。事態をなおいっそう曖昧にしているのは，援助が脚本家や主演俳優（つまりコンサルタントのこと）よりも観客の反応によって規定されることが多い種類のドラマだということだ。言い換えれば，クライアントが助けられたと感じるかどうかで援助は決まるのである。援助者が援助したと主張するかどうかによってではないのである。援助志願者は従って，観客（クライアント）から返ってくるフィードバックの信号の流れに沿って，自分自身の行動を変えなければならない。常に筋書きを書き直す用意がなければならないということだ。援助することには"観客の参加"も含まれており，援助者はどうしたら役に立てるかを判断するために，観客であるクライアントの助けを必要としている。

　管理者やコンサルタントは，役に立ちたい思うとき頭の中に一般的な原則を抱いているだろう。しかしこれらの原則をある特定の場合に適用する際は，一新したやり方が求められる。援助は本格派演劇よりは即興劇に近いパフォーマンス芸術である。もっともすべての芸術でそうであるように，個々の芸術家によって導入される美的要素が，それでもなおデザイン，色，調和の基本原則と矛盾しないようにする必要はある。この類推を推し進めるならば，即興劇としての援助を行うには，基本的な演技技術や観客の反応について何かを知っているだけでなく，即興的技術や自然な対応が求められる。以前に指摘したように，コンサルタントは"流れに従う"ことが必要だが，同時に

"好機を逃さずつかむ"用意も必要である。

　このような一般の社会的定義を越えて，時間の経過とともにクライアントと援助者との間に何が起こるかを調べてみると，援助プロセスは複雑な交互の演技だということがわかる。そこでは援助を求める人が最初は役者で，援助予定者が最初は観客となっている。クライアントが舞台に立ち，自分の問題を多くの場合痛々しい細部にわたって丁寧に説明する間，一方で将来の援助者は注意深くそれに耳を傾ける。クライアントが台詞を言い終えると，今度は援助者が役者になって援助者自身のドラマティックな台詞をいくつか語ることが期待される。これが以前に確認した"ロール・サクション（role suction）"というもので，私たちは非常にしばしばにわか専門家やにわか医師に駆り立てられる。落とし穴は，私たちが専門家や医師を演じているとき，クライアントは何を期待したらいいのか分かっていないことである。しかもクライアントは往々にして私たちの台詞を好まず，私たちの助言を拒絶するので，何の援助にもならないということである。

　もし援助者がプロセス・コンサルタント・モードにとどまれば結果は違うシナリオになる。PCモードにとどまるということは，舞台に立つことを拒否するに等しく，その代わりステージの外から指導する役につくのである。プロセス・コンサルタントは，クライアントを舞台の中央に置いたまま，援助してそれを続けさせるのである。それゆえ，"強制"したりやさしく操縦したりして，彼が自分の問題に取り組み始めるように，つまり自分で台本を書いていくように仕向けるのである。援助者は，関心を持って見つめ，役者としてのクライアントが自分自身の問題を自分で解決しようと努力するのを支えながらも，観客／コーチの役にとどまる。それゆえ，有能なコンサルタントが身につけるべき重要な技術の1つは，いかに適切な場面づくりをして，望ましい結果につながるドラマティックなプロセスを演出するかということになる。しかも彼らは，前出の相互関係の文化的ルールを犯すことなく，これを行わなければならない。[2]

---

[2] 常に偉大なコンサルタントの1人であるRichard Beckhardが，若い頃舞台監督だったということは偶然ではない。

例えば、クライアントが彼女のドラマティックな物語をこう結んだとしよう。"エド、あなたが私の立場だったら、どうなされます？"その時私が言える最も役に立つ言葉の1つは、"なるほど、それは大変な窮地のようですね。あなたがこの件について今までにやったこと、あなたができるかもしれないと思うことを私におしえてください。"というものだ。もし新しい提案をしたいというプレッシャーが高まるなら、こう言ってもよい。"もし私があなただったら次のような代案——x，y，z——のどれかを検討するだろうと思いますが、私はあなたではないので、どうでしょう、これらの案のどれか、あなたにとって具合がよさそうなものはありますか？"1つ以上の代案を提示し、あなただったら選ぶだろう方法が、彼女の場合には合わないかもしれないと念を押すことで、あなたはクライアントを舞台の中央にひき留めるわけである。

◆人間の尊厳：フェイス・ワーク（面目保持）のダイナミクス

　文化的仮定の最も中心にあるものの1つに、人間関係とは相互協力に依存しており、その関係する当事者全員に彼らが必要であると主張するものをできるだけ与えるようにしているというのがある。人間ドラマは役者と観客の間で公平に展開されねばならないが、公平性を判断するために、両集団とも相互関係における人間の"価値"を測定する何らかの方法を必要としている。相互関係における人間の価値は、任意のある人が主張する地位の量であると考えることができる。人はこのような主張を対外的な社会的役割や地位によって許容されると思われる範囲内で行うのである。例えばある状況下で、管理者は部下より多くの価値を要求できる。なぜなら、管理職の役割は従属する役割より"勝っている"と社会が規定しているからである。したがって管理者は、部下が管理者の話を遮るよりも容易に部下の話を遮ったり注目を求めたりすることができる。

　主観的には、要求される価値とは、自尊心という言葉が意味するものと考えることができる。つまり与えられた状況で自分自身に付与する価値である。私たちが要求することを他者がかなえてくれない場合や、自分にはほんの少

しの価値もないことが他者に分かるような行動をとってしまった場合，私たちは"恥をかいた"（"ばかにされた"とか"笑い者になるようなことをしてしまった"）と感じる。社会学上の用語で恥とはある状況で，ある人が自分で思っていたより非常に少ない価値しかないことがわかることと定義される。もし私たちが誰かに恥をかかせるならば，そのことはすなわち彼が自分の価値として認識していることを打ち砕くことであるので，その屈辱によって強い感情的反応が引き起こされても驚くにあたらない。

　地方文化のルールに無知だったことで二重の屈辱をあじわった鮮明な事例は，プロヴァンスの田舎にある小さな町の郵便局で私が切手を買おうとした時に起きた。私は忍耐強く列に並んで待っていた。そして私の順番がきて局員に切手を頼もうとしたちょうどその時，1人の男が郵便局にはいってきた。窓口に歩み寄って，私を遮って，彼は自分の注文をした。私は局員が彼を無視して私の注文を処理してくれるものと期待した。ところが恐るべきことに，彼女は注意の全てを彼に向けて，彼の用件を処理したのだ。数分経ってやっと私の用事に戻ってくれた。言うまでもなく私はこのルール違反と思える事態に狼狽した。しかしその同じ日に後で，フランス人の同僚にこの出来事を詳しく話したところ，彼は笑って言った。"エド，状況は君が想像している以上に悪いよ。この男に局員の注意が向くのを許して，君の権利を再び主張しなかったことで，郵便局中のみんなに君の自尊心の低さを示していたことになる。もし君自身もっと自分の価値が高いと思っていたら，その男を遮って自分を先にするべきだと強硬に言い張った筈だ。"面目についてのルールが微妙に異なる文化の中で，ある状況をうまく切り抜けようとしてもこの程度である。

　与えられた状況で要求できる価値の量は，制度上の条件，公式的な地位システム，特定の役割内でのその人の動機などによって決まる。次に聴衆の反応によってこれらの要求が正当であると認められたり認められなかったりする。"面目"は従って，個人がある一定の状況と役割の中で暗黙に要求する

社会的価値として考えられる。これらの権利要求はどのような状況下においても早いうちに言葉の合図によって伝達される。その場にいる他の人々，聴衆は，この要求を可能な限りは支え（つまりその人が"面目を保てる"ように助ける）ねばならないと自動的に思わされている。これらの要求を支えようと彼らがどの程度思い，そうすることができるかは，その要求される面目の量が，その地位や役割に見合う慣例となっている限度内に収まっているかどうかにかかっている。

　よくある話を例として挙げれば，私があなたにこう言ったとしよう。"先日私が体験した愉快なことをお話しましょう。"あなたは"注目"する準備を整え，私が声の調子や抑揚，実際の言葉などを通して，あなたの反応を期待している箇所を知らせればすぐに面白がることができる状態をあなたは整えることになるだろう。もしそのできごとが興味深く愉快なことだったら，このプロセスはスムーズに展開し，あなたは適切な時に笑う。しかしながら，もしあなたを面白がらせてあげようという私の主張がそのとおりでなければ，あるいは実はあなたを退屈させたり，気分を害することになってしまった場合は，その時あなたはGoffmanのいう"フェイス・ワーク（face work）"を自分が行っていることに気づくだろう。

　フェイス・ワークは主張されたことが短期的にかなえられなかった時に，双方ともがしなければならないことだ。なぜなら，大きな意味で私の社会的自己と私たちの人間関係は，たとえがっかりするようなやりとりがあったとしても，どうにかして維持していかねばならないというのが文化が規定していることだからだ。社会はけっきょくは，私たち皆ができるだけ互いの主張する価値を保ち，恥をかかせたり自尊心を意図的に破壊したりすることを極力少なくするようにしていくことにより成り立っているのである。文化的ルールはそれが故に，あなたが私の退屈な話にも何はともあれ注意を払わなければならないこと，そしてたとえ本当は面白いと思わなくても相手を尊重して微笑み笑わなければならないことを規定しているのである。もしあなたが顔をしかめて私の話は面白くもおかしくもないと声に出して率直に言うならば，あなたは私の主張を支持していないことになり，従って私は"面子を失う。"あなたはその時点で，われわれの関係における私の社会的価値は私が

主張したより低いと私に告げたことになる。文化的ルールに則れば，極端な状況のときや意図的に恥をかかせようとしているとき以外は，あなたはこういうことをしないことになっている。あなたは面白がっているふりをして，私が主張している通りの自分でいられるように最善を尽くして私を助けねばならない。他方私は，面白くして興味を引くために精一杯努力をして，あなたが私の面目を保ってくれるのを助ける。私が許される以上にずっと多くを主張した場合でさえ，あなたは私に恥をかかせることはせず，退屈な人あるいはあまりにも横柄な者であるとして，次第に私を避けるようになるということは注目に値する。意図的に面子をつぶすということは社会的にはまれなできごとなのである。

毎日私たちは，文字通り何百もの似たような状況を経験している。互いに主張し合い，その主張を保つように反応している。たとえ望むような反応に値しないと感じていてもである。一体私たちは人と対話した後で何度次のようにつぶやいたことだろう。"騙されたみたいだ。信用できない。"とか，"あの人がやったあんなことがいやだった。"とか"もたもたしていてがっかりした。"とかである。しかし，相手が目の前にいる間は慎重にこういう反応を隠していた。実際，文化的学習には感情的な反応を慣例化することが含まれており，その結果フェイス・ワークの多くは社会ドラマの出演者全員にとって自動的に行えるものになっている。これが，落ちつき，機転，分別のある物腰，礼儀正しさなどと私たちが呼んでいるものだ。私たちが何をどう感じるかは場面ごとに台本が書かれているので，私たちはいろいろな場面で，期待されている感情と"実際の"感情との間に葛藤を感じることすらない。[3]

仮に人々が彼らの地位や能力によって認められる以上のものを主張しても（誰かが"尊大である"とか"さしでがましい"とか言う時のように），私たちは彼らをこき下ろすことはなく，彼らの幻想を打ち砕くこともなく，その他彼らの面子をつぶすこともしない。しかし誰かが絶えず，その人の地位の境界を明らかに越えている主張を続けるのであれば，例えば同僚なのにわれわれに命令をしたがり"まるで上司のように振る舞う"人や，あまり面白か

---

3) これらのプロセスに関するすぐれた考察が Van Maanen と Kunda（1986）にある。

った試しがない冗談ばかり言う人等の場合，私たちはその人を避けようとし，交渉を全く持たないようにする。私たちはその人に面と向かって"くたばれ"とは普通言わない。少なくとも公衆の面前ではそのようなことは言わない。その人の面子がつぶれたのが知れてしまい，私たち自身も礼儀や機転をわきまえていないことを暴露して，同様に面目を失うからだ。これらの中で理解すべき中心は，私たちは他者の主張を認めようと努めており，自分たちが面目を失うのを避けようとするだけでなく他者が面目を失う事態にもならないようにあらゆる努力を傾けているということだ。私たちは，いかなる状況でも多くを主張し過ぎないように，自分たちの地位や役割によって許される範囲内に留まるよう注意しており，他者が極端なフェイス・ワークをしないで済むようにしている。

　フェイス・ワークの究極的な理由は，自分たちの社会的自己が受け入れられていることを毎日互いに確認し合うことができなければ，人生はあまりにも予測不能で危険になりすぎる上，社会がばらばらに崩壊してしまうからである。社会のまさに本質とは，社会的自己をできる限り維持するために，私たちが互いにとり交わすこの暗黙の契約なのである。この意味で人間は"不可侵な対象"であり，誰かの面子を意図的につぶすことは社会的殺人に等しい行為である。私があなたにそれをすれば，あなたや他の人々が私に同じことをしても良いと許可したことになる。そうなると社会のどんな形も成り立たなくなる。

　意図的に面子をつぶすことが，文化的に容認される唯一の条件は，自己を放棄し再構築しなければならない社会化の過程においてである。例えばある組織から他の組織へ，あるいはある地位から他の地位へ移る際，ある個人が新しい役割を勉強する過程で，敢えて無能ぶりや恥をさらすことはよくある。[4]しかしそのような面目の喪失は移行期間だけに生じることであり，しかも通常は，両親，教師，コーチ，練兵係軍曹（drill sergeants），その他権限を与えられた"変革推進者"の手を通して行われることである。新しい役割を身

---

4) Schein, 1961, 1978 と Van Maanen & Schein, 1979 を参照。意図的な自己破壊が同様に生じるのは，一定の形のセラピーにおいて，および戦争捕虜や中国共産主義革命期の民間人の囚人が経験したような強制説得においてである（Schein, 1961）。

につけようと訓練中の人は，一般的に訓練期間中は保護されており，何らかの形の"通過儀礼"を経てやっと，訓練を受けた人はその社会的集団における地位と価値を再構築することになる。通過儀礼やその他の形式的な昇格儀式は，ある個人にこれまでよりも高い価値を正式かつ公的に付与するために社会が行っているやり方である。

援助関係におけるフェイス・ワーク

これまで述べたこと全ては相談や援助と何の関係があるのだろうか。全てに関係があるのである。援助関係における心理力動について書いた章で指摘したように，問題を抱える人にとって，その問題が些細なことだとか彼女の無能や弱さのせいだとかいうことを，何らかの信号により伝えられ，援助者から恥をかかされることほど危険なことはない。問題を抱えた人はその問題を認めることで素顔をさらすことになる。彼女は自分で考えていたほど自分が立派ではないと言っていることになる，それによって彼女は自らを攻撃を受けやすい状態にしてしまう。自分自信の実際の値打ちよりも低い社会的価値を主張していることになる。彼女は"一歩下がった"と感じる。

この弱みのために，クライアント候補者はしばしば，彼らの"真の"問題を明らかにせず，実は問題を抱えていることを否定し，万事もう片づいたと主張し，その他，その人間関係において援助者が本当に同情してくれ，信頼できるか援助者のやる気を「テスト」する。いかなる援助者もたびたび繰り返し経験してきたように，数多くの聴き取り調査を行い，支える姿勢を示して初めて，真の問題が明らかになってくる。この見方からすると，クライアントの上記の反応は正常で予期できるもので，援助者はそれを受け入れる用意をすべきである。

仮に聴き手がじれったい様子を見せたり，笑ったりあるいは，クライアントがどうしたらよいのか理解していないのは愚かだと暗に仄めかしたりすれば，あるいはまたその問題を持っていることでクライアントに腹を立てたりすれば，彼は何らかの形でクライアントの自尊心を傷つけ面目を失わせることになる。面目についての文化的ルールに従えば，侮辱と面目の失墜によってもたらされた怒りを表現する権限を，彼はその時クライアントに与えたわ

けだ。クライアントはそこで援助者に対してどんな形で仕返しをしてもよい権利を得たと感じる。問題の解決は二の次となり，今や復讐することが先に来る。それによってもう一度状況を釣り合わせることになる。

　これらはどれも意識されることがまずない。文化的ルールというのは何度も何度も学習され自動的に適用されるようになっているので，ここで述べたようなプロセスの殆どは自覚されることなく起こる。恥をかかされたクライアントはコンサルタントの提案をばかばかしいあるいは的はずれだと考えるか，なぜその解決策がうまくいかないかについて，コンサルタントにあらゆる理由を並べてるものだ。しかし恥をかかされたことに対して腹を立て，コンサルタントに復讐する必要があるからクライアントはこのようにしているのであって，奨められた解決策が間違っているからではないことにクライアント自身必ずしも気づいているわけではない。

　管理上の関係においては，私たちはさらにつけ加えて敬意と態度についてのルールも考慮しなければならない。上司が部下に恥をかかせるのは容易なことで，ボスは後になって部下が自分たちに抱いている怒りの深さに驚いてはならない。同じように無意識のうちにボスの面子をつぶしてしまった部下は，仕事が減ったり，昇進の機会がなくなったり，言葉による攻撃にさらされたりという形での反撃の大きさに驚いてはならない。"密告者"が制裁を受けることが非常によくあるのはなぜかと言うと，社会学的な理由の１つとして，組織で何が起きていたかを暴く過程で，彼らは必然的に多数の上役たちの面目を脅かしているからである。これらの事例から，効率的な業務遂行のために必要とされることは，面目を保つ文化的ルールに逆らうこととなる可能性がある。

　援助の場面に専門家や医師の役割を取り入れると，クライアントが屈辱的だと感じたり面目を失う危険性が高まる。このほとんどは実は私が実際に経験したことである。実のところクライアントが既に考えつき拒絶していた診断や処方箋を出してしまうのである。クライアントは私の提案をばかみたいに感じ，恥をかいたと感じる。と言うのも，それはクライアントが自分でそういうことを考えてみなかった，あるいはそうすることができなかったと，暗に言っているようなものであるからだ。プロセス・コンサルテーション・

モードで始める方が有益である。と言うのも PC モードでは，自分で自分を助ける能力がクライアントにあると仮定しており，おそらく既にいくつかの代案を考えているものとしているからだ。もし明白な代案が出されていないのであれば，コンサルタントは可能性としてその案を自ら口走るのではなく，"いかがですか"と彼女自身に尋ねるべきだ。提案やアドバイスを与える前にいつも聞くべき鍵となる質問の1つは，クライアントが自分で既に試したり考えたりしたことは何かという質問である。

援助者が"あなたの問題は重大です。でもあなたは自分で解決できます。私はあなたが自助努力するのを助けましょう。"というメッセージを伝えることができれば，これは彼自身がおそらく主張している以上の価値が彼にあることをクライアントに告げているわけで，面目を認めることになる。面目を認めるというのは社会学上，私が第3章で"立場の対等化"と呼んだものと同義語である。そのことは，問題があっても構わないというメッセージを伝えることである。最もありふれた初期の介入の1つで，私自身新しいクライアントに用いているものは，私が出会った似たような問題の他の事例をいくつか挙げることである。これは，私がそのクライアントを理解しているかどうか調べるための方法であると同時に，また彼の問題が特殊でも恥ずべきものでもないことを伝えるための方法でもある。これをさらに詳しく説明している2つの事例を挙げたい。

Allen と Billings 両社におけるフェイス・ワーク

Allen 社の事業部長である Ralston 氏と，Billings 社の創業社長である Stone 氏の決定的な違いの1つは，彼らの自己表現の仕方が全く異なっていることにある。Ralston は大変プライドの高い人だ。彼は部下たちに対して非常に家父長的な役割を果たしている。彼に立ち向かうのは容易ではない。なぜなら彼は対人関係の場面では自分を高く評価することを要求しており，相当な量の尊敬を求めるからだ。彼は先生のように振る舞っていて，それは部課の会議で長い演説をすることに表れている。

第6章　対面関係の力動：相互作用とコミュニケーションの文化的なルール　　**159**

　もし人々が異を唱えようものなら，彼は労苦をいとわず彼の立場について説明しそれに固執する。表面上は関与を歓迎するが，彼の態度，身振り，コミュニケーション・スタイルは多くの場合彼の考えが既に固まっていることを部下たちに伝えている。公然と彼に挑戦することは，従って彼の面子をつぶす危険を冒すことになる。結果的に部下たちは，直接彼を通じてというよりもむしろ"彼を迂回して仕事を進め"，そしてまた実務的な点でRalstonの立場と一致しない場合，それをどう伝えたらよいか分からないために，しばしばいらだつことになる。

　Ralstonと彼の下の部長たちとの関係を言えば，彼らの多くは不公平にであると見ており，彼らはしばしば不当に処遇されていると感じていた。彼らはRalstonの高い目標値を受け入れ，その挑戦に応じてきたが，彼から充分信頼してもらえなかったと感じていた。彼らの努力に報いて少しばかりの休息を与える代わりに，彼は新しい企画をどんどん積み上げ続けた。彼らから見ると勝算など1つもなかった。自分たちはいつもリーダーを失望させていると彼らは思っていた。

　そうした不公平感や不適切であると思う気持ちは，長い目で見れば危険な感情であるので，Allen社でのコンサルテーション作業の主要目標の1つを，この問題点を解決することとした。これにはRalstonに要求を減らさせるか，成功に対してもっと報いるようにさせていくかのどちらかの方法がある。私は彼に対してこれらの問題を指摘することができた。と言うのも彼が私に深い尊敬と敬意をはらい，頻繁に助言や意見を求めてくれたからだ。しかし，その問題点を出すには，彼が自分で偉大な指導力であると思っていることに対して，それが評価され，賞賛されていると常に感じていられるやり方で行わねばならなかった。彼は自分の態度を変えることができるのは，例えば，懲罰を減らせるようになれるのは，自分の目標を達成するために懲罰的な行為は必要ないとみたときだけである。彼の自尊心と社会的価値がそのまま維持されると思えば，つまり，彼がそうであるとして悦にいっているような偉大なる指導者を続けていられると思えば，彼はある程度態度を変えることができた。

　対照的に，Billings社の創設者であるStone氏は，社員の1人という立場を取り，向き合いやすく，気安く話し合いにも応じてくれ，誰とでも困難をともにする覚悟ができている。だがそれでも自分の立場上の強みをいかして"もうよい，こうすることに決めた，"と言いきるだけの権力はいつも維持している。聞くべきこと

は十分聞いたと判断した時は,そのことをはっきりと伝えることができる人だ。もっとも部下の方では,いったん決定が下されるとそれについて十分説明してくれないという不平が聞かれるのではあるが。

　Stone は自分と部下との間に距離を置かないように常に気をつけており,会議では人の話を聴く時間を積極的に多くとるようにしている。彼は自分自身をプロセス志向の管理者だと見ていて,その役割をもっと有能にこなすために役立つ意見を持っていないかと,会議の後でいつも私に尋ねた。かくして,敬意を表す儀礼は Billings 社では殆ど見られなかった。だが,Stone が議論の余地はないと宣言したため,その分野でその集団が決して彼に議論を挑まないという領域が存在するという事実はあった。

　Stone のこのような自己表現の仕方のおかげで,彼にかなり真正面から意見を言ったり彼の行動を批判したりすることが可能だった。一方で,彼も同じく自由に他人をしかも公の場で批判できると感じていた。このため会議におけるフェイス・ワークのルールの多くを変えることになった。部下が人前で恥をかくことは,"本当の恥ではない" と合理的に考えることによって,ごく普通で正常なことになった。あなたは同僚の前で大いに批判されるかもしれないが,それでもなお地位を失うことはない。なぜならこのことはつまり,Stone はあなたのことをとても気にかけ,業績を伸ばしたいと思っているということを意味しているからだ。Stone に無視されること,批判の対象にする価値もないと見なされることの方が,はるかに深刻な面目の喪失なのだった!!!

　仮にある人が両方の組織の会議に出席していたら,グループのメンバーがどれだけ互いの面目を保つのに注意を払っているか,その人はただちに気づいたはずだ。Allen 社の仕組みの 1 つは,合意しないままでいることに合意するというものだった。問題点を解決するよりむしろ意見の不一致に賛同するということは,むりやり屈服させることにより誰かが面目を失うという危険性を回避する道になった。Allen 社の部長たちが Ralstone ぬきで会うと,彼らは互いに面と向き合って,問題を解決する傾向があるが,それでも引っ込みがつかない状況までいたらないようにして何とか面目を保つようにした。彼らは観測気球を打ち上げるごとく提案するか,作業部会のお墨付きを求めるかして決定に関して誰の顔も危うくならないようにした。そのグループは仕事上の対立を,個人の面目に脅威を及ぼすこ

となく,うまく収める方法を習得していたのだ。

　他方 Billings 社の会議は,上等な人間ドラマの鮮烈な実例だった。時には喜劇,時には悲劇だったが,常に活気に満ちていた。Stone と幹部取締役副社長が主演して,グループの残りのメンバーはしばしば観客の役回りをあてがわれた。Stone が牽引役となり,対立し議論し,互いにやりこめ合うのが普通だった。会議の後には毎回,何時間もかけて発言の意図を解読し,なぐさめあった。このように会議の後で意味を理解しようとする行為は,主に失われた面目を回復し,公の場で恥をかかされるのも実は彼らを助けたいと思って Stone が試みていることだと合理化するために行われた。彼らはこのように行われることが好きではなかったが,その状況を違う方法でどう処理したらいいか分からなかった。Stone の強烈な個性と対決スタイルのため,私も含めたグループのメンバーは,彼のコミュニケーションルールに従って動くよう鍛え上げられた。しかし会議後の会議では従来の文化的ルールが働いて,人間関係,面目,地位などは丹念に修復された。

　これらの2つの事例は,異なる集団や組織は,面目を保持するための全く異なる仕組みを発達させることがあるということを示している。しかし文化的ルールは十分力強く,それぞれの集団は生き残るために何らかの仕組みを見出すことになる。さもなければそれらの集団は解体してしまうからだ。人間である演技者として,私たちは自分の主張する価値がいっさい支持されない場面を生き延びることはできない。結局のところ,人間関係は公平かつ公正だと認められねばならないのである。さもなければ崩壊する。

選別(Filtering)

　相互関係の文化的ルールによって,コミュニケーションの共通性の大半が説明できる。実際どのようにして私たちは互いに意思の疎通が行えるかを説明している。しかしながらそれらは,私たちが絶えず経験しているコミュニケーションの多様性については説明していない。言い換えれば,文化の袋の中には,私たちが何を言うか,誰に言うか,どんな言い方で言うか,どんな身振りを伴うか,タイミング,声色,独特の言葉の選び方,等々膨大なバリ

エーションのための空間があるということだ。この多様性の原因は，私たち一人一人が特有の個人的歴史を持っていることにある。それが事実上，私たちがどのように他者に意思を伝達するか，また他者の言葉をどのように聞き認識するかを決める一連のフィルターを作り上げたのである。いかなる対面においても，送り手と受け手の両者ともが，自然に無意識のうちにこれらのフィルターを使って，何を送るか，何を受け取るかを選別するのである。私は意識的な検閲機能のことを言っているのではない。これもまた生じるのではあるが，それよりむしろ私が言いたいのは，われわれすべては人生を通じて学んできた複雑な決定のルールに従って何を，どう，いつ言うかを選択しており，それには自分だけの歴史を反映させているということだ。5つのそのようなフィルターが確認されている。

1．私自身のイメージ 発信者，受信者ともに自分自身についてのイメージや概念，また自己の価値や自尊心といった一定の感情を持っている。その時の自己概念がどんなであるか，その状況で自分自身にどれだけの価値を付与するかによって，コミュニケーションはある程度規定される。例えば私が自分のことをある領域でのエキスパートだと思い大きな自信を持っている（つまり自分自身に大きな価値を付与している）という状況だとすると，私は始めからより積極的にコミュニケートするだろうし，遠慮がちに話すよりむしろ断定的な訴えかけるスタイルを選び，その同じ話題に関しては他の人の話を聞くことはより少ないだろう。そして誰かが私の主張を否定したときは，よりむきになって自己弁護を行うことだろう。いずれにしても私はエキスパートなのだから。もし私がある集団内で自分の地位に自信がなかったら，私はもっと黙っているだろうし，純粋に聞きたいことを質問し，さもなければ相手のステータスが自分のと比較してどうなのかが最初は分かっていない人を怒らせないようにするだろう。

2．相手に対して私が抱くイメージ 発信者，受信者ともにその状況における相手に対してイメージや概念を抱いており，相手に世間一般の人々として一定の価値を付与する。このような相手に対するイメージや私たちが積極

的に相手に与える価値によっても，私たちのコミュニケーションのスタイルがある程度規定される。例えばその状況における相手の専門度が低く地位も低いと判断した場合，私は彼らを見くだしたように話し，的はずれだと思えば話を遮り，彼らの独創的な見解にはあまり耳を貸さず，彼らが私の考えを理解しているか，または同意しているかにより注意して聞きがちになるだろう。もし彼らが専門家としてより優れ地位も高いとみれば，私はあまり話さず，熱心に聞き，その場面での立場をどうやって獲得するかを見つけ出そうとするだろう（ついでながらこれもまた，注意力を肝心なことから人間関係の問題にそらすので，よい聞き方を妨げることと言えよう）。人の特質を表す傲慢，謙遜などという表現は，こういう類の自己認識や相手に対する認識を反映している。

3．私の"状況の定義" 発信者，受信者ともに彼らがその中で一緒に働きかけを行っている状況——舞台，役割，劇の性質など——について，ある種の心象画を描いている。それが特定の問題を解決するための会議なのか，それとも非公式の雑談なのか。われわれは社長に彼の考えを語ってもらう機会を与えるためにここにいるのか？多くの場合この"状況を定義する"プロセスは，"何のために私たちはここにいるの？"とか"私たちの仕事は何？"という疑問を誰かが発するまでは言葉にされない。状況を定義することは達成されるべき目標や仕事を明示するというだけのことではない。つまりそれは，その状況におけるその人自身の役割と他の人々の役割，その状況の期間とその適応範囲，およびその状況を規定する規範に関する一連の認識の完全なセットである。明らかに私たちが何をどのように語るかは，その状況を私たちがどう定義するかに大きく左右される。人間関係においてあるいは集団においてコミュニケーションが困難である場合の原因の1つには，参加者の状況の定義が異なっており，しかもそのことに気づかなかったり，それを改善しようとしていないことが挙げられる。状況に関して共通の定義を持つことは，殆どどんな種類のグループ活動にとってもそれを効果的に行うための必須条件である。

4．私の動機，感情，意図，態度　コミュニケーション・プロセスにおける発信者と聴取者双方にとってのもう1つのフィルターセットは，彼らがその状況に持ち込むさまざまなニーズと動機および意図であり，他者に対する姿勢である。もし私のニーズが企画の売り込みだったり，他者に影響を与えることだったら，何かについて知りたくて情報を求めている時とは違うコミュニケートの仕方をするだろう。影響を与えようとしているのなら，情報を集めている時とは違う聞き方で私は他者の言うことを聞くだろう。また違うことを聞こうとするだろう。例えば影響を与えようとするなら，私は新しい考えを求めるよりはむしろ相手が同意しているか不同意かを知りたくてより真剣に聞くだろう。会議での要求や自己表現から，共有の認識形成や他者への影響に到るまでコミュニケーションが多くの異なる機能を提供している限り，発信者と聴取者はそれぞれの機能に応じてそれぞれ異なる手段を用いることになる。

5．私の予想，仮定　フィルターを作り上げる心理学的要因の最後のカテゴリーは，その状況において私たちが自らと他者に何を期待しているかということだ。それらは実際の経験かあるいは先入観や型にはまった考え方に基づいている。もし私が聴衆は理解が遅いと予想するなら，私はより簡単な言葉を使うだろう。聴衆に受け入れられそうだと期待しているならば，もっとくつろいだ調子で話すだろう。彼らが批評的だと予想するなら，私は要点を注意深く正確に組み立てるだろう。話者は非常に頭がきれると，聞き手である私が期待しているならば，私はメッセージに多くの意味を読みすぎてしまうかもしれない。逆に歯切れが悪いあるいは知性的でないと予想していれば，よい論旨を聞き落とすかもしれない。不同意だろうと思って聞いていると話し手の言葉に敵意を感じ取ってしまうことがあり，支援を期待していると意見の不一致に気づくことができないかもしれない。

　ここに列挙したあらゆるフィルターを考慮すれば，人々の間のコミュニケーション・プロセスがかくも多くの困難を抱えていることも驚くことではなくなる。内的ORJIプロセスに言及した章（第5章）で私が論じたように，私たちの観察，聴取能力がゆがめられたり，私たちが誤った推論や不適切な

感情的反発にさらされたりするのも，このような前もった予想を持っているためである。PCモードのとき私たちは，ここで述べた心理学的な要因に免疫ができていない。私たちは自分たちの欲求，予想，イメージ，意図に基づく，私たち独自のフィルターセットを持つことになる。私たちは観察することの訓練を人よりはたくさん積んでおり，また正確に観察する必要性を人よりは意識しているので，フィルターの影響にその場にいる他の人よりは早く気づくかもしれない。だが，絶対的な意味での真実を他の人よりもよく理解できるということでは決してない。ある意味ではこの理由から，私たちはクライアントが自ら診断を下すのを援助すべきなのである。あたかも絶対的に真実であるかのごとく，私たち自身の診断を単に提供するだけというのはよくない。全てのメンバーが共同で努力してこそ，私たちは治療行為が保証できるくらい真実に近い診断をすることができる。

◆循環プロセスと自己実現の予告

　フィルタリングのカテゴリーのもとでこれまでに述べたさまざまな要因によって，コミュニケーションが特に危険な具合に崩壊することもあり得る。もし発信者と受信者の両方で期待が強いと，どちらも他方からの合図を解釈する際，考え方をますます型にはめ，その結果互いを抜け出し難い役どころに閉じこめるような解釈のしかたをする可能性がある。例えば，過去の経験に基づいて，個人Aは明確な自己イメージを持ち，自信があり，他人に影響を与えたいと欲していて，またそうできると思っている。彼女の意思伝達は従って，断定的で自信に満ちはっきりしている。彼女の話を聞く人はこの明快さときっぱりとした潔さに応えて彼女が何を言うかに注目し，かくして彼女自身へのイメージは影響力のある人物として固まっていく。彼女は傾聴されることで自信を深め，集団内でますます有力な役割を担うようになる。

　対照的に，個人Bはやはり過去の経験に基づいて，自分自身に確信が持てず，人が数人いると自信がないと感じ，たとえそう望んだとしても人に影響を与えられるとは思えない。そして集団内で自分自身を確立するのは難しいだろうと予想している。結果として彼の意思伝達は，Aと同じくらい明快か

もしれないにもかかわらず，ためらいがちで声も低く，自信がなさそうである。彼の話を聞く人がこの自信のなさとためらいを受けて，Bはあまり提案するものを持っていないと決めてかかるのはもっともなことだ。人々は彼に注意を払うのをやめ，かくして貢献度が低いという彼自身の自分に対する第一印象は固まっていく。彼は自信を失い，ますます人と交流しなくなり——ひいては他者に対しても彼が貢献する可能性はないという印象を強めていく——そして徐々に貢献しない人の役を引き受けるようになる。

どちらの事例でも最終的な結果は，一定のコミュニケーション・スタイルを生じさせる最初の予想通りの結末となっている。そしてそのことによって，今度は最初の予想がさらに確実視されるようになっていっている。危険なのは，最初の予想というのはその集団の成果にAとBが実際にどの程度貢献できそうかということとはあまり関係がないかもしれないということだ。それでもなおAは貢献度の高い人になり，Bは貢献度の低い人になるだろう。この種の自己実現の予告に敏感になることによってのみ，集団は実際の能力と無関係の貢献がごちゃ混ぜになるのを防ぐことができる。

プロセス・コンサルタントの重要な役目の1つは，集団への関与と貢献の度合いが異なる事例を見つけた時，これが貢献能力を正確に反映しているかどうか，また先に述べたような循環プロセスの結果なのかどうかを自問することにある。もしコンサルタントが後者に該当する証拠を見つけたら，彼女はその集団を援助して自らの運営を再評価させ，誰が何を寄与できるかということに関する固定観念を再吟味させ，自信はないが貢献できる人が他者に話を聴いてもらうことで自信を得られる状態になるようにさせていかねばならない。たとえば彼女が自分でBの論旨を繰り返して語ってやってもよいし，グループがそれを聞き流してしまったとき，その注意をBの方に向けさせてやってもよい。

◆ **結論**

相互関係の文化的ルールは大変つかみどころがないが，同時に潜在的には，実行可能な援助関係を確立できるかどうかを決める最も強力な決定要因でも

ある。クライアントは蔑まれることなく援助されていると感じられる時が最も居心地が良いようである。クライアントの尊厳はそのまま保たれ，実際援助をうけた後はそれ以前に比べ力がついたように感じる。管理職を援助者として考えるとこの点はさらにはっきりする。部下は自分たちの問題は自分たちで解決できるという感情を抱かせてくれる上司を常に好むものだ。つまり，指導し援助してくれる上司を好むが，自分たちの代わりにやってしまう上司は好まれない。頭が非常に良くきれて，能力があり，いつも自分の優秀さを部下に見せつけている上司は，業績は上げるだろうが反発され，ついには組織を脆弱で従属的なものにしてしまう。

お互いの面目を維持するということは社会の機能の中核である。もし誰かがある関係の中で面目を失うと，その人物が戸惑い屈辱を受け，ついには復讐心を持つばかりでなく，面目を失わせた人物もまた，人間ドラマの中で信頼できない人物であることを露呈させることになる。自分の役柄を適切に演じるだろうと信頼してもらうことができない人は，結局排斥され孤立する。コンサルタントや管理職はこれらのルールを遵守しなければならない。さらに，それらがいかに重要かを他の人々が理解するのを助けるために能動的な役を演じる必要すらある。彼らはフェイス・ワークの積極的なお手本でなければならない。

これらの文化的ルールの範囲内で，コミュニケーションの決定因子となる自分自身のフィルターおよび他者のフィルターについて援助者は自覚していなければならない。プロセス・コンサルタントは自分自身のフィルターに気づくようにならなければいけない。そして彼は私たちがコミュニケートするときに生じる認識上の先入観を最小限にすることに関して，クライアントに手本を示そうとすべきである。これらの全ての要素は，とりわけ私たちが学習のための道具としてコミュニケーションを用いるときに作用を始める。次の2章でそれについて論じる。

演習6.1　相互関係の文化的ルールをテストする（20分）

この短い演習は，手順どおりに演習を行った後，今起こったことを分析する時間が十分とることができる時にのみ試みること。

友人または同僚と会話をしている時を選び，任意の時点で，あなたが聞き役であることを中断する。：

ステップ
1．顔の表情を"フリーズ"（凍結）させる。そして我慢できる限りそのままにしている。
2．体の姿勢を凍結させる。例；頷くのをやめる。前に身を乗り出すのをやめる。
3．声を出さない。例；相づちをうったりその他相手の言ったことを確認するサインをやめる。

わずか10〜20秒後にはあなたも相手も居心地の悪さを感じ始めるのが分かるだろう。ステップ1，2，および3を持続させるのは難しく，相手は話をやめ，次のような質問を始めるだろう。"何かまずいことを言ったか？""どうしたの？"はたまた"もしもし，聞いていますか？"等々。

あなたが積極的な聞き手であることをやめたことで，どのような感情が生じたかを討論する。そして文化的相互作用のルールによる私たちの行動が，実際いかに無意識のうちに起こるかを検証する。

役割を交替して，聞き手が無反応になることでどのような感じがするか確認する。

第III部
学習サービスの提供における介入

　PCの主要な原則の1つは，コンサルタントがすることは全て介入であるというものだ。しかしながら全てのコンサルタントが認めているように，援助関係を築くための介入と診断のための介入の2つは，刺激を与え洞察力を惹起し，やがては行動や信念およびその基となる潜在意識の変化を促すための介入とは，いくぶん違う性質を持っている。これまで私は，多様な形の積極的質問に焦点を当てて関係性の構築と診断のための介入について力説してきた。私たちはこの辺で，クライアント側の学習プロセスを支援するために考案された介入の方へ移ろう。これらの介入は2つの大きなカテゴリーに分けられる。次の何章かで説明しよう。

　1つ目のカテゴリーは大まかに"計画的なフィードバック（Deliberate Feedback）"として分類されている。これは，クライアントが相手にどういう印象を与えているかに関するデータを彼らに提供する意図で，コンサルタントが言うことやすることである。私たちは通常の日課の中で常にフィードバックをもらっている。その中には，他人から受ける反応をただ解釈しただけのものもあるが，学習サービスにおけるフィードバック・プロセスでは，フィードバックを提供する人は，はっきりと，あるいはそれとなくクライアントからフィードバックを提供する権限を授けられている。彼らは，助けとなるやり方でそのようなフィードバックを提供する専門的能力を持っている

ものと思われている。第7章ではこれらのより計画的に考えられたフィードバック・プロセスの力動を詳しく述べたい。人間相互のコミュニケーションを簡素化したモデルや，フィードバック介入ができるだけ助けとなるようにするための指針も含める予定である。

　学習サービスにおける計画的な介入のもう1つの分類は"プロセス介入(Process Intervention)"と呼ばれるもので，個人または集団が学習しようと自ら努力する中で表れてくるプロセスを扱う観察，質問，批評，提言などのことである。プロセス介入は，いろいろな種類の集団プロセスを網羅している。つまり，集団がどのように自らのアイデンティティーを確立しているか，境界をどう管理しているか，主業務をどう遂行しているか，内部の人間関係をどう管理しているか等を扱っている。私は，集団がどのように機能しているかの簡素化したモデルを示し，そのようなプロセスに関して役立ったと私が思う介入の実例を紹介したい。

　プロセスに焦点をしぼるにあたって，私はこれ以外に観察の焦点になりそうな次の2点については，あまり注意を払っていない。——それらとは，遂行されている業務内容と，相対的により安定している作用中の構造である。最初に構造について論じると，人がプロセスを観察し理解の仕方を学ぶにつれ，それらは自然と正体を現すと私は常々思っている。ある意味では構造は，一定の条件のもとで予想通り繰り返され，安定度を示すプロセスと考えられる。この中で最も重要なカテゴリーはわれわれが組織文化と呼ぶに至ったものである。これは，グループのメンバーが遭遇したできごとをどう認識し，考え，感じるべきかについて，当然のこととされる暗黙の前提である。人間関係や指揮系統，その他通常"構造"と考えられている関連事項をまとめた組織図は，文化のカテゴリーに含まれている。と言うのも，それらはグループがそれまでに学習したことを反映し，当然視されている暗黙の仮定あるいは想定に基づいているからだ。もちろんこれらの仮定の多くは，プロセス自体に関連して最も強い威力を発揮する。というのも，物事がいかになされるべきかについての前提は，多くの場合グループがいかに機能するかの最も不変の要素であるからだ。

　"内容"がどうしたというのか。活動中のグループや組織を多く見てきた

中で，何度も目にする次の2つの現象が特に印象に残った。①グループが用いるプロセスによって明らかになるのは，その内容よりもむしろ何が起こっているかということだ。②クライアントはプロセスの領域でより助けを必要としている。われわれのほとんどは内容の問題に関する意思の疎通や交渉にはかなり熟練している。ところが，プロセスのこととなると，何も分かっていない。われわれはそれに気づかず，内容の議論の質に及ぼすプロセスの効果を過小評価している。そしてより効果的なプロセスを組み立てる技術も何ら持ち合わせていない。というわけで私は，プロセス事項をわれわれの第一の注目点にすべきだと唱えたい。ただし内容レベルで何が起こっているか，またプロセス事項の観察によってどんな構造が露呈するかということは見失わないようにする。

　例えば内容レベルで私たちは，お互いによく聞くこと，時には理解したか確認するために要点を復唱すること，議決を通すために交渉し妥協することなどを習得している。私たちは"アジェンダ設定"，"議事運営規則 (Roberts Rules of Order)"，"ブレーンストーミング"，"合意確認"などのプロセスツールを用いて，内容の問題が正しく扱われているかを確認する。だが，私たちのプロセス事項についての経験は，それに比べると取るに足らないものである。プロセス事項とは，常習的に行われる妨害，誰かが時間をとりすぎたり，重要な時に席をはずすこと，議題からそれること等々である。私たちはこのようなことがあると大抵"委員がよくない"などと漠然とした言葉で不平を言うだけである。私たちはこうした状況を改善するための介入や設計技術を持っていないのだ。

　構造に関して言えば，ある印象的な例として"多数決の原理"への盲目的信頼が挙げられる。すなわちたとえ投票結果が8対7でも多数の意思が優先されるべきであり，少数はおとなしく従うべきだという暗黙の了解である。私はまた西欧の集団で次のような構造的仮定を見たこともある。全員が公平に持ち時間を与えられ，全員が参加する義務があるというもので，その結果，議長は進んで皆を指名していた。暗黙の文化的仮定としては，私たちに持ち時間を平等に持つ権利があり，皆は会議への準備をする筈であり，議長には皆を指名する権限がある等が挙げられる。こういった仮定はまた会議の時間

調節，会議にかける時間の長さ，採決方法等をめぐっても生じてくる傾向がある。

　続いての何章かで私は簡略化したモデルを具体的に示した。これは私が業務を遂行している組織のグループに関与し観察する際に，何が起こっているのかを理解する上で，私にとってこれまでに最も役に立ったモデルである。第8章はグループがどのように問題に取り組み，解決し決定を下すかというグループのタスク・プロセスについて扱う。第9章はグループ内での対人関係のプロセスと，グループを維持し，成長させていく過程で内部の人間関係をどう管理しているかに焦点をあてる。第10章ではいかにこれらの多様なプロセスが対話という概念のもとに集結するか，そして対話は学習の促進にどんな役割を果たせるかについて論じる。

　読者は焦点を当てた計画的な介入のモデル，原則，および提案した技術等のこれら全てを援助関係を発展させる基本的要素として考えねばならない。つまり，これをもとにより大きな集団，組織単位，あるいはコミュニティーのような大きなシステムのある部分がクライアントとなった場合にも適応できるようにするのである。これらの考え方やモデルは互いに補強し合っているので，大きなシステムの複雑な力動を理解しようと試みる前に，まず人間関係と集団について読むことが重要である。

な第 **7** 章

コミュニケーションと
計画的なフィードバック

　第6章で私は，対面での人間関係や個人的フィルターに関する暗黙の文化的仮定に由来する，隠れた力について述べた。これらの暗黙の仮定によってコミュニケーション・プロセスは方向付けられ，束縛されている。しかしそうした制限の中でもなお，いつ，誰と，いかにコミュニケートするかということについて膨大な選択の幅がある。それらの選択によって，集団やその関係がどのように発展するかが決まってくる。そのため，コンサルタント，マネージャーおよび，援助関係を築き動かしていこうと思うその他のどのような人にとっても，それを理解することが必要である。とりわけ援助者は，学習プロセスを促進するコミュニケーション・プロセスを開発するにあたって，この隠れた力動のことを理解していなければならない。これらの学習プロセスの中で最も基本的なものの1つが，計画的なフィードバックを提供したり，受けたりすることである。計画的なフィードバックというのは，個人間のコミュニケーションの"レベル"もしくは深さとも考えられているものを変えてしまうかもしれない特殊な手法である。そこで，まずそのようなレベルを簡略化したモデルとして"ジョハリの窓"を提示することから始めたい。[1]

---

1) Joe Luft と Harry Ingram によって初めて提唱されたモデルに基づく分析表。よって"Johari Window"と名づけられた。

◆コミュニケーションのレベル

　われわれの多くが自分たち自身の行動を振り返っても分かるように，われわれは相手の言ったことの明白な意味に反応するのはもちろんだが，そればかりではなくわれわれはさまざまな他の微妙な手がかりを解釈することによってメッセージの"真の"意味を理解している。そのような手がかりには，身振り，声の調子，抑揚，情感の強さ，メッセージの形態，タイミング等がある。同じメッセージに明白な意味と，隠された意味の両方が含まれている。時にはこれらの意味が互いに矛盾することもある。簡単な例を挙げれば，ある人が「いつでも我が家にお立ち寄りください」と誘いながら，声の調子からどちらにでもとれる曖昧さを十分に残したままの誘い方をする場合がそれである。そのことから，彼は単なる外交辞令で言っているだけで本当は来て欲しくないのだとあなたは気づくことになる。何らかの感情を表に出しながら同時に言葉ではそれを否定するという場合もある。職場の中で，ある提案に対して，従来の立場を首尾一貫させなければならない，あるいは自分が代表するグループを擁護しなければならないと感じて反論することは珍しくないが，そのような時，個人的には受け入れる用意がありいずれはその方針に従うだろうということを他者に分からせるような言い方をしたりする。私たちは面目を保つためにあることを言うが，同時に一方では何か別のことを伝えていることがよくある。ダブル・メッセージは送り手がそのことを認識していて誤解を招かないようにできれば，特別に困ったことにはならない。ダブル・メッセージがその人の気づいていない自分のある部分に関してなされた場合は，より大きな問題を引き起こす。

　これを説明するには，図7.1に示したように，1人の人間がいくつかの側面を併せ持っていると考えると役に立つ。四角い窓の右端，枠1と3は自分自身のうち他人に見せている側面である。上側の枠1と2は自分自身のうち自分で知っている側面である。このように見ると，枠1は私たちの開かれた自己，すなわち自ら認識していて，他者とたとえ面識がない人とでもすすんで共有しようとする領域を表している。枠2は秘密の隠された自己を表す。

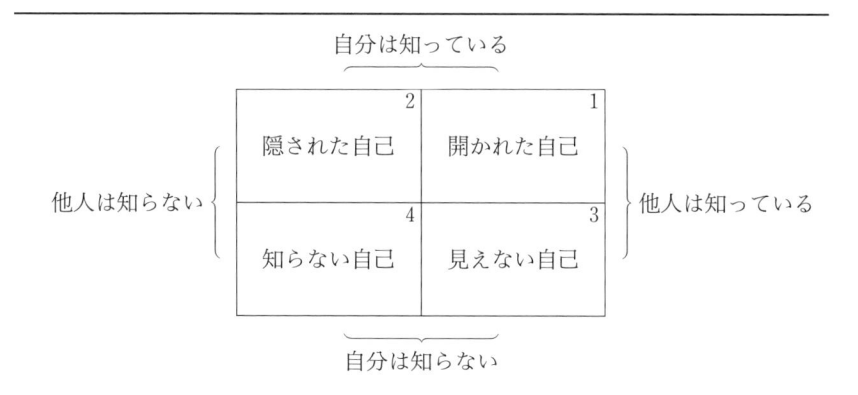

```
                 自分は知っている
                ┌──────┐
                │  2   │  1   │
                │隠された自己│開かれた自己│
他人は知らない {  ├──────┤         } 他人は知っている
                │  4   │  3   │
                │知らない自己│見えない自己│
                └──────┘
                 自分は知らない
```

図7.1　人間の側面

J. Luft, "The Johari Window", *Hum. Rel. Tr. News* 5, 1961, pp. 6-7. から引用。

この側面は私たちが意識的かつ計画的に他者から隠そうとする領域である。ある集団が何か人に隠していることをこっそりと漏らすよう頼まれた場合の典型的な反応は，認めるのが恥ずかしいと思うような不安の領域であったり，反社会的であって，われわれが自己に対して抱くイメージとは相容れない感情や衝動を持つことであったり，自分たちの水準に照らした場合失敗したあるいはうまくできなかった出来事の記憶をよみがえらせることであったり，さらに，最も重要なこととして，暴露するのは失礼であり，傷つけることになると判断した人々に対してわれわれが抱く感情であり反応であったりする。例えば Jill は，上司が重要な会議で売り上げの低下につながるひどい提案をしたと考えているとする。しかし彼女はこの反応を抑えて"彼の気持ちを傷つけないよう，怒らせないよう"上司にお世辞を言わなければならないと感じている。相互のフェイス・ワークを成功させるには，私たちは人間相互の直接的反応の殆どを隠して，私たちが主張するような自分自身を維持できるようにしなければならない。計画的なフィードバックはこれから見るように，その最初からこのような深く秘められた文化的ルールに違反することである。

図7.1の枠3，私たちに"見えない領域"は私たちが無意識に自分自身から隠しているが他人には伝わっている側面である。"私は怒っていない"，と上司が大きな声で，顔を紫色にして，拳を机に打ちつけて言うことがある。

"こういう会議は私にはとても気楽だわ"と重役が手を震わせ，ひきつった声で言い，そして彼女はこっそり安定剤を飲む。"私は他人の意見は気にしない"とマネージャーは言うが，他者が彼の仕事に気づかず賞賛しないとうろたえたりする。

　成長する過程で私たちは皆，ある場合には誉められ，別の場合にはしかられてきた。この学習の多くは性別や社会階級による文化的規範を反映している。典型的には，少年は他の少年といる時，攻撃的感情を持つのはよいが，恐怖や優しさを感じてはいけないことを学ぶ。その結果少年は，優しさの感情を彼の一部ではないとして拒絶し始める。彼はその感情を抑圧するか，もしくはそれが生じた時，たとえ他の人々には極めてはっきり見えていたとしても，自分自身の感情として認めることを拒否する。私たちは無愛想で頑強な男を本当はとても優しい人であると評したことがどれだけあるだろう。私たちには優しい振る舞いが見えても，その人は自分自身が自分の優しい側面を見ることを許せないのである。彼はぶっきらぼうな外面を保つことで優しい面を否定し続けなければならない。中には周囲の人々に対して優しい気持ちを持てば持つほどそれに正比例して攻撃的になる男たちもいる。

　一方多くの少女たちは幼児期に，ある種類の攻撃的感情は適切ではないことを学ぶ。たとえ攻撃的な感情を持ったとしても，その感情を抑圧または否定することを学ぶ。もしある女性が攻撃的態度は受け入れられないことを学んでいたら，攻撃的な気持ちを持てば持つほど，しかも，それを彼女自身が認めたくなければないほど，それと正比例して彼女は一生懸命思いやりを持って優しくするようになるだろう。私たちは皆，自分の一面ではないと信じている感情や特性を持っている。しかし他者にはこういう感情をいくつも伝えている事実に私たちは気づいていない。それらは"漏れ出て"人に見えると言ってもよい。

　4つの枠のうち，4は私たち自身も他者も知らない本当の"無意識の自己"である。この自己の例は深く抑え込まれた感情や衝動，隠れた才能や技術，試したことのない潜在能力などであろう。われわれの目的では無意識の自己を3つの領域に区別することが重要である。①心理的防御本能に基づく抑圧された認識や感情，②暗黙の認識，一度よく考えてみれば容易に思い至

る無意識の領域（われわれが動かされている文化的前提等），③隠れた潜在能力，今まで必要とされたり引き出されたりしなかったために隠されたままになっている認識，技術，感情等の領域。この領域の存在は感情的に極端な環境のもとで，あるいは私たちが純粋に創造的でいられる時に明らかになる。コンサルタントがクライアントの自分探しを手伝おうと試みるとき，このような隠された部分が表面に出やすい条件を創るようにしてやるのが適切な場合がある。しかしながら無意識の部分に介入していく場合には，私たちが臨床的に訓練を積んでおり，クライアントも私たちコンサルタントとともにそのような問題に立ち入りたいと本当に望んでいるのでない限り，探索すべきでない個人的な領域に踏み込むことになるのだと認識していなければならない。

認識すべき重要な点は，私たちが発信したりしなかったりするメッセージは，私たちの心理的構造が複雑に絡み合ったものを反映しているということである。私たちは意識的にフェイス・ワークを駆使するのみならず，自分で気づいていないメッセージを漏らしたり，もし明らかにすれば他者に大いに関係するだろうメッセージを隠したりもするのである。これらの力動を吟味するために，1対1の対面の相互関係を例示しているジョハリの窓を用いることもできる（図7.2）。

交互の相互に作用するコミュニケーションの効力

次のモデルは2人の間に起こる4つの種類（レベル）のコミュニケーションを示している。

1．開かれたコミュニケーション（矢印Ａ） ほとんどのコミュニケーションはこの第1レベルで，2つの開かれた自己の間で起こる。最も一般的なコミュニケーション・プロセスの分析はこのレベルの範囲内に限られている。

2．無意識のコミュニケーション，漏出（矢印Ｂ） 第2レベルのコミュニケーションは，その人には見えていない自己から私たちが引き出した信号または意図で，その人は発信していることに気づいていない。このコミュニ

ケーションは"漏出"と考えられる。

3．打ち明ける，正直に話す（矢印C） 第3レベルのコミュニケーションは，私たちが通常は隠していることを意図的に暴露する時に起こる。普通私たちはこれを，誰かに"打ち明ける"または"正直に話す"ことと考える。例えば，身近な出来事によって引き起こされた反応や感情を共有している場合などである。率直な意見を言おうと決意した時に，"分かったわ，正直に話すわ"と言う。

4．感情の伝播（矢印D） それほど一般的ではないが重要さでは劣らないコミュニケーションで"感情の伝播"と呼ぶのがよいであろう。ある人がもう一方の感情に影響を与えていながら，そのどちらもその感情の出所をはっきりと気づいていない場合などである。送り手が緊張していることを否定しているにもかかわらず，受け手を同様に緊張させてしまう時のように，受取人の中で喚起された感情は送り手の感情を写していることがある。また，別の場合では，受け手が異なる感情を持つこともある。例えばある人の否定

2	1		1	2
隠された	開かれた	A → ←	開かれた	隠された
4	3	B ✕ D → ←	3	4
知らない	見えない		見えない	知らない

A：開かれたコミュニケーション
B：漏出または無意識のコミュニケーション
C："打ち明ける"または"正直に話す"
D：感情の伝播

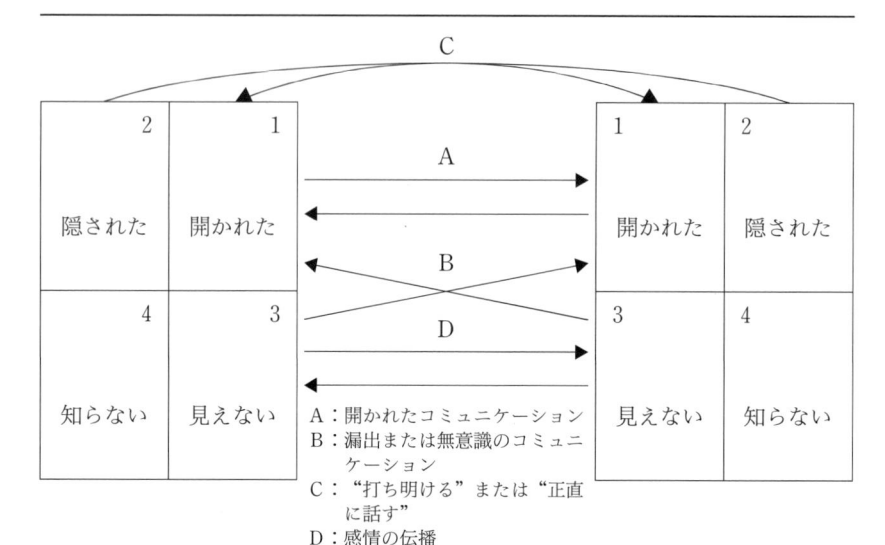

図7.2　1対1のコミュニケーションにおけるメッセージのタイプ

してはいるが現れている感情のために受け手が緊張することがある。と言うのも、開かれた自己からくる見えるレベルに反応したら良いのか、見えない自己からくる隠れたレベルに反応したらいいのか分からないためだ。

　人がその自己のさまざまな側面から発するメッセージが、どの程度互いにつじつまが合い合致しているかは、人それぞれである。そのため私たちは、ある人は他の人より"正直"だとか"隠しだてしない"とか判断することになる。私たちは"合致すること"や"包み隠さないこと"を肯定的に評価し、"虚実とり混ぜ"や"閉鎖的"なことを否定的に評価する。"Joe といるのは好きじゃないわ、だって彼は何を考えているのか分からないんだもの，"などと言う時がその例である。一方で、フェイス・ワークを有効なものとして許すのは、まさにコミュニケーションの曖昧さである。私たちは、自己を維持するのに必要なことをコミュニケーションに読みこんでいるために、曖昧になるのである。仮に裸の王様の話のように、私たちがコミュニケーションにおいて正確で隠しだてしなければ、私たちはお互いに常に赤裸々な自分を現し続けることになり、社会生活は不可能になるだろう。

◆DLP（計画的学習プロセス）としての計画的なフィードバック

　これまで、私はわれわれが生活している社会の文化によって定義された、「正常な」社会関係の現状について述べてきた。しかしながら、私たちの意図が学習すること、もっと調和を保つこと、より開かれた自己を拡大すること、抑圧し、否定するように学習してきた感情や反応についてもっと良く知ることだと仮定しよう。礼儀正しく、如才なくという文化のルールに則って行われる通常のコミュニケーション・プロセスでは、このようなことを学べるほど十分明白なフィードバックが提供されることはない。達成しようとしているある特定の目標に関するフィードバックを得るためのもっと計画的で入念な手段が必要であるようだ。今度は、われわれが気づいていない自己を含めることになる。自分たちが自分たちの目標を達成するのに実際は障害となるような信号をわれわれが発信していないかどうかを知る必要がある。古

典的漫画の主人公ポゴのように"敵が分かったぞ。自分たちだ"ということがあるかどうか知る必要がある。そしてまたわれわれがそれをもとに生活している無意識の, 暗黙の仮定についてもっと知る必要がある。これらの領域のどれかを学習するためには, このような学習を可能とするプロセスをデザインできなければならない, またコンサルタントは, そのようなプロセスをデザインし, 作成する上で重要な役割を果たすことになる。

　フィードバックはわれわれが達成しようとしている目標に向かって, どの程度前進しているかを教えてくれる情報であると考えることができる。その結果, 物理的環境および対人的環境から生じる情報は全てフィードバックとなりうる。しかしながら, 「フィードバックを教えて欲しい」とか「フィードバックをお伝えしよう」などの言い方がされる時には, この言葉は, もっと管理され熟考されたことを意味するようになってくる。このようなより焦点の定まったフィードバックがなければ, われわれは人生の大半を他人が自分たちのことをどのように思っているかを想像したり, あるいは, 面と向かって他人と共有することのない考えや反応を互いがいない所で噂し合ったりすることに費やすことになってしまう。正確で焦点の定まった, 計画的な対人関係のフィードバックがなければ, われわれの学習努力も単なる試行錯誤になってしまう。

　計画的でピントの合ったフィードバックは, 人間どうしの影響力の強力な源泉となりうる。とりわけ, 業績評価の場面における上司と部下の間や, より効果的に仕事を進めようとしているチームのメンバー間にそれがあてはまる。単純化したモデルとしてのジョハリの窓の価値は, ここで明白になってくる。計画的なフィードバックを通じた学習がどれほどまで, 学習プロセス当事者間の「共謀」次第であるかをそれは示している。自分がいつもは隠していることを別の人が進んで教えてくれようとしてくれないかぎり, 自分が気づいていない領域に関する正確なフィードバックを得ることはできない。諺でも言われる通り, 「1つを理解するのに2人の目が必要である」。コンサルタントの支援を得る得ないに関わらず, 2人以上の人が互いに計画的フィードバックを指摘し合おうとする場合には, まず, フェイス・ワークという文化的なルールを一時中断するやり方を探さねばならない。そうすることで,

通常は隠していることを恐れることなくさらけ出すことができるようになる。このようにさらけ出すこと，つまり互いに「率直に話し合う」ことは危険なプロセスである。例えば，私たちが持っている自分の像を根底から覆されるようなことを聞かされるかもしれない。あなたは無意識のうちに敵対的に，私に制裁を加えるような感じになり，そのため私は仕返しをしたいと思うようになり，その結果，人間関係にひびが入るようなことになってしまう。心理的にも安心して，お互いに計画的フィードバックを交換できるようにするために，，通常は絶対に言わない，言ってはいけないことを言っても良いのだとする新しい規範を作っておく必要がある。このプロセスにおける援助者の重要な役割は，そのような規範が確実に作られ，強制的に適応されていくようにすることである。

フィードバックの受け手の立場からすると，質問すべき重要な点は：

「私についてや，私が周囲にどのような印象を与えているかについて，あなたが教えてくれることが本当であり，私を援助したいという誠実な動機から行われたことであり，私が学習しようとしていることに関連しているのだと，わたしはどうやって確信することができるだろうか」ということである。

フィードバックの発信者の立場からすると，最も知りたいのは：

「あなたが私の言うことに耳を傾け，私が言わねばならないことを真剣に受取り，罰を与えているというよりも，援助している者として引き続き私のことを考えてくれると，私はどうすれば確信できるだろうか」ということである。

発信者は，メッセージが有益でないと判断されるや射殺されるような使者にはなりたくない。言い換えれば，計画的なフィードバック・プロセスにある両者は互いに信頼しあっていなければならない。たとえメッセージが受け手の自己像に挑戦を挑むような内容であったために傷つくことがあったとしても，互いに，相手は援助しようとしているのだと信じていなければならない。そのような信頼には，発信者と受け手の動機が善意であるというだけでなく，観察しそれを明確に伝える能力が双方にあるということも含まれる。私がどのように振る舞っているかを正確に理解しない人や，考えていることを正確に伝えられない人からフィードバックをしてもらっても私にはほとん

ど役に立たない。

コンサルタントあるいは助手は，以下の方法によってそのような学習を促進する上で，きわめて重要な役割を果たしうる。つまり，(1)クライアントがフィードバック・プロセスの力動を理解するのを支援すること，(2)フィードバックを授受する訓練をクライアントに施すこと，および(3)面子が脅かされたり，失われたりしないように，どのようにこのプロセスを管理するかの役割モデルとなることである。この章の末尾に掲載する事例は，このプロセスがいかに慎重に考慮されなければならないか示している。

◆計画的なフィードバックのための舞台設定

計画的なフィードバックを可能とするため，参加者が相互のやり取りに関する文化的ルールの一部を一時的に保留することができるステージを設定する必要がある。参加者が十分な知識を持っている場合，自分たちで設定することができるが，一般的にはコンサルタントや助言者が舞台設定において重要な役割を果たす。第一段階は，参加者にジョハリの窓・モデルや，やり取りのルールがどのようにそれぞれのケースと関係しているかを示す文化的モデルについて認識させることである。一度原理的なことを理解されたならば，参加者は徐々に小さな段階を踏みながら，それらを評価しながら，信頼し合う状況へと「手探り」で歩んでいく。小さな実績を積み重ねていくことで，新しい規範が生まれる。

次のステップは，よくある落とし穴を回避するため，助言者がガイドラインを示しトレーニングを提示することである。この目的のため，あらかじめ職場の上下関係に関する落とし穴を例に取って分析することが有効である。というのも，それが効果的に管理するのが最も困難である関係だからだ。計画的なフィードバックが最も微妙な問題となるのは，業績評価の文脈においてである。なぜなら，利害関係がもっとも高度にからむのがこの設定においてであるからだ。われわれは自分自身の業績を高く評価しがちであるだけでなく，他人による自分の評価がわれわれの経済状況に直接の影響を及ぼすことになる。上司，同僚，部下がわれわれの業績を期待していたのよりも，あ

るいは必要とされるよりも低く評価すれば，何が欠けているのかを知ること，つまり自らを改めていけるように確かで，役に立つフィードバックをしてもらうことが極めて重要である。このような状況では，支援者やコンサルタントとなって，舞台作りをし，文化的規範を安心して一時停止できる雰囲気を作るのは上司の責任である。しかし同時に日常的なシグナルが不明確な場合，計画的フィードバックを求めるのは部下の責任でもある。両者がやる気になるならば，会話から計画的フィードバックを通じた学習が生じるような会話を行うことができるかもしれない。

舞台が設定されたとしても，面子への脅威を最小にし，コミュニケーションの明確さを最大限にするための原則はまだ多数ある。ORJI のプロセスの力動およびコミュニケーションで作用しているあらゆるフィルターのために，メッセージが正しく伝わるように，発信者と受け手の双方がさらにいっそう注意をする必要がある。このような明瞭さを確保するため，以下のガイドラインと原則が作成された。これらは主として職場の上下関係に関するものであるが，すべての関係に適用可能である。

◆計画的なフィードバックの原則とガイドライン

原則 1：発信者と受け手が受け手の目標について合意しなければならない。

ピントのあったフィードバックとは，受け手が達成しようとしているある目標に関して，その人がその目標に向かっていることを伝える情報である。フィードバックは常に受信者側に何らかの目標があることを前提にしている。そこでまず最初の，最も重要な落とし穴は達成すべき目標，満たすべき業績の基準に双方が同意していないということだ。もしも，上司と部下が目標や業績の基準に合意していなければ，あるいはそれらが明確でなければ，上司からの改善を要求する情報は，部下にとって不適切な非難と受け取られるかもしれない。

この原則が意味することは，計画的フィードバックを伝える前に受け手が達成しようとしている目標について双方が十分な意見交換をしておくべきであるということだ。例を挙げれば，私の目標が 2 講義分だったものを 1 つに

まとめた山ほどある材料にざっと目を通すことだとしたら、親切な同僚が私の講義は長すぎて詳しすぎると言ってくれてもあまり役に立たない。スポーツを例に取ると、フットワークをよくしようとしているときに、バックハンドについての欠点を指摘するコーチはあまり役に立たない。よいコーチは、改善するためのフィードバックに入る前に通常今日はなにをしますかと聞いてくる。

同じような論理がコンサルタントとクライアントとの援助の間柄にも適用できる。コンサルタントはクライアントに計画的フィードバックを提供しようと一方的に決断したい誘惑に負けてしまいそうになる。しかしながら、クライアントの最終的な目標について双方が合意していない場合は大変危険なこととなる。もしも、何かフィードバックをしなければならないと感じたときには、会話はどこに向かうべきなのか、クライアントが達成しようとしていることは何かを聞く質問をまず行わねばならない。私のフィードバックがそのシナリオに適合する場合にのみ、私は遠慮なくそれを提示してよいのである。

原則2：提供者は説明と好意的評価を強調すべきである。

フィードバックでは、次の3点を強調することができる。①部下がうまくやったことに対する前向きなこと、②部下が実際にやったことのみに焦点を当てた説明的な、評価と無関係な情報、③部下がうまくやらなかった否定的なことがらである。学習理論によると、3つのタイプの情報は違った結果をもたらすとするものが大半である。前向きなフィードバックは最もそこから学ぶということがやりやすく、最も心地よいものであり、それゆえ、現在すでに効率的に行われていることをさらに改善する直接の効果をもたらす。前向きのフィードバックやうまく行われたことを好意的に評価することは、自尊心を高く保ちたいという個人的な要望に沿ったものである。

説明的な中立のフィードバックは相手が明確な基準を持っており、単に相手にどう見られているかということを知りたい場合に有効であろう。人々が非常に神経過敏で、自我が関わっている分野では、このような形の情報しか受け入れられないだろう。客観的記述のフィードバックでも、提供者は評価

基盤を明確にし，適応が容易でありそうな行動に焦点を当てることが求められる。

否定的なフィードバックはある種の行動が再発されるの防止するためにしばしば必要となるが，防衛反応やを引き起こしたり，否定されたり，聞き入れられなかったりしがちであるので，最も問題を生じやすいものである。また，否定的なフィードバックは相手が何をすべきかのガイドラインを提供していないので，前向きの学習へ向かわせることができない。

フィードバック・プロセスの陥りがちな落とし穴は，否定的なフィードバックに頼りがちになること，記述的，肯定的なフィードバックが不十分になるというものである。われわれは計画的なフィードバックを，「建設的な批判」と関連付ける傾向があり，うまくいっていることから学ぶのがより重要であるということを忘れがちである。好意的評価や前向きのフィードバックでは受け手が面目を保つことも保証されている。このことから業績評価ではサンドイッチ技術が望ましいということになる。すなわち，はじめに何か前向きなことを言い，次に建設的な批判を肉としてはさみ込み，最後にまた別の何か前向きなことを述べるということである。このテクニックが見過ごしているのは，前向きな要素は批判よりも実りがあるということである。

原則 3：提供者は具体的で明確でなければならない。

フィードバックは，これまで述べてきたコミュニケーションのあらゆる落とし穴に陥る可能性のあるコミュニケーション・プロセスである。フィードバック・メッセージの不明瞭な点や意味の上での混乱（特に個人の特性に関係ある場合は），潜在的な重要問題である。いくつかの例を以下に述べよう。

「あなたは攻撃的すぎます」（否定的，曖昧，一般的）対「私は，彼らが自分の見解を表現しようとしている時，あなたが大声を上げてその人々を黙らせているのを見かけました」（記述的，正確，特定的）。

「あなたは部下をうまく扱っていません」（否定的，一般的）対「あなたは決断

を下す際に部下を参加させていません。また，あなたは，彼らが自分の見解を表現する機会を与えません」（否定的，特定的）あるいは「あなたが部下を意思決定に参加させたり，彼らの考えを聞いてやっている時の方があなたの部下は生産的であることに気づきました」（肯定的，特定的）。

「あなたは，主導権をもっと発揮する必要がある」（否定的，一般的）対「コストが越えていることを私が発見するのを待つ代わりに，これを見つけ，ひどい状態になってしまわないうちに改善するあなた独自のシステムを構築されてはいかがですか」（中立的，特定的）。

　意味を明瞭にするカギは特定することにある。肯定的か否定的かに限らず，コメントが一般的であればあるほど，誤解を呼ぶ可能性がある。受け手と提供者の双方の目に触れた行動にフィードバックが固定されていればいるほど，誤解されることは少なくなる。別の言い方をすれば，受け手が言われたことに対して何かができるよう，フィードバックは主に実行可能な行動に対して行われるべきである。

　反対に，個人の変えられないような性格が目標の達成を妨げている場合，彼が幻想や非現実的な期待を抱いたままにさせておくよりも，誰かがそのことを彼に伝える必要がある場合もあるかもしれない。

原則4：受け手も送り手も建設的な動機を持つべきである。

　計画的なフィードバックにかかるもう1つの問題点は，フィードバックの受け手と送り手の認知されている動機と関係がある。もしも，送り手は援助することを純粋に考えてくれていると受け手が信じているならば，受け手が送り手の動機を疑っていたり，不信感を持っている場合に比べて，ずっとよく耳を傾け，注意を払うことだろう。われわれは皆，誰かに腹を立てて，その怒りを表す方法として「フィードバックをさせてくれ」と言った経験があるだろう。言うまでもなく，受け手には送り手が自分の満足のためにやっていることが分かることになる。

受け手の動機が不明瞭であることも同様に問題の１つとなりうる。受け手が話を聞いていない，安心したいだけである，あるいはその他フィードバックから何かを学ぼうとする動機が欠けている徴候が見られるとき，送り手は努力しようという気になるであろうか。以下の事例によって何が問題かが明快になるだろう。

　「今期もまた予算を超過したので，あなたの部下がもっとコスト管理ができるよう彼らの動機付けをお願いしたい」（上司は部下に対して一段下の階級の業績を改善して欲しいと思っている。だが，部下は上司が単に自分の財務上の必要性にしか興味がないと感じている）これに対し，「基本的には業績は伸びているが，予算をまた超過したことを私は引き続き懸念している。あなたの部下がもっとコスト意識を高めるためにどんなことが必要だと思うか」（上司は肯定的であり，自分の感情を明瞭にしており，具体的な質問で具体的問題に焦点を当てている）。

　「あなたは顧客と接する方法を学ぶべきであると思う」（上司は部下が有能であり，ただ一つの問題点を解決すべきだと考えているのかもしれないが，部下は全般的にまずいという評価だと受け取り，自己防衛の姿勢を取るかもしれない）。これに対し，「あなたはすでに十分な業績を上げているが，顧客の扱い方を学習することに集中して取り組めばさらに業績が上がるだろう」（上司は，自分の動機はすでに良い業績をさらに良くするということにあると明確にしている）。

　「全体的に我が社は困難な中にあり，２％しか賃上げをすることができない」（上司は正直に言おうとしているが，不明瞭である。部下は自分が平均的な業績しか上げていないと暗に言われているのだと判断しやる気をそがれるかも知れない）に対し，「あなたの業績は昨年きわめてすばらしかった。これに対し十分に報われる賃金を払いたい。しかし会社の業績が上がらないため最も業績のよいものでも２％の賃上げにとどまっている」（上司は具体的に述べている。部下の業績を適切に言葉で表しており，謝意を表している）。

この原則に基づき実施する場合の最も困難な点は，両者が実際に自分の動機や感情にふれることである。ORJIのサイクルが指摘しているように，それに絡んでいる感情やそのような感情のきっかけとなったであろう動機に気づいたり，それらを反映したりすることもせずに観察から判断へと進むのはとても簡単なことである。

原則5：もしそれが関連性を有しているならば否定的フィードバックを差し控えてはならない。

フィードバックを提供する場合の大きな問題点は，批判をすると防衛反応が起こったり，その他の不快な反応が生じることが非常に多いので，自然と批判的な指摘を避ける傾向があることだ。批判的なコメントは否定され，全く聞き入れられないため，否定的なフィードバックを提供する努力は全て時間の無駄であるように思われている。しかしもし上司が本当に否定的な評価をしており，それが部下の取り扱いに影響を与えている場合，なぜ自分が昇進も，昇級もせず重要な仕事も回ってこないのか部下が自分で想像してみなければならない，そういう立場に上司は部下を置いてしまっているわけだ。

ここでの解決法も前のシナリオのように，曖昧で一般的な言い方を避け，否定的な評価に至ることになった明確で具体的な行動例に焦点を当てることである。例えば，私はある具体的状況での具体的な行動についての批判を受け入れることはできるが，私の性格や，一般的な特質についての批判を受け入れることははるかに難しい。もしも自分の行動が批判されているのであれば，そのうちのどれくらいがその直接の状況のために起こったことであるかを自分で判断することができ，そのような状況をどうやって避けるべきかを考えることができる。あるいは，仮にそれは自分の性質に起因すると結論づけられる場合は，私はそのような性質を変えようとすべきであるか，あるいは自分はもともとこの仕事には向いていないのではないかと判断することができる。しかしこの結論は明確なフィードバックに基づく自分自身の結論でなければならない。

もしも，フィードバックの提供者が私の性質や性格を批判したなら，私の自己像および自尊心が関わってくることになり，私の性格の全般的な部分を

第7章　コミュニケーションと計画的なフィードバック　189

自ら進んで変えることができない。そこで，私はその批判に抵抗したり，それを否定することになる。他方，もし否定的な評価が発信者と受信者の双方が見聞きしたある具体的行動についてであれば，発信者はその行動およびそれに対する評価に関しての自分の感情を表現することができ，受信者は自我関与を避けることができる。別の言葉で言えば上司が私に対して腹を立てていれば，私にとっては困ったことであり得るが，上司が私のした特定のことに対して腹を立てているのであれば，私はそのフィードバックから新たな発見をすることが可能である。この原則に従って否定的な評価をどう伝えるかの事例をいくつか以下に示す。

「この会社の上層部にわれわれは協調性のある従業員をもっと多く欲しい。あなたのこれまでのやり方から判断して，あなたが協調して仕事をしたいと思っているのか，あるいはそれができるのかが，疑わしい」（否定的，一般的，受け手の動機や能力を原因としている）に対し，「会社の上層部へあなたを昇進させようかどうかという時に私が問題に思うのは，あなたがグループを組むときはいつも，すぐに主導権を握ろうとすることだ。例えば，XYZ委員会の時がそうだった。また。ABC特別委員会のときは，あなたが自分の部のことばかり気にかけるため，議論が勝ち負けを決める討論となってしまい，グループがその最大限の効果を発揮することが全くできなかった。そのようにあなたが他人をこきおろすのを見ていると，私は腹が立ってくる。新しい行動をこの会社で昇進していくのに十分なだけあなたが獲得していけるかどうか私は心配している（否定的で断定的ではあるが具体的で上司が何に腹を立てているか明快である）。

「貴方は本当に指導力に欠ける。この手の仕事をするには積極性が足りない」（変えるのが難しい全般的な性格についての問題となっており，指導力や積極性という言葉で上司が何を意味しているのかについての具体的なデータがない）に対して，「昨年の貴方のやってきたことに対していくつかの懸念を持っている。ABCプロジェクトで行き詰まった時，問題とどう対峙し，前進していくかの提案を示すこともなく，代わりに問題をそのままにしておこうとしていたように見うけられる。そして他の部門があなたがたの方針に反対してきたとき，どうして自分の

解決法が正しいのかを彼らに示すこともせずに引き下がってしまった。この両方のパターンを他のプロジェクトでも見てきたので、そのような行動から指導力や積極性に欠けるのではないかと心配している」(全般的な性格を問題にしていることには変わりないが、具体的にどんな行動が原因か示している)。

「前回の販売会議であなたは全てを台無しにしてしまった。われわれはほとんど契約寸前のところまでいっていたのに、貴方が自分の主張に固執して、クライアントを逃してしまった」(一事をもって人の全人格を評価している)。これに対して、「この間の販売会議で貴方がXYZの事案を問題としたとき、あなたが全てを台無しにしたと私は思った。あなたがそのようなコメントをするまでは、契約がもうほとんど成立しかけていたのだ。そのコメントのおかげで顧客に逃げられてしまったようだ」(重点が人の行為に移っている。また、断定的に判断としてではなく、自分の意見という形にして柔らかな表現にしている)。

上記の実例では、提供者は評価に関わるコメントを実際に発している。だが、全般的な性質や、全人格に対してではなく、特定の行動についての評価となっている。目標や基準が明らかで双方が合意している場合、このような評価は役に立つであろう。しかし、もしも合意ができてないときは、解説的フィードバックの方がうまくいく。その場合、受け手と送り手が共同して行為を評価することが可能である。どちらのケースも特定するということがカギである。評価が一般的になればなるほど、誤解・反発・否定されやすくなり、防御的行為を引き起こしがちである。

原則6：送り手は観察、意見・判断を自分のものとしていなければならない。
　この原則には2つの重要な意味合いがある。ORJIサイクルの言葉を用いれば、フィードバックが実際に観察されたことに密接であればあるほどよく耳を傾けられ受け入れられる。なぜなら、受け手も同様の行為を目にしていた可能性があるからだ。さらに、感情的反応のフィードバックの方が、判断のフィードバックよりも受け入れられやすい。貴方のやることを見ると腹が立つ、心配である、残念であると言う方が、貴方の行動は不適切で、「悪い」

という断定よりも聞き入れられやすい。前向きのフィードバックにも同じ論理があてはまる。貴方がそうしたので大変うれしかった，あるいは誇りに思ったと言う方が，「良くやってくれました」と言うより学習プロセスにとってははるかに価値がある。

　この原則の2つ目の意味は，送り手は意識的に観察結果，感情的な反応，判断を自分に当てはめて考えるようにすべきだということだ。曖昧に一般化してはいけない。フィードバック行為の小さな違いに焦点を当てているので，この意味するところは微妙である。「あなたはすごい」（あるいは，「あなたは全然だめだ」）と私は言うことができる。これは，自分の判断を普遍的に述べる言い方である。あるいは，「あなたはすごいと思う」（あるいは，「あなたは全然だめだと私は思う」）という言い方もできる。さらには，もっと具体的に，「貴方が顧客に反論したとき貴方は全てを台無しにしたのだ」と言うこともできれば，あるいは，「貴方が顧客に反論したとき私は腹が立った。と言うのも，顧客は手を引き始めたように見えたからだ。あなたがその時点で全てを台無しにしてしまったと私は本当に思った」と言うこともできる。

　送り手がフィードバックを自分のものとして，それを検討し合えるようにしたり，今後の学習の材料としていけるようにすることが重要である。非人格的な一般化は，品位を落とすことである。なぜならば，それはその送り手に特異な反応に過ぎないかもしれないという理由付けを排除するからだ。一般化するということは，送り手が最終的な判断をしていて，それに異議を申し立てたり，吟味してみたりする余地がないという形になる。一般化した判断は，送り手の直接の反応というより第三者も同意した最終的な結論だという意味合いになる。

原則7：フィードバックは受け手と送り手の準備が整ったときのタイミングが重要。

　効果的な介入ということで，タイミングが決定的に重要であるとすでに述べた。タイミングは計画的フィードバックを効果的なプロセスにするという点でも，決定的に重要である。どのような基準で，このようなフィードバッ

クを行う適切なタイミングを計ることができるだろうか。この点ではなによりも，受け手の準備が整ったとき，あるいは学習意欲が旺盛なときというのが重要な基準となる。そのような状態になっていれば，受け手はいつフィードバックの議論をしてもらえるのかと送り手に聞いてくる。もし動機が存在していなければ，送り手は，計画的フィードバックを提供できるような設定を作り出さねばならないという厄介な（だが時には必要である）立場に身を置くことになる。上司はこれこれの期間のうちに業績に関してフィードバックの話し合いを行わねばならないと宣言しても良い。だが，最終的な日時場所の決定は部下に任せることになる。

　2番目の基準は，送り手が準備を整えていなければならないということだ。つまり，ふつうの場合これは，特定の行動レベルにおける送り手の反応，感情，判断の根拠をよく考え，それから，援助にふさわしいやり方で役に立つ情報が提供できるよう心理学的にも準備を整えるということだ。そのような準備には，計画的なフィードバックをいかに提供するかの訓練を受けること，およびここで述べた原則を丁寧に検討することが含まれる。部下たちを突然呼びつけて，フィードバックを要求してもなかなかうまくいかない。

　3番目の基準は，両者とも目標に関して同意しておらねばならず，互いを信頼し合うという下準備的な規範を築くよう努めていていなければならないということである。言い換えれば，タイミングは適切な舞台設定次第ということになる。そして，さらにそれは送り手と受け手の双方が自分たちの動機と能力をまっすぐに反映させているかどうか次第である。たとえ上司が業績の査定が必要であると指令を出しても，彼は，過去数週間，あるいは数ヶ月の目標は何であったかを部下に述べさせることから会議を始め，それからフィードバックの議論を進めていくことができる。そうすれば，目標と関連したフィードバックができる。部下の目標が，上司の期待していたものからはずれていた場合は，両者は，まず目標に関して合意に達する必要がある。そうしてはじめて，計画的フィードバックが提供できる。目標についての合意は相互の信頼を築くための最低条件である。

　タイミングの4番目の基準はフィードバックは関連する出来事からあまり時をおかないようにすべきだということである。そうすれば受け手は出来事

を記憶していて自分でそれらを関連づけることができる。フィードバックをするのがその出来事が起きてから時間がたちすぎていれば，受け手はその出来事を忘れているかもしれないし，そのためにそれを否定することにもなりかねない。ただし，フィードバックをあまり直後にやりすぎると，受け手は感情が高ぶったままでいて否定的なフィードバックであれば聞くことができない可能性がある。例えば，同僚の中には，学期の授業が終わったすぐ後でその授業のフィードバックを私に提供したいと申し出る者も時にはいる。行動が最もありありと思い出せる時だからだ。だが，私はたいてい，そのようなフィードバックに対応するのは困難である。なぜなら，その出来事に対する私自身の反応を私はまだ振り返ってみていないからだ。その学期に設定していた自らの目標に到達できたかどうかを自分自身が見極めていないうちは，私の授業に対する誰か他の人の目標を反映した新しいデータを受け入れることは本当にはできない。

◆要約と結論

　7つの原則を要約する中で，最も重要なことは，計画的フィードバックが学習を刺激し，促進させる効果を有するためには，7つ全部をまとめて考慮しなければならないということである。目標は明確で合意されていなければならない。説明することと誉めることを重視すべきである。フィードバックはできるだけ具体的に特定して行うべきである。送り手も受け手も建設的な動機を持つ必要がある。特定されたものであり，行動に焦点が絞られているのであれば，批判を避けるべきではない。送り手は非人格的一般論に頼るよりも自分自身の感情と反応を持つべきである。そして送り手も受け手もフィードバックの討議ができる心理状態になっているべきである。

　繰り返しになるが，業績評価を行う上司，あるいはクライアントの状況について質問しているコンサルタントのいずれの場合にせよ，援助者がすることはすべて事実上介入なのである。コンサルタントは黙っている時でさえ常にフィードバックを与えている。選択は，いつ，どのように，どんな形で計画的なフィードバックに移行するかである。いつ，どのように"普通の"質

問の流れを中断し，フェイス・ワークの規範の一部を停止させて違うレベルのコミュニケーションの舞台をセットしたらよいのか。あるいは3章で論じた質問の形式に関わる言葉を用いて言い換えれば，いつ純粋な診断的調査から対決的な形に切り換えるのがよいかということになる。というのも，非常に控えめなやり方でなされるのであれば，対決的な調査は計画的なフィードバックの1つの形であるからだ。

このいつ，いかにという質問に明快で簡単な答えはない。コンサルタントとクライアントの関係を展開させながら，コンサルタントは心の中で状況を絶え間なく診断し続け，またクライアントがもっと対決的な介入にどのくらい"準備"できているかを測り続けなければならない。明らかに，1つのきっかけはクライアントが直接介入を自ら求める時である。もう1つのきっかけは十分なデータが揃い，何が起きているらしいかをクライアント自らが理解できているとコンサルタントがいわば自信を持ったときである。コンサルタントがフィードバックを両者が目撃した行動に結びつければ結びつけるほど，フィードバックは受け入れられ，そのフィードバックから何らかの学習が行われることが多くなる。どちらの場合でも，コンサルタントとクライアントの会話がお互いの想定と目標を互いに十分理解しているレベルにまで達していると考えられることが必要である。

この章の始めで私は1対1のコミュニケーション・モデルをまとめた。それによって，なぜ計画的なフィードバックが必要で，しかも難しいのかが明らかになった。私たちは自らの見えない部分をいくらかでも取り除くために，人にどのよう影響を与えているか知るために，自分たちが気づくことさえなく発信している信号を見つけるために，このようなフィードバックを必要としている。同時に文化的ルールによって，相手は私たちの送る信号への反応を隠すように要求されてもいる。そこで，計画的フィードバックの条件を整える際のジレンマは，双方がフェイス・ワークという文化的な規範をかなりの部分中断させて，私たちが隠していることを開示できるようにする道を探すことにある。それは両者にとって新たな規範を創り上げることであり，レベルの高い相互信頼をも含まれている。計画的フィードバックはそれゆえ，学ぶところの多い，それでいて注意深く運用しなければならないコミュニケ

ーションの一種なのである。

事例7.1 Billings 社において設計されたフィードバック・プロセス

　フィードバックの舞台設定は必ずしも丁寧に計画されるプロセスではない。私は Billings 社の経営委員会と基本的に月1回，1回につき1〜2日会合を持った。「社外」で行われるその会合では戦略上，経営上の大きな問題が討議された。創設者で最高責任者の Stone がいつもこうした会議では議事進行をとり仕切り，彼が討議したい事項をたとえ正式な議題になっていなくとも討議していた。このような会合のある時，最初の日の半ば頃，彼は会議の8人のメンバーがそれぞれどのように仕事をしていて，どのように彼らの状況を改善できるか，について互いにフィードバックを与え合うことを提案した。

　Stone がこの提案をしたとたん，部屋の緊張感がはね上がった。なぜなら彼もまた同様にフィードバックを皆から受けることを期待していると，皆一様に理解したからだ。彼の個性と感情の表し方からすると，いったいなにを言ったら安全なのか測りようがなかった。いわんや批判などとんでもない。Stone が私の方に向き直って言ったとき，私自身の緊張もぐんと上がった。"Ed，君はいろいろな研修グループで経験を積んでいるでしょう，私たちがお互いにフィードバックを与え合うにはどうすべきか意見を言ってくれませんか？" 彼の声の調子から言って，その考え自体を延期しろとは言い難い雰囲気で，私は何か"安全な"ことを進言しなければならない窮地に陥った。

　コンサルタントが"窮地に陥った"ときは直感がひらめくのを待つものだ。私の関心事は主にグループが過去の行動の非難に終始しないようにすることだったので，その課題を進めるベストの方法は，一時に1人ずつ取り上げ，今後例えば12ヵ月間，その人個人の仕事をより効果的に，会社全体の戦略に沿って遂行するにはどうしたらよいかを検討することだ，と私は提案した。"未来"の行動を提案した論理は，批判は暗黙のままに保たれ，面目を保つことができるからである。例えば，財務担当の副社長が，次のように言われたとする。「Joe，今後12ヵ月間君は，生産ラインともっと連絡を密にとって仕事をすべきだよ。彼らが在庫管理をするのを助けてやると良い。」この言い方をすることで，他の人は自分の思って

いることをあからさまに言わなくてすむのである。「Joe, 君は昨年無茶苦茶をしてくれたよ。われわれに改善するチャンスを与えないまま在庫過多問題の会計検査を明らかにしてしまったのだから。」Joe は, 取締官の役に徹しすぎて, あまり支援者とは言えなかった。そのため人々から恨みを買っていた。しかし, 直接的に言ったのでは, そのメッセージを Joe が受け入れることは到底なかったであろう。

　グループの各人が「さらし者」にされていく中で, 未来への提案という媒体を通して批判的な指摘が注意深く, 繊細な方法でなされるのを発見した。この方法は Stone 自身に話しかけるとき, 特に重要だった。彼は, 自分自身も「さらし者」にされる番が必要だと固執した。そして, 注意深く耳を傾けたのであった。特に, 将来の会合では公の場で部下にあまり批判的にならないほうが良いとするコメントに耳を傾けていた。「役割の話し合い」という建設的な会合となっていたこの数時間を何とかわれわれはこなした。この話し合いには, 個人的なフィードバックが多数含まれていたが, 誰も面と向かって批判的なコメントに対峙する必要はなかった。

　すべての場合に応用できるわけではないが, この経験から引き出される重要な教訓は, "立案" するという文脈において, いかに有益なフィードバックが得られるかということである。過去については言葉に出して言う必要はない。未来に向けての計画を通してメッセージを伝える方が容易なときもある。

演習 7.1　ジョハリの窓のそれぞれの部分には何があるか。(30分)

　この演習は15人以上のグループ設定で行うのが最もよい。

1. ジョハリの窓についての短い説明の後, 参加者1人ずつに白紙の2枚の紙を取り出してもらう。この紙に名前は書きこまない。
2. 1枚目の紙に, あなた自身についてあなたが気がついていて, 意図的に意識して人から隠していることを, 1つ以上書く。紙は無記名なので書きたいことを自由に書いてよい。(隠された自己)
3. 2枚目には, 他の人についてあなたには見えるが, その人たち自身は伝えていることに気づいていないと思うことを, 1つ以上書

く。（見えない自己）
4．1枚目と2枚目を別々にしておくことに注意して，全部の紙を集める。
5．個々の紙が特定の人と結びつかないように，それぞれの束をまぜる。
6．人から隠していることの典型的な例を，グループ全体の前で読み上げる。（1枚目）たくさんの例がある場合，黒板に書き出し，論点別に分類してもよい。どのようなことを隠す傾向があるか感触をつかむため，あなたと一緒にグループの者も分析に参加するよう促す。
7．他の人について私たちには見えるが，彼らは伝えていることに気がついていない，典型的な例を皆の前で読み上げる。（2枚目）こちらも同様に分類する。
8．2つのリストの関係性を分析する。それらは全く異なる種類の事柄だろうか。私たちは隠していると思っていても，実際は感情や情報が"漏れ"出て他の人に見えているという領域はあるだろうか。もっと開放的になり，私たちが隠していることを外に出したり，あるいはその人の見えていない部分についてフィードバックをしたりすることの，よい点悪い点は何か。
9．ある人は別の人に普段隠されていることを指摘されなければ見えない部分を取り除けない。すなわち"1つのものを見るのにふたり必要，"という関連性を，グループが理解するよう援助する。

演習7.2　計画的フィードバックの練習

参加者は，なるべく仕事であまり接してこなかった人と2人1組になること。次演習のの各パートはそれぞれ10～15分以上かからないようにする。

　　パート1．過去1時間くらいの間に2人が経験した出来事についてパートナーと自由に会話する。5分経過したら会話をやめ，1人ずつ順番に，相手の行動だけについて純粋に解説するように，計画的なフィードバックを行う。各人はそれぞれ

相手について何を観察したか。つとめて中立に，解説的に，できるだけ行動の細部にまで注目すること。(各5分以上かからないように)

パート2．前の15分の会話を活かして，今度はこの15分にあなたの中で引き起こされた感情の面についてお互いに計画的なフィードバックをする。あなた方自身の中にそれぞれどんな感情を認めたか。(各5分以上かからないように)

パート3．前の25分を会話の基礎として，今度はこの25分の間にあなたが行った判断と評価について計画的なフィードバックをする。(各5分以上かからないように)

パート4．最初の3つのパートそれぞれで，あなた方が観察したり感じたりしたことを互いに教えあう。あなたが自分で観察したことは，上の3つのパートでどのように異なっているか。計画的なフィードバックの経験から何を学んだか。普段は隠している反応などを教えあうことができたか。何がそれを可能にしたのか。相手の人はこのような暴露にどう反応したか。(25分)

第**8**章

促進的なプロセス介入：
集団における課題プロセス

　この章ではこれまでに述べてきた，さまざまな"診断的な介入"を補足するために，促進的プロセス介入の概念を展開する。この章では1対1の対人関係から，コンサルタントがより大きなクライアント組織に対処しなければならないような大きな会合，グループにその対象を移している。だが，介入するにあたってもっとも大切な基準は同じである。それはつまり，どんな場合でもすべての介入は援助的であろうとするものでなければならず，言い換えればクライアントが目指そうとしていることを促進するような介入でなければならないということだ。しかし，会合の場やグループでこの原則を貫こうとするとややこしいことが生じる。診断のための質問や慎重にフィード・バックを与えることは，潜在的には援助的介入の要素を満たしているのは明らかであろう。しかし，人が会話をしたり，会合に出ているとき，他のあらゆる介入が自然発生的に生じる場合も十分にあるのだ。それゆえわれわれは，類型学やいくつかの単純なモデルを必要とするのである。1) 会合で観察できる数多くのことのうちどれに焦点を当てるかを決めるため，そして2) どの類の介入が多少なりとも促進的であるのかを決めるためにそれが必要である。

　最初に焦点を当てるべきはプロセスに関してであろう。コンサルタント／援助者は"プロセス"つまり，ものごとがどのように言われたりなされたりするのかがその"内容"つまり，何が言われ，なされるのかということと同じくらい，あるいはそれ以上に大切であることを認識しなければならない。

しかしわれわれの多くは，概念としてのプロセスや注意を向ける焦点としてのプロセスにあまりなじみがない。われわれは，プロセスを管理すべきこととして考える代わりに，当然のことと受け取ってしまいがちである。更にわれわれは，援助および学習を支えていく際にプロセスをどのように活用するかを決めるための概念的用具も持ち合わせていない。この章では，まず最初にプロセスについて考えるためのいくつかの一般的な分類を提示し，集団内でよく観察されるより顕著なプロセスのいくつかについては，単純化したモデルを提供したい。その後で，援助者／コンサルタントはいかにその介入を建設的な方向に集中させ，クライアントが自分たちのプロセスをより良く管理するのを学ぶ援助をしていくかについて論じたい。

◆プロセスとは何か？

"プロセス"とは，最も広い意味で言えば「何がなされたか？」ということよりも「どのようにしてそれがなされたか？」ということである。もし私が通りを渡っているならば，それは私が何をしているかということである。"プロセス"とは私がどのようにして渡っているか，ということである。すなわち歩いているのか，走っているのか，車をよけながらか，あるいはめまいがするため誰かに助けを請いながら渡っているのだろうか？もし，私が誰かと話しているならば，それは私が何をしているかということである。しかし私は相手を見ているかもしれないし，地面を見ているかもしれない。つぶやいているかもしれないし声を荒げているかもしれない。身振りを交えているかもしれないし直立不動かもしれない。これらすべては私がどのようにして話をしているかということである。しかし"プロセス"はいたるところにあり，われわれが行うあらゆることに含まれているので，われわれはどうすれば"それ"に気づき，無意識のうちに使っているかもしれないさまざまな種類のプロセスの結果に，目を向けるようになるだろうか。コンサルタント／援助者は状況を改善し，クライアントに学習を促すために介入しようとする時に何に焦点を当てるべきかをどのようにして知るのであろうか。前述の"援助関係"と"積極的な質問"を取り扱った諸章では，対面的な関係に

おいて生じるさまざまなプロセスについて述べた。今回はその分析をコンサルタントがいろいろな種類のミーティングや集団において複数の人とともに仕事をしている際に生じるプロセスにまで広げることにしたい。

あなたがあるスタッフ・ミーティングに招かれ，その集団をもっと効率よく稼働させるために力を貸せるかどうかを見極めようとしていたとしよう。あなたは"世話役"とレッテルを貼られたかもしれない。しかしそれは，介入の焦点をどこに当てるべきかということに関わって，何を意味するのであろうか。しかも，ただ静かに座って，あたりを観察することも結果を伴うある種の介入であるという事実を常に心に留めているわけだ。あなたがミーティングを招集した管理者であるとして，そのミーティングをできるだけ効率的にしようとしていると想像してみよう。会の議題やメンバーが話すことといった通常焦点を当てることの他に，あなたは何に関心を払い，どんな介入をしようと考えるだろうか？表8.1は，コンサルタントが関心を払いうる焦点と見なすであろう観察可能な出来事を一般的に分類したものである。

表8.1 観察および介入の可能な分野

	集団境界の管理	集団の仕事，実績	対人関係と集団管理
内容	(1) 身内とよそ者	(2) 議題	(3) メンバー相互の感情
プロセス	(4) 境界管理のプロセス	(5) 問題解決と意思決定	(6) 対人関係のプロセス
構造	(7) 境界維持のための反復的プロセス	(8) 反復的課題プロセス，組織構造	(9) 権威および親密さに関する公式ルール

表8.1の各項目はオーバーラップしており，実際にはそれぞれの記述が意味するほどは明確に区別されるわけではない。しかし人を取り巻く状況でおよそ直面するであろう複雑なデータをまがりなりにも理解しようとするなら，単純化したモデルが必要となる。あらゆる集団——その中には1対1の対人関係も私は含めているが－は，常に3つの取り組まねばならない基本的な課題を抱えている。それらは，1）誰が身内で，誰がよそ者かを決める境界を

どうやって管理し，また彼らのアイデンティティをどうやって維持するか。2）自らの役割や主な課題を果たすことによって，外の世界でどうやって生きぬいていくか。3）内部の対人関係を管理することによって，機能的存在（functioning entity）としての自分たちをどのように作り上げ，維持していくのかである。—これらの3つの基本的課題は表の一番上の欄に書かれている。

　集団や人間関係がある期間存在すれば，上述した課題のそれぞれを観察することができる。つまり集団が次の3つのレベルでどのように機能しているかについて観察できる。1）集団が取り組んでいることの内容，2）物事を行うためにどのようなプロセスを用いるか，3）安定した，反復型のやり方という意味ではどのような構造が適切か。これら3つの観察すべき焦点は表の横側に記入してある。コンサルタントによって，どのプロセス課題に焦点を当てるか，いつ内容や構造へとシフトするかを決定しなければならない。言い換えれば，観察の焦点を当て介入するには，表の中のどの項目が戦略的にも戦術的にも最適な場所であるかということだ。どれに焦点を当てた介入が最も促進的でありそうか。われわれはまず，まんなかの欄にある課題と，その内容に焦点を当てて始めることにしたい。というのも，コンサルタントがそもそも依頼を受ける理由のほとんどがこの問題に関するものだからだ。

課題内容－議題管理（項目2）

　どんな会合や会話でも焦点となるもっともはっきりとしたことは「なぜ，そのグループがここに集まっているのか？」ということである。グループの主な課題や職務は何か？会合の目標は何か？そもそもそのグループはなぜ存在するのか？どのグループや組織も究極の職務，その存在意義，使命，およびその究極の職務に派生する目標や課題を抱えている。しかし，そのグループはその究極的な使命に気づいておらず，各メンバーもまた目標に必ずしも同意しないかもしれない。事実，コンサルタントの主な役割のひとつは，その課題や職務についてグループが理解するよう助けることであるかもしれない。

　課題内容の中で最も観察可能な側面は，グループが討議し，取り組んでい

る実際の主題であり、通常正式の議題とされていることである。もし、グループが秘書を雇っており、議事録を取っているなら、討論の内容というのは議事録より明らかになる。コンサルタントは課題内容に目を光らせ、そのグループが確実に「軌道に乗っている」ようにしておくことができる。私はミーティングの始めによく「われわれは何をしようとしているのか？」「今日の目標は何か？」あるいは「今日のお昼までに（または、グループが解散するまでに）終わらせたいことは何か？」といった質問を投げかける。時にはコンサルタントが議題を提示することさえある。例えば、参加者にインタビューをして、彼らが考えていることを総合的にまとめるように依頼されている場合とか、教育的介入をしたり、ある概念を提示したり、焦点を当てた演習をするためにコンサルタントが招聘されている場合などである。

　議題を管理するということが潜在的にいかに重要であるかを私が気づくことになったのは、私がかつて Billings 社（158ページ参照）との初期のミーティングでふとしたきっかけで介入した出来事であった。

　そのグループは、通常10項目以上からなる議題を箇条書きにして、一度に1項目ずつ順に検討を始めていっていたと記憶している。2時間のミーティングの終了時間が来てもたいてい半分ほども処理できず、それ以上達成できなかった苛立ちをあからさまに見せていた。私は同時に、項目の順番があまり意味をなしていないことが多いのにも気がついた。私の取るべき道は、自分が観察したことを集団にフィードバックするか、自分の無知にアクセスして『この議題はどうやって作られたのか？』と誠意を持ってたずねることのどちらかであった。そして、私は後者を選んだ。

　グループが最初に見せた反応は戸惑いであった。その答えを誰も知らないかのようであった。少しして社長が、自分の秘書が議題を作成し、各ミーティングに用意していると発言した。グループは秘書の Martha を部屋に呼び入れた。その結果、項目を電話で伝えられたり、誰かがやって来て議題に載せて欲しい旨の依頼があれば、彼女は依頼があった順にそれらを列挙していることが分かった。

　これを聞くとメンバーはすぐにその方法がいかにばかげているかを理解し、すぐに次のように決定した。Martha のやっていたシステムは続けるが、各ミーティ

ングの初めに議題に目を通して一緒にできる項目をまとめ，優先度の高い順に並べかえるようにしたのである。このような手筈によって，基本的に項目には2種類あることが分かった。つまり，消防活動といわれるような即時の決定が必要とされる項目と，長期にわたる計画が必要な項目である。われわれは，消防活動的項目を優先順位の高い位置に置くべきであると全会一致で決定した。さらに，長期的計画の項目は金曜日の午後2時間あまりのミーティングで討議しようと試みることすらすべきではないと決定した。

その代わり，グループは月に一度，社外で丸1日，あるいは2日をかけてそれらの長期的項目をグループ全体でじっくり議論することにした。数年後には，このような数日をかけた社外ミーティングは恒例となり，会社経営の通常の部分として位置付けられるようになった。私はこれらの数日に及ぶミーティングの計画を立てる上で専門家の役割を果たすことになった。と言うのも私はその種のミーティングに関してより多くの経験を有していたからだ。やがてそれは，四半期，あるいは半期ごとの定例ミーティングへと発展していき，2，3日かけることで会社の成長に関わる戦略的な問題を深く追求していくことができるようになった。これらすべては議題に関する素朴な質問から始まったことだった。

グループは表面的には，効率を上げることを学習しただけのように見える。だが実際は，このように議題に目を通して対応するという一連の課程全てによって，グループは否応なく，基本的な第一の課題は本当は何であるか，その第一の課題を実現できるようなミーティングのスタイルをどのように設定するか，つまりどのようにして会社のための戦略的な議題を設定するかということに取り組まざるを得なくなったのである。彼らは，金曜日の午後のスタッフミーティングではこのような類の問題に取り組むのはおおよそ不可能であることを悟り，私の援助のもと戦略的会議のための主要な場として社外ミーティングを考え出したのである。

課題プロセス―仕事を効率的にこなすこと（項目5）

私がコンサルタントとして多くの時間を費やす分野は，表8.1の中央にある課題プロセスの分野である。クライアントはよく課題プロセスの運営を誤

第8章　促進的なプロセス介入：集団における課題プロセス　　205

るが，そのような運営の誤りこそが，多くの場合グループが生産的でないと感じる原因としてある。人々は互いの話を聞かないし，お互いに誤解しているかもしれない。お互いに妨害しあっているかもしれない。口論や対立が発展していき，グループは決断を下すことができないかもしれない。些細な問題と見られることに多くの時間をかけすぎ，混乱させるような会話が進展していき，効果的に課題をこなしていくことを邪魔するようなその他の行動が見られるかもしれない。

　いろいろな集団を観察すると，全く同じ仕事に取り組んでいても，集団ごとにそのアプローチの方法が非常に異なっていることに気づくだろう。ある集団では，各自がそれぞれのアイディアを出すように議長は人々に依頼する。また別の集団の議長は話したい人には誰にでも話をさせる。ある集団では腹をたてて対立していたり，口論が行われているが，別の集団では穏やかでフォーマルな質疑がなされている。一方ではコンセンサスにより決定が下され，他方では投票によって決まり，また別のところでは暫くの間討論に耳を傾けた後でマネージャーが決定を下す。

　課題プロセスは捉えにくい。それらを経験し観察するのは簡単だが，定義し，それらを実際に取り組んでいる内容と明確に区別するのは難しい。集団のメンバーは，プロセスを管理することで内容の結果を部分的に管理することができることを学習している。例えば上院議員が議事進行を妨害するために行っていること，ディベーターが相手の論拠や平静さを打ち砕くためにあざけったり，主題を変えたり，あるいはその他のやり方で語られていることからプロセスをそらしたりなどがこれにあたる。コンサルタント／援助者にとって最も難しい事のひとつは，内容に引きずられないようにすることである。集団が取り組んでいる現実の問題に目を奪われてしまって，それがどのようになされているかに注意を払うことを辞めてしまうような事態に陥らないようにすることだ。

　集団がその主要な課題を進めていくには，ある一定量のプロセス機能 (process function) が満たされねばならない。これらの機能はしばしば集団のリーダーシップと関係しており，議長の義務であるとも考えられる。しかし，うまく機能している集団ではさまざまなメンバーがさまざまな時にそ

のプロセス機能を果たしており，コンサルタントの主な役割は果たされていない機能を見つけ出し，それを果たすようにしていくことである。考慮されることになる主な課題機能を単純化したモデルが表8.2にまとめてある。

表8.2　課題達成のために必要な諸機能

課題の諸機能
- 率先着手
- 情報探索
- 情報提示
- 意見探索
- 意見提示
- 明確化
- 精緻化
- 要約
- 合意の確認

　集団が課題を進展させるには，何らかの率先着手が必要である。誰かがその目標や問題点を述べ，どうやってそれに取り組んでいくかの提案を出し，期日やターゲットを定めねばならない。この役割は，多くはリーダーや最初に集団を招集した人物が担うことになる。やがて集団が成長し自信が生まれると，幅広いメンバーの中からこの率先着手の機能を果たす人がどんどん現れてくるようになる。

　課題をさらに進めるためには，課題に関わるいろいろな問題に関する情報の探索および提示，意見の探索および提示を行っていかねばならない。集団がその課題を遂行する際に求める情報や意見というのは，しばしば解決の質にとって決定的な意味を持つ。情報および意見探索機能に十分な時間が与えられているかを集団が独力で査定するのを，コンサルタントは援助すべきである。また探索と提示，情報と意見をきちんと区別するのも大切である。十分な情報探索と情報提示が行われる前に，多くのメンバーが意見を出しすぎるために，集団が困難な状況に立たされることが良くある。こうなると有意義な話し合いというよりも実りのない討論会になってしまう。コンサルタントは問題解決にはどの情報が必要とされるかを問いただすことによって集団を援助できる。

明確化と精緻化は，集団内で非常に重要な機能であり，これによってコミュニケーションが適切であるかどうかを検証し，他人のアイディアをもとにしてもっと創造的で複雑なアイディアを構築することができる。そのような段階を踏まないと，集団はそれ独自の力を本当には発揮しないのである。コンサルタントができる最も一般的で強力な介入は，内容を明確化するような質問を行うことや，メンバーにそのアイディアのいくつかを詳しく語ってもらうことで自分が聞いたことを確認することである。

　要約は，集団の規模や討論時間などのためにせっかくのアイディアが葬り去られることのないようにする重要な機能である。効果的な要約では，集団がすでに討議してきた点をざっと述べ，これまで述べられてきたさまざまな異なるアイディアをもらさないようにしている。その結果，意思決定の時になれば，集団は十分な情報を持って取り組めるのである。委員会や作業部会，経営者会議でよく目にすることだが，彼らは順番に，一度に1つずつ意見を処理していく傾向がある。討論全体を見渡してそこから何かを得ていくということは決してない。欠けているのは，要約機能である。グループが話し合っている際に記録係を置いて，彼に出てきた意見を黒板に書きとめさせることでこの機能は果たされる。こうすればいつでもメンバーは要約を目にすることができる。または，グループのメンバーやコンサルタントが，時折耳にしたことを簡単にかいつまんで述べ，暫定的な一般論を導き出して，それをもとにグループが検討をするようにさせることもできる。

　最後になるが，決定すべきときが近づいているか，あるいはまだ話し合うべきであるかといったことを定期的にチェックする人が集団には必要である。合意の確認は，「そろそろ決定してもよいか？」という簡単な問いかけの場合もあれば，「これまで3つの代替案が出されたがその中で2番目の案に傾きつつあるがどうであろうか？」といった要約である場合もある。グループの討議を前進させる上でこの機能がうまく作用するかどうかは，よいタイミングをはかってチェックをするという，その人の感性によるところが大いにあるが，逆にチェックのタイミングが悪くても，それはグループにはまだ話し合うべきことが残っていると知らせることになるという点で有効である。

　以上のような，課題達成という広い枠組の中で，とくに問題解決の局面に

焦点を絞った2つ目の簡略化したモデルを考えてみることができる。大半のミーティングにはその目的，機能，解決しようとしている特別な問題などが存在するのである。

集団の問題解決と意思決定

　プロセスとしての問題解決については，多くの議論がなされてきたがほとんどが理解されていない。以下に提示したこのプロセスの簡略化したモデルはわれわれの専門分野での文献でお目にかかる多くのモデルとよく似ており，観察や分析に特に適しているためこれを選んだ。私がこれから述べ，分析しようとしている局面や段階はどのような種類の問題解決プロセスにも適応可能である。たとえば経営者個人の頭の中で起きた事であろうと，2人の間で起こる問題，大きな委員会，組織全体などにも応用できるものである。図8.1に示す基本的モデルは，Richard Wallen が感受性訓練プログラム用として独自に開発したモデルを修正，改善したものである。

　モデルには2つの基本的活動サイクルがある。1つは決定や行為に先立つものであり，もう1つは行為への決定がなされたあとに関するものである。第一サイクルは3つの段階からなる。(1)問題の明確化，(2)行為のための提案作り，(3)提案された解決方法の結果を予測，または提案された解決法をテストし，行為に移る前に概念的に評価すること

　何をすべきかを集団が正式に決定すると第一サイクルは終了する。第二のサイクルは次の3つからなる。(4)行為計画，(5)各行為段階，(6)各行為段階の結果の評価，ただしこれにより問題が再定義され第一サイクルへ戻ることもしばしばである。トータルなプロセスの流れをこのように何段階かに分けるのは，問題解決に失敗したとき，それはたいていある段階での処置を誤るか，あるいはどこかの段階を飛ばしてしまったためであるからだ。

　どの段階にも共通する特徴的な落し穴がある。コンサルタントはこれらの落し穴に気づくことによって，いつ，どこで介入をしたらよいかを判断する際の助けとなる。われわれの対象がクライアントと2人だけの関係，つまりある1人のクライアントと私が関係を築こうとしている場合であろうと，あるいは組織であるクライアントについてよく知るための一環として依頼され

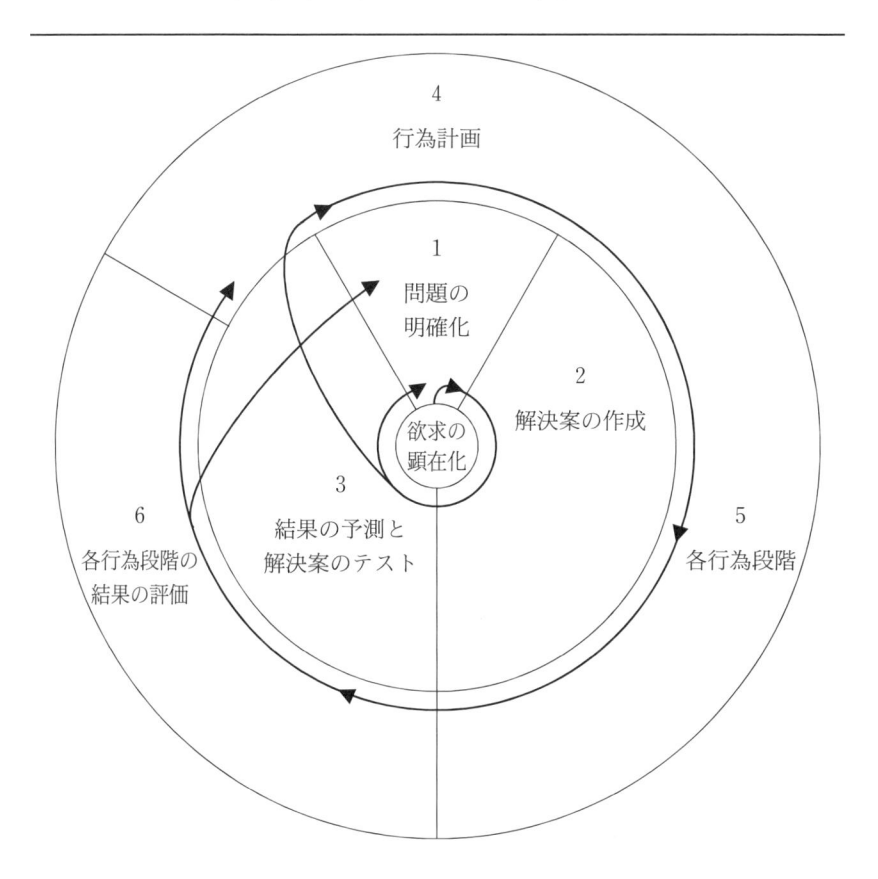

図8.1 問題解決の段階モデル

（図中ラベル：1 問題の明確化／2 解決案の作成／3 結果の予測と解決案のテスト／4 行為計画／5 各行為段階／6 各行為段階の結果の評価／中心：欲求の顕在化）

出席している作業部会の会合であろうとも，そこには明確に，あるいは曖昧に定義されている仕事（タスク）や解決すべき問題，決定を要する事柄，管理を要する時間や労力といったものが存在する。それでは集団はどうやって問題に取り組み，解決を図るべきであろうか？

第一サイクル：為すべきことの決定

1．問題の明確化

　問題解決において最も難しい局面は問題を定義することである。難しくしている要因は，1つには兆候と問題と混同している点にある。マネージャー

（管理者）は誰かが問題を持ちこんできた時，あるいは何かがあるべき状態にないのを発見した時に，問題解決プロセスをスタートさせる。売上が落ち込んでいる，配達スケジュールが間に合わない，電話でお客が苦情を言っている，生産ラインがストップしている，有能な部下が辞めそうだ，店が火事になっている，などの場合である。学習と変化の一般理論で言えばこれはディスコンファーメーション（disconfirmation）にあたると考えられる。予想外の，望ましくない出来事が起こっているのである。

　しかし，これらはいずれも取り組まねばならない「問題」ではない。むしろそれらは取り除かれるべき兆候なのである。マネージャー（管理者）は問題の解決にとりかかる前にその兆候の原因を確認しなければならない。しかし，この作業はより深い分析を必要とするため難しいことがよくある。これはたった1つの「根源的な原因」から生ずるのではなく，たいていいくつもの原因が複雑に絡み合っていて，アクセスできるか，変革できるかさえもわからないような状態なのである。たとえば，マネージャーであるX氏は主だった部下を集め，売上げ減少の「問題」について膝を交えて話し合った。もしX氏がこれまでに生じた出来事に注意を払わないならば，すぐにも宣伝を増やすための予算枠を設けるか，あるいは現場に更に10人以上の販売員を送り込むかといったような議論に展開していくだろう。しかしながら，彼はこの問題をはっきりと捉えているのだろうか？多様な状況要因のどれによってこの販売減少がもたらされたのか，またそれらがどのように影響を及ぼしあっているのかということを確認することさえしたのだろうか？

　売上げ減少には多くの原因があろう。売上げの予測が外れたのかもしれないし，－それは現場の責任ではなくマーケット部門の責任ということになる。－市場に突然新たな競争相手が参入したのかもしれない，製品の質が落ちたのかもしれない，主力である2人の販売員が競争相手に引き抜かれたのかもしれない，あるいは消費者の好みが変化したせいかもしれない。事前の診断－それには時間と労力がかかるものだが－なしではマネージャー（管理者）は，実際に何をなすべき分からないであろう。コンサルタントはしばしばこうした状況で大事な役割を演ずることができる。というのも，コンサルタントはマネージャー（管理者）が置かれているような時間的制約による

圧力をそれほど気にせずにすむ立場にあるからである。そしてそれゆえ，理由付けの不足や誤診に気づきやすいからである。コンサルタントの役割は，そのグループがゆっくりと事を運ぶようにし，討論よりも対話に時間をかける（第10章参照）ようにし，問題の定義を間違えたまま急ぎ対処しようとしているかもしれない事に気づかせ，本当に問題となることは何かを見極めるために費やされた始めの時間は，時間と労力をそれほど浪費せずにすんであとで十分に償われるものだということを集団に理解させることである。

　対人関係を含む問題はとくに診断が難しい。マネージャー（管理者）は部下にやる気を出させたり，他の部門との調整をはかったり，自分の上司に対して影響力を行使したり，数人の人々の努力をまとめあげたり，「変化への抵抗」を除去することなどで，「問題」を抱えていると主張する。こうした「問題」は普通，欲求不満や緊張として感じられるが，マネージャーは自分を欲求不満にさせるもの，緊張させるものが何であるかを少しも理解していない。彼は何かがうまくいっていないことは分かっているが，問題が何であるか，彼が何をすべきかについては理解していないのである。

　このような場合における最も促進的な介入は，探求的な質問（第3章を参照）をすることで，クライアントが欲求不満の原因となることをできるだけ具体的に提示できるように助けてやることである。コンサルタントは次のように尋ねることができる。「あなたがこの問題を経験した1番最近の出来事はいつですか。何が起こっていましたか？この問題を経験した他の事例を教えていただけませんか？」幾つかの事例が述べられたあとで，はじめてコンサルタントは診断のための質問にとりかかり，考えられる原因が何かを一緒に探すためである。事例を詳しく注意してたどっていき，現実にどんな出来事が欲求不満を引き起こしていたかを探り当てようとすることで，多くの場合，集団が本当の問題をはっきりさせるのをコンサルタントは手助けすることができる。具体的な出来事を十分な量集めて，そこから問題と思われることを一般化できるようにするのが肝要である。それから，それらを結びつけているパターンを探すのである。

　このプロセスは，図8.2に示されているように，どんな問題の明確化にも欠かせないものであるが，最もとばされやすいプロセスである。その結果，

不正確な診断であるかもしれないことに則って，不十分なまま問題の解決が図られてしまう。この売上げ減少の例では，集団は，売上げ減少の出来事がいつ，どこで生じたかを正確，かつ注意深く再現し，その後で，これらの事例に何が共通して見られるかをつきとめ，つきとめられたさまざまな要因がどのように互いに関係しあっているかを明確にすべきである。ある種の系統図を使うと，非常にやりやすいかもしれない。特に問題を解決しようと思うものに，原因となる要因の関連性について考えるよう仕向けるような図は最適である (Senge, 1990; Senge *et al.*, 1994)。

2. 解決案の作成

ひとたび問題が適切に明確化されると，集団は問題を解決したり状況を改善するような提案や行為の代替案の作成にとりかかることができる。この段階で最も陥りやすい落し穴は，提案（アイディア）が一度に1つだけしか評価されず，対話の形式で話し合いを進めるのではなく，良いか悪いかの討論へとわき道にそれてしまうことである。そのような事態に陥ると，集団はすべての解決案を見たうえで，問題について展望することができなくなるのである。

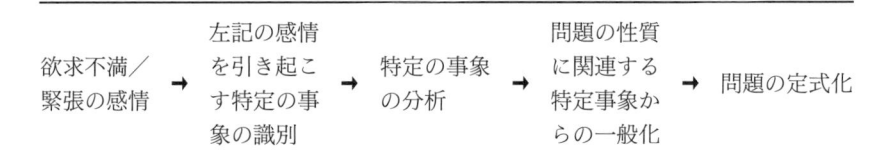

欲求不満／緊張の感情	→	左記の感情を引き起こす特定の事象の識別	→	特定の事象の分析	→	問題の性質に関連する特定事象からの一般化	→	問題の定式化

図8.2 当初に問題を明確化しておくのに不可欠な諸段階

コンサルタントはここで早すぎる評価のまねく結果について指摘することができる。すなわち集団が正しい観点から提案を判断する十分な機会が与えられないのである。というのも他の提案と比較することができないからであり，評価を急ぎすぎてしまうと，提案されたアイディアとそれを提案した人までも脅かす結果となってしまうからである。そして，アイディアを早い段階で却下された人は今後アイディアを出そうという気にならなくなるかもしれない。集団は一種のブレーンストーミング―つまり，一切評価を行わない

で，たくさんのアイディアを出させて全てを集団に提示すること－で，この段階をスタートさせるよう努めるべきであろう。ブレーンストーミングは，この時点で不可欠な創造性を刺激（誘発）するために，アイディアが出されている間はいかなる評価もしてはいけないというルールに基づいている。そしてアイディアが客観的に捉えられるよう，アイディアとその提案者は別物と捉えられるべきである。私はこの状況においては，フリップチャート（flipchart）を用いることがよくある。そして，それにアイディアを書き記すよう提言している。それによって「われわれがここで話し合うべきアイディアは他にありますか？」と言いやすくなるのである。

　集団内でひととおりアイディアが出尽くしたら，次は明らかに実効性がないようなアイディアをまず削除し，有効でありそうな２つ，３つのアイディアについて見ていく。コンサルタントはこの時点では，体系的思考を奨励すべきである。出されたさまざまなアイディアがお互いにどのように影響し合い，関わりあっているかを調べるよう仕向けていくのである。コンサルタントはまた，ただ単にたくさんのアイディアを出すことによって，それらを選り分け，どれを採用するかを決める仕事が容易に，短時間でできると保証されるわけでは決してないという事実を集団に警告しておかねばならない。私の経験では，ブレーンストーミングを行う集団は，出されたアイディアを評価するのに十分な時間を取れないことがよくある。

３．結果の予測と解決案のテスト

　問題解決のためにたくさんのアイディアが提案されると次は，ある解決法を採択した場合の結果を予測し，その結果を評価することが必要である。このプロセスはかなり難しい。というのも，評価するときに使うべき基準が明確ではなく，またどの基準を使うべきかで同意がなされないからである。その基準は次のようである。

　　(1)　個人の経験
　　(2)　専門家の意見
　　(3)　既存のデータや情報の検証
　　(4)　計画的なテストやリサーチ

個人の経験や専門家の意見は最も頼りにしやすいが，最も有効でないことが多い。調査，フォーカス・グループ，インタビューやその他のリサーチ・プロセスは有効ではあるが時間と経費がかかりすぎる。この時点におけるコンサルタントの主な役割の1つは，いくつもの選択肢を提供し，テストしようとしている解決案に対する有効性を確認する方法を正しく当てはめるよう集団に働きかけることである。

　たとえば，もし2つの製品のうちどちらを採用するか決めようとしている集団なら，いくつかのマーケット・リサーチとテスト・マーケティングをするべきであろう。余剰資金を資本拡大にまわすか，投資計画につぎ込むかを決めようとしている集団なら財務の専門家のアドバイスを受けるべきであろう。新しい組織運営方法への変更に異論を唱える人々をどのように説得するかを考えているなら，フォーカス・グループを設置し，そこに将来の関係者となるべき人たちも加え，彼らがどのように反応するかについて知識を得るべきだ。しかし，どの提案が評価される場合でも，集団は有効性を確認する方法としてはたった1つのやり方しか取らないことが多すぎ，またその唯一の方法すら，何らかの正式な調査というよりも誰かの個人的経験に基づいていることが多すぎるのである。

　問題解決の各段階で，問題を再定式化しなければならないような新たな側面が議論の過程で明らかになることがある。たとえば，新しい広告キャンペーンが必要だという案を検証するため，現況を調査してみたら，今の広告キャンペーンは全く申し分なかったことが明らかになる場合がある。こうした発見から，当初「消費者需要鈍化傾向」として問題を明確化したことが正しかったのかという疑問が生じる。コンサルタントは，このような還流──つまり最初に明確化し，アイディアを出し合い，それをテストすることを通じてその問題の明確化を再度やり直すようになること──がたとえ時間がかかり始めは効果がないように思えても，とても健全なやり方であることに集団が気づくよう援助すべきである。たいていの場合グループが経験を積んで自らの問題解決のサイクルを悟るようになるまでは，コンサルタントが安心感を与える必要がある。問題の明確化を絶えず繰り返しているのは，時間の浪費に過ぎないと考える傾向があるからだ。

第8章　促進的なプロセス介入：集団における課題プロセス　　**215**

　集団が意思決定をし，行動実施に向けて動き出すとサイクル1の役割は終了する。その決定はより多くの情報を集めることであるかもしれないが，グループ・ミーティングの範囲を越えて，代替案を考える以上のことが求められる。そこで次の問題は，集団がどうやって実際に決定をするのか，決定プロセスは集団が決定を下している決定の種類にどの程度よく合致しているのかということになる。数多くの選択肢が考えられる。

集団の意思決定の方法

　問題解決プロセスのどんな段階のなかにも意思決定は含まれるが，それがよく目に付くのはサイクル1からサイクル2へ移るときである。つまり問題解決担当部署がある提案を実行してみることにしたり，解決のためにある特定の提案を採用しようと決める前にもっと多くの情報を集めることにする時などである。このステップに先だって，集団は次のことを決定しなければならない。たとえばいつ，どこで会議を開くか，会議をどのように組織するか，時間をどう配分するか，議論を進める際にどんな手続きやルールが必要か，（たとえば，議長が必要かどうか，「議事運営規則」に従うか否かなど）あるいは，問題が十分明確化されアイディアを出していくことにとりかかれるようになった時をどのように判断するのかなどである。集団のメンバーは自分たちがたくさんのプロセスに関する決定を下していること，そしてそれらによって，集団の雰囲気や問題解決の質が決まってくるという本当の結果がもたらされていることに気づいていない場合が大半である。それゆえコンサルタントは，以下で述べる選択肢を並べて見せるような「教育的な介入」を行って，使用可能な意思決定メカニズムが数多くあることに注意を向けさせる用意を整えていなければならない。[1]

　以下に列挙したさまざまな意思決定方法を検討する際には，ある1つの方法が他よりも勝っていると早急に判断しないことが大切である。それぞれの方法には時に応じてふさわしい使いかたがあり，これから先の集団活動に対してそれぞれ別の効果を持っているのである。重要な点は，集団がこれらの

---

1) 「コンセンサスへぼとりと落とす」の枠組は1950年代の初めにNTLワークショップでRobert Blake他によって初めて展開された。

それぞれが持つ効果について十分に理解し，残された時間，集団のこれまでのいきさつ，取り組むべき仕事の種類，集団が作り上げたいと思うような雰囲気に適切である意思決定の方法を選択できるようになることである。

1．反応がない場合の決定（ぽとりと落とす）

　最も一般的ではあるが最も見えにくい集団の意思決定の方法は，誰かがあるアイディアを出し，他の人がそれについて何かいう前に別の誰かがまったく別のアイディアを出し，1つの行動案が見つかるまでこうしたことが続けられる場合である。無視されたアイディアはどれも，本当の意味で言えば，集団による決定がなされているのである。だが，その決定は単にそれらを支援しないという共通の決定であった。提案者は自分が提案したことは「ぽとりと捨て去られた」と感じることになる。たいがい集団のミーティングルームの床はたくさんのぽとりと捨てられた案で覆われている。この方法の背後にある暗黙の前提は「沈黙は同意されないことを意味する」ということに気づいてほしい。

2．公式的な権威による決定

　集団の多くは，権威構造を設定していたり，あるいは権威構造が最初にあってそこから集団ができあがっているが，その権威構造によって議長や他の権威ある人の手によって決定が下されるということが明確にされている。集団はアイディアを出し合い，自由に討論することができるが，いついかなる時でも議長は討論を聞いて，このように決定すると言うことができる。この方法はとても効率的である。ただし効果的であるかどうかは，議長が十分にメンバーの言うことに耳を傾け，自分の決定のよりどころとなる正しい情報を選択したかどうかにかかっている。

　さらに，もし集団が次の段階に移行しなければならないとき，あるいは決定を実行しなければならないとき，この上意下達式による決定方法ではグループの関与が最小限となってしまう。そのため，決定事項の実施の際の潜在的特質を傷つけてしまうことになる。私はよく会合に出席して，議長が数分間討論を聞いた後何らかの決定を下す場面に立ち会っているが，その結果最

終的に取られる行動が議長の望んでいたものとはいささか異なるものになっていたこともあった。あとで振り返ってみるに，その集団は決定を誤解していたか，あるいは最初からその決定に同意していなかったために，それを効果的に実行することが不可能であったり，やる気がなかったりしたのである。

3．自己権威化，あるいは少数派による決定

　集団のメンバーによくみられる不満の1つは，ある決定に関して「強引に通過されてしまった」と感じていることがある。ふつう，こうした感情は2，3人が行動を起こすために戦術を使った結果生じている。それゆえ決定事項とみなさねばならなくなってはいるが，多数の同意を得ないまま決定されたのである。この場合の暗黙の前提は，「沈黙は同意とみなされる」というものである。

　少数による支配の1つのかたちは"自己権威化"である。自己権威化とは，あるメンバーが何をすべきかについて1つの提案をしたとき，他のいかなる提案もなされず，それを否定するようなことは誰も言わず，それゆえ提案されたことを集団が行うような場合をさす。こうしてなされる決定として最も知られているのは，Jerry Harvey が Abilene の逆説（Abilene Paradox, 1974）と呼んだものである。Abilene の逆説とは，Jerry Harvey 自身の体験によるもので，乗り気ではないまま家族で Abilene までお昼を食べに出かけるが，後になって誰もいきたくなかったということが判明したという話である。1人が1つの可能性としてそれを提案した時，他の人たちは誰も何も言わなかった。最初に発言した人も他の人も皆，沈黙は同意を示すという前提に立っていたのである。

　私の経験でも，このような形態で決定されることが最もよく見られるが，集団がそれによって事を進めるプロセスを選ぶ際には，最も危険でふさわしくないやり方である。誰かが「議事運営規則に従ってミーティングを進めよう」といい，他の人はこれに反対ではあるが口に出して異を唱えない場合，その集団は誰も望まない方法を使ってことを進めてしまう。また，誰かが「多数決でよろしいですか？」といい，これに誰も異を唱えない場合，8対7で決定を下し，実行がうまくいかない事態になったりする。ミーティング

の席で自己権威化した人からの提案があったときには，コンサルタントが「皆さんはこの意見に賛成ですか？これは私たちが望むことですか？」と問うことが重要である。

　ある人，特にその人が招集者的立場にあれば，反対者が議論を積み上げる機会も与えずに強引に決定を下すことができる。彼は言う。「ここでやるべきことは，われわれ皆がどういう立場であるかを確認するために，その問題に関する自分たちの考えを出し合ってもらうことだと思う。私の意見としては……」彼は自分の意見を言い終わると，右隣の人に向かって「Joan，君はどう思うかね？」と聞く。Joan が話し終わると彼は次の人を指名する。こうして，グループは本格的に話し合いを始める。だが，その仕事をどのように進めていくかについては，招集者自身の権威に基づいて事実上の決定が行われてしまっているのである。別の，似たような戦略は次のように言うことである。「さて，われわれはみんな同意しているようだから，John 君のアイディアでいこうじゃないか？」注意深く観察していた者は，賛同の意見を述べたのは，John と議長ともう1人ぐらいであったと気づいていたかもしれない。他の人たちは沈黙していた。もし初めに発言した人に，「みんなが同意しているとどうやって結論付けたのですか？」と問えば，彼は次のように言うだろう。「沈黙しているのは同意していることではないですか？反対意見を言うチャンスは，みんなにあったのですから。」もし誰かがあとで，この集団のメンバーにインタビューしたら，実際は過半数の人が John のアイディアに反対だったとわかる場合がある。お互いに黙っている他の人々はみんな同意しているのだと思い，発言するのをためらってしまったのだ。彼らもまた「沈黙は同意を表す」という落とし穴にはまってしまっていた。

　おそらく少数支配の最もよく見かけられる形態は，2，3人のメンバーがある行動案に対してすばやく，強力に同意に達し，「反対意見はありますか？」と集団に問いかけ，2秒以内に意見が上がらなければ「それでは先へ行きましょう。」と議題を進めるやりかたである。ここでも落とし穴は「沈黙は同意を表す」という前提であり，それは発言者の側にも，少数の反対者になってしまうことを恐れる反対者の側にも見られる。集団がこの方法をとるとき，そこには「多数者の無知（pluralistic ignorance）」という条件が存

第8章　促進的なプロセス介入：集団における課題プロセス　219

在することになる。つまり，みんながメンバーの意見に関して実は誤りであるが，誰もそれを確かめていないある想定を持っているわけだ。あるいは，極端な場合には，われわれが「グループの考え（group　think）」（Janis, 1982）を持ってしまうこともある。この場合，みんなが賛成しているという想定のもと決定がなされるが，かなりの数の少数派（あるいは過半数を超える場合さえある）が，反対しているながら黙ったままでいる可能性がある。

　コンサルタントはこうした意思決定の方法に対して重要な役割を果たす。というのも，主として集団のメンバーは，最初からそれらが意思決定の方法であると気がついたり，そのように捉えたりしていないからだ。しかしながら，非常に多くの集団による決定事項，とりわけ集団の活動手続き，秩序のルールなどの重要な問題に関する決定が，このようなむしろ性急なやり方で行われているのである。そのような進め方に対して集団のあるメンバーが「われわれは本当に同意していない。」と言えば，それはしばしば議事を妨害するものとみなされる。こうして，各メンバーには沈黙を守らせるような強力な圧力がかかり，結果として同意していなくても成り行きに任せてしまうことになるのである。

　コンサルタントは最初に，なされた決定と決定を下すためにとられた方法について意識を向けるよう集団に働きかけなければならない。それから，とられている方法が状況にふさわしいと感じるかどうかを，集団に評価させなければならない。例えば，議長が強引に決定をしたとその集団が一致して思っていたとしても，時間が不足しており，もっと重要な議題に進むためにその決定をすばやく下す必要があった場合などは，この方法がその場に適していたと思うだろう。他方，順番に各人の意見を自分の立場から述べていく方法だと形式的になってしまい，先に出されたアイディアをさらに創造的に膨らませていくことができにくくなるという結論に達するかもしれない。そうしてその集団はアイディアを生み出すための別の方法を考えたいと思うかもしれない。重要なことは，このようなプロセスに関する討議を保証し，集団のメンバーがコンサルタントの話していることを理解できない場合に備えてある程度の所見を用意しておくことである。

4．多数決による意思決定：（採決と／または投票）

　次にもっと身近な意思決定の手続きについて考えてみよう。それは政治システムに反映されているためどんな集団にでも適応できると当然のように思われている。単純なひとつの方法は，しばらく討論を続けたあとメンバーそれぞれの意見を問うこと（poll）である。そして過半数が同じように考えるならそれは決定とみなされる。もう１つの方法は，動議を提出するというもっと形式的なやり方である。２番目の意見をおすか，ただ単にはっきりとした代替案を述べ，それについて賛成か，反対か，あるいは棄権かを投票で決める（vote）ように求めるのである。

　この方法は表面的には全く健全であるように見える。しかし驚くべきことに，この方法でなされた決定は，それを決定した集団でさえうまく実行することができないのである。一体何が悪いのだろうか？もし，集団にそのプロセスについて議論させたり，少数派であったメンバーにインタビューできるなら，そこには効果的に実行することを妨げる３つの心理的な壁があることが分かるだろう。：(1)少数のメンバーは"多数決"という暗黙の了解を適用することに同意を示してはいない，がそれに異を唱えることができないと感じている。(2)少数のメンバーは彼らが自分たちの見解を本当に伝えるのに十分な時間をかけて議論してもらえなかったとしばしば感じている。(3)少数のメンバーは投票という意思決定のプロセスによってグループ内に２つの陣営が作られているとしばしば感じている。そして，これらの陣営が今や勝ち負けを争っているのである。彼らのグループは第１ラウンドでは負けてしまったが，それはグループを再編成し，支援者を募るまでの時間の問題であり，次の投票の機会が生じた時には勝つと考えている。

　言葉を変えれば，投票によって，結託する事態が生じ，投票で敗れたグループは，多くの人が望むことをどうやって実行するかということではなく，次の戦い（投票）でどうやって勝ちをおさめるかということに夢中になる。意思決定に際して投票という方法がとられるなら，その集団のメンバーが討論の場での時流に遅れてしまったと感じたり，多数の決定には従わなければならないと感じるような雰囲気が作り出されることを知らなければならない。コンサルタントの大事な役割は，それぞれの方法の欠点を集団メンバーに知

らしめ，その集団にふさわしい意思決定プロセスを選択できるよう，集団の雰囲気について十分に議論させることである。

5．コンセンサス（総意）による決定

　集団の意思決定において，最も効果的ではあるが最も時間のかかる方法の1つは，コンセンサス（総意）を得ることである。あとで定義はするが，コンセンサスは満場一致とは異なる。コンセンサスとはむしろ，コミュニケーションが自由になされ，集団の雰囲気が十分に支持的で，集団のすべてのメンバーが意思決定に影響を与えるチャンスが公平にあったと思えるような状態のことなのである。そして，誰かが「その会議での判断」を確かめるが，投票のような公式的手続きを避けるように注意する。各人の意見を問うこと（polling）もコンセンサスに達するのに効果的である場合があるが，単に多数の意見に従うのではなく，より多くの同意を求めるのだという原則を集団が受け入れていることが条件である。

　多くのメンバーが賛成するはっきりとした代替案があるなら，そしてそれに反対する人にも決定に影響を与えるようなチャンスがあったと思えるなら，そこにコンセンサスは存在する。コンセンサスというのは運営上次のように定義されるであろう。大多数の人が賛同する代替案に同意しないメンバーでもその案を理解し，支持する用意さえあるという事実が存在することである。コンセンサスとは確認されねばならない心理的状態のことである。また，次のように述べることもできるであろう。「あなた方の多くが何をしたいか，私には分かる。私は個人的にはそうしたくはないが，私の代替案がどんなものであるかも，あなた方は分かってくださっていると思う。私は自分の見解をあなた方に支持してもらうよう働きかける機会が十分にあったが，明らかにそうすることはできなかった。それゆえ，私はあなた方の多くがやりたいことに従うし，それを実行することに最善を尽くしたい。」

　そのような状態にいきつくためには，メンバーの誰もが反対意見を述べることができ，その意見が他の人に本当に理解されたと感ずるまで説明ができる十分な時間が用意されなければならない。その後彼らが，もしも自分たちの思っていることを本当に他の人々が理解してくれさえしたなら自分たちの

見解を伝えることができたのに，という偏見を持たないでいるためには，この条件は不可欠である。反対意見を注意深く聞くことによってのみそのような感情を未然に防ぎ，有効な決定が下せるのである。

　コンサルタントは，どのような決定がコンセンサスによってなされるべきか，つまりどのような決断が，そのような努力を払うだけの価値が十分にあるほど重要であるのかを集団が決めるのを助けることができる。1つの指針としてコンサルタントが挙げるとすれば，それは手順に関する決定である。つまり，集団がどのように働くかに関わることであり，全ての人が受け入れることが最も重要である決定だ。それゆえ，こうしたことはコンセンサスによって決められるべきであろう。集団は議長に絶対的な権威を与えることを決定するかもしれない。あるいは，非公式な議論をしようと決めるかもしれない。また，アイディアを出し合うブレーンストーミングという方法をとるかもしれない。しかしどのように決定されようと，すべての人に全く明快であるべきで，誤解されているという未解決の感情が残っていたり，集団の手続きを妨害したいという気持ちになったりしないようにすべきだ。

6．満場一致による決定

　論理的には完璧であるが実現の可能性がほとんどない決定方法は，採択されるべき行動案についてすべての人が本当の意味で同意している場合である。ある種の大事な決定について満場一致が求められるのは必要であるかもしれないが，たいていの重要な問題については，もしそれが本当の意味でのコンセンサスであるなら，それで十分である。ここではコンサルタントは，集団が自らに対してあまりにも高い基準を設置している場合があることを指摘することで，集団をサポートできる。満場一致が常に必要なわけではなく，意思決定方法としては極めて非能率的方法であると言える。重要なことは，どのような仕事に対して，またはどのような状況に対してどのような方法を用いるかに関して皆が同意するための時間を取るということだ。

　最後になるが，意思決定の方法については主催者や議長によって単に伝えられることがよくある。もしこのような状況なら，コンサルタントは，集団がその使用されている方法で良いと思っているのかを確認しようとしなけれ

ばならない。そしてもし不満があるなら，意思決定をどう行うかを集団である程度議論することを議長が認めるかどうかの問題を議長に提起するべきであろう。私の経験では，主催者はそのような議論をすることに脅威を感じるようである。というのも，彼らは集団をコントロールできなくなり，結果として無秩序と混乱が起こることを恐れるからである。彼らを安心させるひとつの方法は，他の意思決定の方法をとるからと言って無秩序なコミュニケーション・プロセスを引き起こすとは限らないことを指摘することである。もしコンサルタントが実行可能な代替案をいくつか持っているなら，議長に対してそれぞれの方法をとってみて，自分で結論を導き出すように仕向けることができる。

第二サイクル：行為，評価，および再定式化

　サイクル1の全ては，ディスカッションにおいて生じる各段階に関係しているが，集団がアイディアを評価するためにデータをさらに収集することに決めない限り，行為に関わりを持つことはない。提案されたある解決法に集団内でコンセンサスが得られ，それを実施に移すと決定したとき，サイクル2，つまり行為のサイクルへと進む。行為の決定は図には示されていないが，サイクル1からサイクル2へと境界を越えて移行することで表されている。解決のために出された提案やアイディアについて決定がなされても，問題解決のプロセスは終わったとは言いがたい。集団は依然として行為の詳細について計画し，行為を起こし，その行為が問題を解決しているかどうか決める方法を考えなければならない。この最後の段階は行為を起こす前に考えておかねばならない。「われわれの行為が望ましい結果をもたらしているかどうかを決めるためにはどんな情報に注目すべきであろうか？」

　これらのどんな段階においてもまた，問題が正しく明確化されておらず，再度新たに明確化を行うためにサイクル1に戻る必要があると集団が気づく可能性がある。そして，もちろんアイディアを提案したり検証したりも再度行わねばならない。そのような還流は極めて望ましいことであり，時間の浪費と考えてはいけない。間違ったまま取り組んで，費用のかかる行為を起こした後になって初めてその過ちに気づくほうが，問題を正しく定義すべく初

めのうちに大きな努力を払うよりも，はるかに高くつくのである。

4. & 5. 行為の実施

行為計画の段階は，それ自身問題の明確化，アイディアの提出，および検証が必要とされる新しい問題として扱われ得る。もしこれらのサブステージ（下位段階）を省略したり，敬遠したりすれば，すばらしい提案も不十分なまま実施されることになるかもしれない。そうすると，集団は，その提案に欠陥があったと誤って結論付けるだろう。行為計画が不十分だったのが原因であると気づくこともないのだ。ここでもまた，コンサルタントの重要な役割は集団のペースをダウンさせ，行為に飛び移る前に注意深く計画することを勧めることであろう。

この段階での大きな落とし穴の1つは，ある特定の行為にある特定のメンバーを割り当てて責任の所在をはっきりさせるということをしないことである。私は多くのミーティングに同席してきたが，結論が出て，ミーティングは終了したが，その後何も起こらなかったということが多くあった。他の誰かが何かをやるのだろうとみんなが思っていたからだ。ある行為に対して責任の所在を明らかにすることは，行為が実施されることを確実にするだけでなく，その決定を検証する機会を提供することにもなる。責任を持って実行することで，これまで考慮されてこなかった決定に関する疑問を生じるかもしれないからだ。

この第二サイクル全体が誰か他の人や集団に委任されることがある。たとえば，当初の問題解決グループは「われわれの広告キャンペーンを強化しよう。」と決定する。一度この決定がなされると，そのグループはある製品について宣伝を強化するよう広告部門に指令を出す。そのグループは一段落し，売上高に注目することになる。このやりかたは正しいだろうか？多くの場合答えは「ノー！」である。なぜなら別の人がサイクル2に関わる場合，彼らはサイクル1の人やグループが出した提案や解決法をきちんと理解していないかもしれないし，とりわけ熱心に取り組むわけでもない可能性がある。彼らは問題を明確にするために意見を戦わしてもいないし，今彼らに思う浮かぶかもしれない他の案がなぜ受け入れられなかったかの理由を知る機会もな

かった。彼らに与えられた提案は実施に移すには不明瞭過ぎると感ずるかもしれない。

　同じように問題が多いのは，経営者グループが問題の明確化（サイクル1）をタスク・フォースやコンサルティング組織に委託し，診断や提案を書いた書類を待つだけの場合である。発案した経営者グループが問題の明確化（サイクル1）に参加せず，特別委員会の方も行為の実施（サイクル2）までを深く考えなかった場合は，十中八九，経営者グループはその提案が気に入らないだろうし，それを棚上げする言い訳を考えるだろう。このような問題を考慮すれば，サイクル1とサイクル2のメンバー同士が必ずかなりの割合で混ざり合う（少なくとも話し合う）ようにするのが望ましい。理想はもちろん，彼らが問題解決の同じ一団であることだが，それが不可能なら，サイクル1のグループは，暫定局面を設けて，両グループが断絶してしまわないうちにサイクル2のグループが提案を完全に受け入れる用意が整うようにさせるべきだ。こうするための1つの方法は，できるだけ早い段階で実施者側を問題解決プロセスへ参加させることである。あるいは少なくともこの実施者を交えて，サイクル1のグループがある解決案を採用するに至るまでのすべての行程を完璧におさらいすることである。

　そのようなおさらいをするにあたって大事なプロセスは，できるだけたくさんの質問をしてもらうことによって，実施者グループが完全に満足するようにすることである。例えば今の案よりも良く思える他の選択肢が採択されなかった理由に関する質問等はどんどんしてもらわねばならない。彼らは満足すべき答えを与えられるべきである。あるいはサイクル1のグループは，実施グループが提案した追加の代替案を持ち帰り，検討すべきなのである。ここでのコンサルタントの役割は，複雑な行為案を実施者に伝えることがどんなに難しいか，しかも，2つの集団のコミュニケーションが崩壊する前の防護策を施すためとして，問題解決プロセスの十分早い時期にこれらのことを確実に理解してもらうのがどれだけ難しいことであるかを集団に理解させることである。

6．結果の評価

適切な評価を得るためには，集団は以下の点についてコンセンサスを得ていなければならない。(1)評価の基準，(2)日程，いつその結果が最初に出ると期待されているのか，(3)評価された情報を持ち帰って報告するのは誰の責任か。一度結果が出されたなら，集団は別の解決案を慌てて探すのではなく，サイクル1に立ち戻って，問題を再度明確化する努力ができるような心の準備を整えておくべきだ。集団は常に，自分たちが問題であると思っていることを再考する用意をしているべきであり，同時にコンサルタントも「あなた方はどのような問題に取り組んでいるのか？」という問いを絶えず投げかけなければならない。

問題解決と意思決定についての要約

問題解決は，2つのサイクルから構成されていると考えられる。1つは主に議論することであり，もう1つは主に行為することである。第一サイクルは，問題を識別し定式化すること，アイディアや提案を出すこと，およびその結果を予測しながらアイディアや提案を検証する各段階で構成される。この中で最も難しい段階は，本当の問題を識別し定式化する段階である。この段階では，問題を明確に認識するには追加の情報を集める努力をしなければならない場合がよくある。

第二サイクルには，行為計画，実行，および結果の評価が含まれる。行為計画はそれ自身が問題解決プロセスであり，そのように扱われるべきである。全サイクルの中で特に困難であるのは，第一サイクルと第二サイクルを担当する人が異なる場合，第一サイクルから第二サイクルへと移動するところである。決定を実行しなければならない人々はできるだけ早い段階から関わるようにするべきである。

意思決定プロセスそれ自体には以下のやり方が用いられる。

1．集団が反応しない場合
2．権威による決定
3．少数派による決定
4．多数決による決定

5．コンセンサスそして／あるいは
6．満場一致

　集団がこうしたさまざまな意思決定の方法を承知し，検討中の仕事や決定事項のタイプにあった方法を選択できるようになることが重要である。

介入の焦点を選ぶこと

　企業の基本職能の遂行や，問題解決プロセスを循環させるやり方，意思決定の方法などの諸課題は，集団が効果的に機能するかどうかに明らかに関係しているため，集団がそれらを観察し，運営していくようにコンサルタントが仕向けるのは難しいことではない。しかし，コンサルタントにとっての最大の難問の1つは，介入の焦点を選択することである。これまで述べてきた多くの範疇から1つの介入する焦点，つまりどのような行為に集団の注意を向けさせるかを選ぶことである。

　可能性のある事柄から選択するための3つの主な基準は以下の通りである。

1．集団の有効性に関連するプロセス問題に，コンサルタントがどの程度気づいているか。
2．プロセス問題に関するデータがどの程度十分に明確であるか。つまり，もしその問題に注意が向けられるならば，集団のメンバーもコンサルタントが気づいたのと同じことに気づく可能性が十分あるのかどうか。
3．介入することがただ単にプロセスを妨げるのではなく，プロセスを推し進めるのが促進されると，コンサルタントが考えることができるかどうか。

　はっきりと見えていないプロセス問題を曖昧に取り上げても，グループの学習を高めることにはならない。さらに，時間的制約がある中で，大事な決定を行わねばならない場合，プロセスがどのように働いているかに集団の注意を集めることは何の役にも立たない。コンサルタントは集団が主な課題として何を考えているかを理解し，その主要な課題に明らかに関係のある課題プロセスに介入の焦点を当てねばならない。この仕事をはじめたばかりの

頃，Action 社で働いていたが，そこでの私の経験はこの問題を例証している。

Action 社の常務会で非常に顕著な光景のひとつは，自分勝手な言い合いに，メンバーがどれほどのめりこんでいるかということだ。各メンバーは絶えず互いの話を遮り，激しい口論となることもよくあり，議論の本題から外れ，すでに決定したことは何であるかを明確にすることもせずに 1 つの議案から次へと移ってしまったりした。私は効果的な集団になるにはどうしたら良いかのメンタル・モデルを明確に持っていた。それは私の集団研究に関する知識と，10年間トレーナーとして働いた NTL（National Training Labs）での研修グループとの経験から得たものであった。そこで私は，専門的なコンサルタントの立場からまず介入する努力をしてみた。機会を見つけるたびに私は，互いに話を遮ることでどのような結果が生じるか考えてみなさいと集団に問いかけたものだ。妨害は「よくない」ことであり，集団の効果的な活動を邪魔してしまうという私の考えをはっきりと伝えていた。重要な内容のアイディアがどのようにして失われていき，潜在的に素晴らしいものを持つアイディアがどれだけ日の目を見ずに終わったかを指摘した。

集団はいつもそのとおりだと同意し，より良くしようと試みるが，10分もしないうちにもとのパターンに戻ってしまうのであった。この機能障害的な逆戻り現象についてよく考えてみた結果私は，明らかに私とは違ったやり方をしているグループに，私の理想モデルを押しつけていることに気づいた。このことは，この集団を動かしている共通の暗黙の想定をみてみると最もよく理解できる。私が別のところで詳しく述べている（Schein 1985, 1992）ように，その集団は"真実"に迫ろうとしており，"真実"に至る唯一の方法は徹底的にアイディアを戦わせることだという想定あるいは仮定に基づいて動いていた。もしあるアイディアが厳しい議論を潜り抜けて生き残れば，それは追求していく価値があるのである。

私はこの基本的な仮定を一旦理解すると，一体，どうすればもっと促進的になれるだろうかと自問し，やがて専門的なコンサルタントに対比したプロセス・コンサルテーションの妥当性について理解するようになっていった。私は彼らに自分のモデルを押しつけるよりも，むしろ集団を動かしている目的や仮定の範囲内で働かなければならなかったのである。彼らが考えている集団の主な仕事は，会

社を託す価値のあるくらい健全なアイディアを展開することだったのである。それゆえアイディアを出し，それを評価することは，彼らが次から次へとミーティングを開いて取り組んでいる最も重要な職務だったのである。

　このように洞察することにより，2つの介入方法が育まれていった。初めに，多くの情報があまりにも早く処理されてしまうため，たくさんのアイディアが実際は消えていってしまっていることに気がついた。そこで，ある面では自分のために，また集団にとっても役に立つこともあろうかと思い，私はフリップチャートに提案されてくる主なアイディアを書きとめた。

　（提案者が妨害されたために）アイディアや論点が不完全なままにされた場合には，2つ目の介入を施した。つまり，そのような行いは「悪い」として集団を非難することはしないで，ある人の意見が妨害されたら，「John，あなたが提案しようとしていた論点を全部教えてくれませんか？」というようなことを発言して，その人が再び議論に参加できるような機会を求めるのである。これにより，そもそもどうして最初の段階でそのアイディアを述べることができなかったのかについて不必要に注意をそらせることもなく，その考えを述べさせる機会をつくることができた。こうした2つの介入を織り交ぜてすることで，集団の注意をフリップチャートにあるアイディアに向けさせ，複雑な領域を誘導する手助けができた。葬り去られるように見えたアイディアも復活し，記されたのだった。

　ここから得た教訓は明らかである。集団が本当は何をしようとしていたかを理解するまで，私は適切なプロセスに焦点を当てることができていなかったし，集団を助けるためにどう介入するべきかも分かっていなかった。私はまず集団にとって何が主な仕事であるか，どこで集団が行き詰まっているか（アイディアの定式化が不完全であったり，評価が早すぎたりなど）に気づかなければならなかったのである。そうして初めて私は，どんな介入が"促進的"であるか決めることができた。

"タスク構造"とは？（項目8）

　しばらくの間集団を観察していると，ある種の出来事が規則的に起こるが，別のことは全く起こらないというように，あるパターンが繰り返されること

に気がつく。例えば，ある集団はいつも議事運営手続きを踏むが，別の集団は他に問題を解決するいい手段が見つからなくても，投票による決定を拒む。ある集団ではいつも協議事項が用意されておりそれに隷属的に従うが，別の集団ではミーティングが始まるのを待ってそれからおもむろに話し合うべき事柄をリストアップしていく。このような集団の作業におけるそのような規則性は，その集団のタスク構造として考えるのが最も良い。つまり集団や組織が業務を達成するのを支える，比較的安定し，繰り返されるプロセスなのである。

　大きな組織では，構造とは職務階層，明確な指示系統，情報と制御のシステム，あるいは新参者に対して「これがわれわれのやりかただ」と教えられるようなその他の安定し，繰り返されるプロセスと考えられる。しかし，構造の概念は単にプロセスの概念を拡大したに過ぎないと気づくことは重要である。構造と言えども，安定し，繰り返され，集団のメンバーが「構造」と定義しているそのようなプロセスのことを言っているのであるからだ。

　すべての集団は，そのような規則性と安定性を必要としている。それによって自分たちの環境や作業パターンが予測できるものとなり，運営可能となるのである。そこで，これらのパターンの背後に潜む前提として展開されてきた仮定は，集団の文化の一部と考えることができる。それらは共有され，あたりまえのこととみなされている。また，われわれが観察しうる構造は人為物すなわち集団文化が目に見える形で現れたものと見ることができる (Schein 1985, 1992)。文化それ自体はすぐに見えるものではない。なぜならそれは，共有され，当たり前のこととなった，背後に潜む無意識の仮定であると考えるのが最も良いからだ。これは，集団が直面しなければならなかった内外のさまざまな問題に対処するなかで発展してきたものである。だが，文化は表だった行動に現れることもあるだろうし，部外者と集団のメンバーとの間で質問を交わす共同のプロセスを通じて探し出されることもあるだろう。ほとんどの目的の場合，明白な人為物と目に見える行動に焦点を当てれば十分である。ただし，それらが背後に潜む重要な仮定を反映していることは絶えず気にとめておく必要がある。やがてはその仮定を考慮しなければならないのである。しかしながら，集団自体に自分の文化を見つめる心の準備

ができていなければ，コンサルタントがそこに焦点を当てるのは難しい。

　ある集団の中で展開しているタスク構造は，集団が外部の環境で生き抜いていかれることにとりわけ関係した規則性からできている。いかなる集団も少なくとも5つの基本的な，生き残りをかけた問題に直面している。それらに気づくことによって，コンサルタントは観察の的を絞り，何に注意を払うべきかについて頭の中でチェックリストを作り上げることができるのである。

1．使命／主要課題

　集団の存在意義を正当化するような根本的な使命−つまり主要課題は何か？この問題を扱っている構造的要素は，通常会社の設立綱領，信条や使命を載せた声明文，公式的な課題表明，またはその他集団の究極的な役割についてメンバーが暗黙に理解していることを文書化しようとするさまざまな努力などである。

2．特定の目標や戦略

　これらは普通，使命から導かれるものであり，文書化された目標や戦略，正式な計画書，公にされたターゲット，期限などに反映されている。

3．目標達成のための手段

　目標達成のための構造としては，定義された公式組織，割り当てられた役割分担，問題解決と意思決定のために繰り返される手順などが挙げられる。組織図，権威者の序列，仕事の説明，公式に明示された責任の所在などすべてがこの範疇に入る。

4．システムの測定と監視

　どの集団も目標が達成されているかどうかを知る必要がある。そこで，正式な情報制御システムが設置されており，経営計画や予算および検証プロセスが明確に規定されている。

5．問題を改善し，順調な状態に戻すシステム

　集団が標的を外したり目標を達成していない場合，その事実が測定システムによって示される。その時，集団は状況を正す，問題を改善する，あるいは自ら軌道に戻っていくようなプロセスを必要とする。問題の解決がその場しのぎであることがよくある。しかし，いかなる集団も組織も，改善および修正するプロセスを整え，それを集団の構造の一部とすることができなければならない。

　発足後まだ日の浅い集団では，タスク構造は非常に安定しているとは言えないだろう。すなわち日の浅い集団はそんなに"構造化"されていないのだ。集団が成長するにつれ，うまく機能を続けているプロセスを維持し，集団の成功をもたらしたそれ自身に関する仮定を共有するようになる。こうしてプロセスはだんだんと目に見えるようになり，組織図，手順マニュアル，秩序の規則および発展している文化のその他の人為物に正式に記述されるだろう。こうしたプロセスが徐々に安定してくるにつれて，われわれは"官僚制"や"組織化"について語るようになる。

　コンサルタントがタスク構造に建設的に介入できるかどうかは，その集団が自分たちの構造を意識し，それを変えることを必要としているかどうかの程度にかかっている。私の経験では，この領域での最も強力な介入は，集団に自分たちの無意識の仮定を洞察させる介入である。外側の，目に見える構造は観察しやすいが，そのような構造を作り上げた背後にある仮定は見つけるのが非常に困難である。しかし，そのような仮定を洞察することなしには，集団がより効果的に機能するにはどうすれば良いかを学ぶことはできない。

　この章で述べる最後の問題は，コンサルタントが構造的な問題を意図した介入をするべきか，することができるか，ということである。集団を観察し，彼らが自分たちの構造と対峙するのを支援することは，確かに必要な介入のひとつである。もっと問題なのは，構造や文化の変革に関わるかどうかという点である。その主要な基準はここでも，コンサルタントは促進的，支援的存在でなければならないということである。もしある集団が構造と文化に働きかけることに関して本当に私に関わって欲しいと思っているのであれば，

私はそうするであろう。ただし，構造を変革することで，必然的に高いレベルで不安や抵抗を引き起こすプロセスの変革が伴うかもしれないということをわれわれが明確に理解していることが条件である。というのも，発達してきた構造によって，グループのメンバーはいろいろなことを予測でき，意義を感じ，安心感を得ているからだ。文化は構造の中に埋め込まれており，それゆえ受け入れられている文化的仮定を脅かすことなしに，構造を変革することはできない。

◆要約と結論

この章では初めに，コンサルタントが観察し，介入の用意ができるであろう主な介入領域について述べた。この章での焦点は，集団が抱えている主要課題に関してと，その課題をどのように定義するかに関してであった。その領域の範囲内で，内容やプロセス，構造など，集団の課題に関連して目に付く事柄に人は焦点を当てることができる。私は各領域に関連する観察分野のいくつかを概説し，コンサルタントがなしうる最も促進的な介入のいくつかを提言した。その大部分は課題プロセスの範疇に入るであろうが，内容や構造の領域も無視することはできない。

次の章では，私は課題問題に附随する対人関係の問題－つまり，集団は自らをどう定義するのか，集団としての境界線をどう管理するのか，集団が機能し，成長し，発展し，維持していくような，実現可能な対人関係をどう築いていくかについて議論したい。そこで問題は，いつ，どのようにしてそれらの問題に介入の焦点を合わせるかと，そして業務プロセスと対人関係プロセスへの介入のバランスをどうとるかということになる。

私はここでは課題プロセスのための特定の演習は載せないが，第9章の終わりで提案した演習は，対人関係だけでなく，課題プロセスや集団の構築もカバーしている。

第9章

促進的なプロセス介入：
個人間のプロセス

　前章では，私は課題プロセスにスポットを当てた。というのも，コンサルタントはそもそも招聘されるのは，それが理由であることが多いからである。しかし，これまで全般にわたって議論してきたように，人間関係を築いたり，集団をつくったりする際に関係してくる対人関係プロセスは，課題を効果的に遂行するために遵守し，管理していかねばならない。現在の状況では，課題と対人関係プロセスは同時に生じ，互いに複雑に絡み合っており，対人関係のどれに焦点を当てるか，いつ介入するかをひっきりなしに決定していかねばならない。

　対人関係と集団プロセスは，大まかに次の2つの範疇に分類される。(1)どのようにして集団はその境界線を引き，それを維持することによってみずからを創り上げていくのか（表8.1の項目1，4，7）。(2)集団内の人間関係のパターンをどう成長させ，発展させていくのか（表8.1の項目3，6，9）。この章では両方の問題について検討し，いくつかの簡単なモデルを提供し，どうしたらコンサルタントがこれらの各領域で最も促進的かつ援助的な介入ができるのかを提言していきたい。私は主にプロセスの問題に触れるであろうが，内容や構造的なことについても適宜触れていきたい。

◆集団の形成と集団維持のプロセス

　私がクライアントである組織とコンタクトをとるその初期の段階で最も目

につくことの1つは，取り組んでいかねばならない集団がどれもそれぞれ異なった発達段階にあるということだ。私のところにコンサルテーションの可能性を依頼にくるクライアントは，以前互いに一緒に仕事をしたこともなくまたできあがったばかりの小さな集団であるかもしれない。また私が出席して助言するよう求められている調査委員会は，毎週定例会をしている集団が行う特別の委員会であるかもしれないし，また他方では，コンサルティング・プロジェクトを検討するために初めて集まった集団であるかもしれない。クライアントが私に会わせるために集めた人たちは，広範囲にわたって一緒に仕事をしてきた人同士が何人かいてさらに，少数だがこの集まりで初めて顔を合わせる人も含まれている。このような千差万別の状況で，コンサルタントにとって基本的なことは，集団がどうスタートを切り，発展していくかという簡単なモデルを頭に思い浮かべることである。

　おおもとにある理論的な前提は，2人以上の人が業務や仕事をするために集団を形成すべく集まったときは，始めのうちは本質的に自己中心的な行動が見られる時期がある。これは，集団に新しく入った人ならば誰もが経験すると思われるいろいろな心配を反映している。この自己中心的な行動が薄れてくると，メンバーはお互いのこと，そして目先の仕事のことにもっと注意を向けるようになる。その後，集団を築き，維持するのに役立つような行動が，その集団の仕事を達成するための行動とともに生じてくる。私はこの段階を時間的な流れに沿って順に述べていこうと思う。なぜなら各段階は互いにオーバーラップしているところもあるが，多かれ少なかれその順番であらわれてくるからである。

新しい集団に参加する場合の感情的な問題－自己中心的な行動の原因

　新しい集団に参加するときに誰もが直面する問題は，ある種の背後に潜む感情的なものから生じており，それが解決されて初めて人は新しい環境で快適さを感じることができる。その中の4つの概念を図9.1の左の欄に示してある。

問題	その結果生じる感情	対処するための反応(自己中心的)
1 アイデンティティ 　自分はどうあるべきか		1 "したたかな"反応 　闘争，コントロール，権威への抵抗
2 コントロールと影響力 　自分は他の人をコントロールしたり影響を与えたりできるのだろうか	欲求不満	2 "穏やかな"反応 　支持，援助，協調する，依存
3 欲求と目標 　集団の目標は自分の欲求を含んでいるか	緊　張	3 及び腰あるいは否定的な反応 　受身，無関心，"理屈"の多用
4 受容と親密さ 　自分は集団に好かれ，受け入れられているか 　自分たちはどのくらい近づけるだろうか(親密になれるか)	不　安	

図9.1　自己中心的な行動を引き起こす新しい集団に参加したときの問題

アイデンティティと役割

　最初の，そして最も重要な問題は，自分自身にもそして他人にも受け入れられる役割やアイデンティティを選択し，自らの値打ちを適切に主張するという問題である。言い換えれば，新人たちはみな，気づいていようがいまいが，次の問いに対する答えを見つけなければならないのである。「この集団の中で私は誰で，何をするのだろうか？」「この集団の中で，私は自分自身の値打ちとしてどのくらいを主張すべきだろうか？」「この状況の中で，私は他の人に対してどんな顔を見せればいいのだろうか？」

　この問題は最初から存在している。なぜならわれわれは皆どんな状況でも役割や行動スタイルについて多くのレパートリーを持っているからである。ある状況でうまくいったようなすぐれて積極的なリーダーになるべきなのか，あるいは別の状況でうまくいったようなユーモラスで緊張をほぐす人になる

べきか，さらにまた別の状況でうまくいったような冷静な聞き手になるべきか，などである。

　多かれ少なかれ，われわれは人生の状況が異なるそれぞれの場では，別々の人間である。それゆえ，われわれは新しい状況ではある程度の選択の余地を常に持っているのである。公式の委員会や作業グループでは，初めに指示されることを通じてこの種の問題は部分的には解決される。つまり，ある人は，作業部会に参加して"職員としての意見"を表明するよう指示されるし，あるいはミーティングを招集したリーダーが，メンバーに対してどんな役割を期待しているかを伝えることもある。しかし，このような解決法はそれでも部分的に過ぎない。メンバー自身を満足させ，他のメンバーにも受け入れられるであろうあるスタイルを発展させるに十分な選択の余地が残されているのである。図9.1に示されるように，そこに感情的な問題がある限り，人がそれを意識していようがいまいが，それは緊張を生み出す源として作用し，人はそのことに囚われ，結果として他のメンバーや集団の課題に対して耳を傾けたり意識を向けたりすることがおろそかになるのである。

コントロール，権力，影響力

　新たに参加したメンバーがどんな新しい集団においても解決しなければならない2つ目の問題は，権力と影響力の配分である。すべてのメンバーが他の人をコントロールし影響力を与えたいという欲求を持つであろうと言っても間違いではなかろう。しかしこの欲求の度合いとその表現方法は人によってさまざまであろう。ある人は実際の問題解決に影響を与えたいと思い，別の人は集団が用いる方法や手順に影響力を行使したいと考えるかもしれない。また別の人は集団内で全般的にわたって卓越した立場を獲得したいと思うかもしれないし，ただ陰ながら集団のために尽くしたいと考えている人もいるかもしれない。

　集団が形成されて初期の段階においてすべてのメンバーが抱くジレンマは，お互いの欲求やスタイルを知らない，それゆえ誰が誰に，または何に対して，影響を与えるかについて容易に判断できないということである。その結果，コンサルタントはミーティングの初期の段階で巧妙な議論が行われたり，お

互いに探り合ったりしながら、いろいろなかたちで影響力を行使しようとしているのを目にするだろう。コンサルタントはこの行動を誤解しないよう注意しなければならない。表面的にはこの集団が取り組むべき課題からは明らかに乖離しているように見える。しかし裏側では、自分のことに心配が集中しているのをリラックスさせ、仕事に集中するためには欠かせないこと、つまりメンバーを色分けし、人となりを知り、お互いに関係を築くという重要なことが行われているのである。

　もし議長が、このようにお互いを知ったり、探り合いをするゆとりすらないような無理なスケジュールを強行すると、（各メンバーに仕事に本格的に取り組むための心の準備がなされていないため）表面だけの（中身のない）解決に至るか、あるいはメンバー同士が課題領域で探り合いをせざるを得ない状況に追いこまれてしまうかのリスクを伴うこととなる。その結果、進捗速度は遅くなり、解決の質は低下してしまうのである。こうした状況では、コンサルタントは初めの探り合いがメンバーにとってどんな意味を持つのか、また、集団を築くための時間が必要だということ、メンバーが自分のことに気をとられている状態がなくなって初めてよいコミュニケーションが展開されるということを会議招集者が理解するように支援しなければならない。

個人の欲求と集団の目標

　あらゆる集団のメンバーが直面する3つ目の問題は、集団の目標がはっきりしてくるにつれ、それがメンバー個人の目標や欲求と相容れないものであるかもしれないという心配である。この問題にとらわれてしまうと、人は集団の進む方向を見守り、物事が自分のやりかたで進むかどうか、自分の思うところが含まれているかどうかを見極めるまで集団に深く関わろうとしなくなる。集団全体にとっての問題は、相当数のメンバーがこの"見守る"行動に出たら、集団としての行動をスタートさせたり、一貫した集団目標を進展させるのが難しくなることである。この状況では、集団はきまって、利用できる権威筋を頼り、議題を設定し、目標を明確にし、仕事について提案してくれることを期待するようになる。もし議長がこのプレッシャーに耐えかねて目標を設定するならば、一応部分的に問題は解決するが、自分の定めた目

標で各メンバーが果たして仕事に十分に取り組んでくれるかどうかまでは確信できないままである。

　もっと健全なやり方は，この矛盾を抱えた問題に正面から向き合い，集団のメンバーを支援して次のことを理解してもらうようにすることであろう。つまり，彼らの欲求がある程度公にされ共有されないかぎり，正しい集団目標を設定することができないという事実をである。それゆえ各メンバーが集団から実際何を得ようと思っているのかを明らかにするための十分なミーティングの時間が最初の段階で設けられるべきである。この状況でのコンサルタントの役割は，通常集団の進行を遅らせることであり，メンバーに次のことを確実に伝えることである。つまり，初めの段階で各メンバーがお互いに意思疎通をするために努力することは，集団の成長のためには必要で重要なステップであるということをだ。また，討議中のある問題について自分の役割や立場を述べてもらう正式な「チェック・イン（check-in）」を行うのも役に立つかもしれない。次の章に見られるように，話し合う場を設けるには，おのおのが現在の立場について少し話をするという正式なチェック・インを行うことが仲間意識を高める重要な要素である。

受容と親密さ

　この2つの問題は，背後にある同様の問題を取り扱っているため一緒にして考えられている。つまり，私は集団のほかのメンバーから好かれているだろうか，受け入れられているだろうか？そして，お互いに敬い，受け入れることが居心地よくできるようになるためには，どのくらい接近し親しくならなければならないのか？ということである。どんな人々の集団でも，どのような状況のもとでも，こうした問題を解決するために助けとなる規範は集団によって創り上げられねばならない。いつでも，どんな集団に対しても最善のあるいは絶対的な"受容と親密さ"のレベルというものは存在しない。それはメンバーや集団の課題，集団に許されている時間の長さ，その他多くの要因によってさまざまとなる。この問題は業務の規範が確立されるまで緊張を生み出す源として常に存在し続ける。

　その問題は，最初は相手をどのように呼ぶかや礼儀の面で現れるだろう。

集団が成長するにつれ，集団のやり方が格式ばっているかざっくばらんであるかにその問題の中心が移ってくる。更に後になると，集団の議論が公式の課題にのみ限定されねばならないのかどうか，個人的な意見の交換が許され，望ましいものなのかどうかということが問題の中心になってくる。たとえ議長が集団に対して「オープン」になるよう求めたとしても，「オープン」ということば自体が曖昧な概念で，議長が何を求め望んでいるかよりも，集団内で発展させてきた信頼のレベル次第であることに思い至るであろう。集団は「議事運営手続き」，またそれに準ずるもので解決を図ろうとするかもしれないが，そのような方法は，解決を目指すというよりもむしろ絨毯の下に問題を隠してしまうようなものである。コンサルタントの役割は，その問題にきちんと取り組まなければならないことを集団メンバーに伝えることである。

新たな集団に見られる対処反応の類型

集団で新しいメンバーが直面する内在的な感情問題のそれぞれによって，緊張，不満，そして自己没入が引き起こされる。こうした問題や，その結果生じる緊張に対処するため，人はどのように行動するのであろうか？対処方法として基本的な3つのパターンが図9.1の右の欄に示されている。(1)基本的にタフで攻撃的な対処方法で，それは柔和で親密でありたいという欲求を否定することに基づいている。(2)基本的に柔和で支援を求めるような対処方法で，積極的に主張を押し通したいという欲求を否定することに基づく。(3)引き下がる行動での対処方法で，いかなる感情も否定し，論理や構造に頼ることに基づく。

タフで攻撃的な反応は，さまざまな形での闘争にみられる。つまり論争したり，他の人の主張を打ち負かしたり，嘲笑したり，意図的に無視したり，敵意むき出しのユーモアを飛ばしたりなどの中に現れる。そのような行動は"ある重要な点を議論する"とか"相違点を探る"などの名目でなされるため，集団討論の範囲であると見られるかもしれないが，コンサルタントは，そこに表明されている背後の感情が，課題のよりよい解決を目指してのものなのか，実のところは感情的な問題を収めるプロセスとして他のメンバーを

けん制し，様子をうかがっているのかを注意して見極めなければならない。

　この攻撃的な反応は，手続きを自己権威化して設定したり，人々を招集したり，他のメンバーに彼らの語るべき事柄を命じたりすることを通じて，他のメンバーを管理しようとする試みを反映している。集団内のどのような権威者にとっても，例えば議長などから見れば，この種の感情的な対応は反抗として現れる。反抗とは，権威に抵抗したいという感情を意味する。「議長がわれわれに要求していることを見つけ，それをやらないことにしよう」とか「議長がわれわれにさせようとしていることではなく，われわれ独自のやりかたでいこう」とかいったものである。

　大半の公式集団では，そのような行動はきわめて巧妙に行われている。なぜなら，一般的な礼儀や公式的な権力の違いからいって，そうした"反抗"を公然と示すことは自分にとって不利に作用するからである。だが，それでもコンサルタントがそのような行動を目にすることは困難なことではない。さらにその行動の正当性を集団が認識することを支援し，感情的に対処することと，仕事レベルでの意見の食い違いを正直に主張することとを区別するように支援することはそんなに難しいことではない。

　柔和で支援を求めるような反応は，いろいろなやりかたに反映されている。メンバーは自分と同じ考えを持っていそうな人を捜したり，大きな集団の中でお互いに助け合えるような関係を築いたり，サブグループを作ったりするのである。またメンバーは争いを避け，支援を提供し，互いに助け合い，通常攻撃的で，分裂を生むような感情を抑えるよう努める。権威者から見ればそのような行動は，"依存性"となって現れる。つまり頼りになり指針を与えてくれ，メンバーが抱えている問題を解決してくれる誰かを捜しているのである。

　コンサルタントはどうすれば，この種の行動と前向きな問題解決行動を区別できるのであろうか？まず集団，あるいはメンバーの現在に至るまでの時間的な流れのどの時点でその行動が生じているかということに注目する。感情に基づく自己中心的な行動は，メンバーが集団の中で自分の立場を確立しようとする初期の時期に現れる。ただし後になってこの類いの行動が，たんに仕事に関連した純粋な支援を意味する場合もある。第二の判断基準は，コ

ンサルタントがその支援的行動を真の相互理解に基づいていると考えているのか，あるいは単なる盲目的な反応にすぎないと感じているかである。ここで私が述べている感情に根ざした行動は，メンバーがお互いの考えかたについて理解しているという証拠を実際には全く示さずに，徒党を組んだりすることでしばしば明らかになる。コンサルタントは性急な支援要請，めりはりのない援助，不適当な依存性といった行動と，これらと似てはいるが後の段階で問題解決やチーム形成に役立つ行動とを，集団が区別できるよう援助しなければならない。

及び腰，否定的な反応は，緊張や感情を抑制するという特徴がある。その結果，受身的で無関心な，そして味気ない反応となることが多い。それはまるで人が「どうぞ皆さん決着がつくまで続けてください。私は見ていますから，この集団を動かしてください。……私はそれについてどんな意見も持っていません。だから物事がきちんと整ってから私は加わることにします。」と言っているようなものである。この類いの感情的な行動のもうひとつの見かたは，集団の議論において感情が入る余地はなく，存在しないものとして，またなんとしても抑制されるべきものとして扱われるべきだとその人が主張しているという捉え方である。論争が始まると，その人は次のように言うことだろう。「さあ皆さん，われわれは，教養があり，成熟した人間です。論理的に穏やかに結論を導くことができるはずです。感情を先行させることはやめて，事実に向き合いましょう。」

もし人が本当に合理的で論理的であるなら，この状況における感情は考慮されるべき「事実」の一部であると気づくであろうに。それらの感情は集団のやり方を形式化することで，抑制され，議題からはずされてしまうこともあり得るが，それらを消し去ることや集団の問題解決行動に影響を与えないようにするのは不可能である。もし集団メンバーが緊張し，自己没入の状態にあるならば，他のメンバーの主張に耳を傾けたり，気にかけたりすることもなく，そのため効果的な問題解決に貢献することもないだろう。

われわれ各人は人間として，集団の感情的な問題に対処しようとするなかで，これらの基本的な各反応を取捨選択する能力を持っている。どのタイプの反応スタイルを用いがちであるかは，われわれの個性やこれまでの対人関

係の流れ,他のメンバーの行動,状況の堅苦しさや構造次第である。例えば,堅苦しくきっちりとコントロールされた集団は,及び腰で否定的な反応を生み出しやすく,長期的には動機付けの乏しい,結束力の弱い集団を生む結果となるだろう。そのような集団が困難な問題を解決しようとすると,メンバーがその問題にエネルギーを向けるべく動機付けされていたり,グループが真の解決を得るためにお互いによく意思疎通を図ったりする保証はどこにもない。反対に,感情的な表現を検討することが許されていれば,初めのうちこそ居心地が悪く感じられるが,長い目で見れば意思疎通がよくなされ,より強固で効果的な集団が作り上げられるのである。

感情問題の解決と仕事への移行

　私はこれまでに人が新しい集団に参加したときに直面する4つの感情的な問題,つまりアイデンティティの問題,影響力と力の問題,欲求と目的の問題,受容と親密さの問題について述べてきた。メンバーはこれらの問題に対処する際に,お互いをよく知ろうとして,また集団内での自分たちの落ち着ける場所を探そうとして,タフで攻撃的な反応,柔和で支援的な反応,及び腰的な反応を示すであろう。メンバーが集団内での自分たちの役割を見つけ,または集団が目的や影響力,親密さにふさわしい規範を作り上げるまでは,彼らは緊張しており,さまざまな感情的反応をするであろう。集団にとってのそのような行動のマイナス面は,メンバーが自分だけに感情にとらわれるため,お互いの主張に耳を傾け,問題を解決しようとする能力が小さくなってしまうことである。しかしいかなる集団でも,メンバーがこうした問題に取り組み自分の場所を見つける間,ある種の産みの苦しみを避けてとおることはできない。もし公式の組織構造からしてそのような過程が認められないならば,その集団は集団としての力を発揮できるような,真の集団にはなれず,公式の組織構造によって1つのところに集められた単なる個人の集まりの状態が続く。

　われわれはそれぞれ経験から学んだ自分が好む対処法を有しているが,自分が好む対処法が何であるか,―つまり自分が対人関係で緊張しているとき,攻撃的になりがちであるか,協調関係を保つか,感情的に引きこもることが

多いかをある程度見極めておくのは大切なことである。それぞれの対処法はどんな結果をもたらすのであろうか？各人の対処法がそれぞれ違うため，集団がある仕事に取り組もうとするときには，いろいろな対応スタイルがお互いの邪魔をしてしまうというジレンマがある。攻撃的な人がしたいまさにそのことが柔和な対応の人を脅かし，その逆もしかりであり，さらに双方とも及び腰的な人を脅かす。メンバーがお互いの違いを知り，認め合い，次が最も重要であるがそれを集団の力の源として受け入れて初めて集団として効果的に動き始めるのである。この章の終わりには，集団のメンバーがこのような問題に折り合いをつけるのを支援するための演習がある。

コンサルタントは集団がこのような感情の問題を解決するのをいろいろなやり方で援助できる。まず，どういったことが進行しているのか，気づかねばならない。メンバー同士が当初コミュニケーションに問題があっても不安を抱いてはいけない。第2にコンサルタントは集団を支援して，初期の攻撃的，または協調的，あるいは及び腰の反応は，メンバーがお互いによく知るため，様子を見るため，集団内で自分の立場を見つけるための努力の表れであることを集団に理解させねばならない。コンサルタントは教育的な介入を通して集団が自らを正しく捉えるようにさせ，さらにここで述べたような類いの集団理論の要点をまとめて伝えることで，このようなことが可能となる。メンバーはまっとうに集団形成課題に取り組んでいるのであり，時間を浪費しているのではないという信念をコンサルタントは示すことができる。第3に，多様な感情的反応スタイルを集団が正当に評価し，それぞれのスタイルが集団活動において個々の役割を持っていることを理解するように集団を援助することができる。

コンサルタントが支援的であるためには，集団はどのように形成されるのか，また個々の自己中心的行動が消え集団が整いはじめるにつれて集団が存続し主要な課題を達成するための対外的関係と内部機能の両方を管理する能力を集団はどのように高めていくのかについて，コンサルタントは十分理解をしていなければならない。私はコンサルタントとして，集団を機能させるためになされねばならない投資があるという現実を，クライアントである管理者が受け入れるよう支援せねばならない。管理者は典型的に，集団が正し

く仕事に従事することを期待しており，集団形成のための時間を認めない。もし集団が問題を迅速に解決しないなら，メンバーはそうしたことが生じた原因である対人関係の感情的な要因を理解せずに怒り，努力することに幻滅を感じる。それゆえコンサルタントは，そうした管理者に対し辛抱強くなるよう，集団が成長するための話し合いの時間を十分にとるよう，またメンバーの怒りや粘りのなさは他のメンバーたちも直面している同じ感情の問題を反映しているのだと気づくよう進言しなければならない。

　最後にコンサルタントは，メンバー自身の行動に関わる，援助的で役立つフィードバックをメンバーに対してすることに熟練していなければならない。多くの対処反応は何が起こっているか，なぜ生じたのかをメンバー自身が気づかぬままに生じているようである。もし彼らがこうした行動を少しでも洞察し，自分たちでそれを診断する専門性をいくらかでも持とうとしているなら，コンサルタントは各メンバーが自分たちの対処行動を理解するよう援助しなければならない。

　メンバーがこの洞察力を身につけるにつれ，また他のメンバーがどのように感じ反応しているかが分かりはじめるにつれ，さらに集団が彼らの参加と彼らの潜在的な貢献を期待していることが分かるようになるにつれて，彼らは徐々にリラックスし他のメンバーに意識を向ける能力も増してくる。こうしたことが起こると集団の雰囲気やムードに変化が現れる。切迫感は緩和され，他の人の話をよく聞くようになり，遂行すべき課題から逃避することも少なくなり，集団全体が一致団結して喜んで協力するようになり，堅苦しさも減り，独断的な規則に頼ることも少なくなる。一方，集団全体の業務遂行のために自制したり個人的な問題を抑えるようになる。認識すべき重要な点は，そのような状態は，集団が内外の問題を解決できてはじめて到達しうるものだということである。そのような状態は，強制的に押しつけても達成されない。

集団形成と内部維持機能

　残念ながら，新しい集団に加入した当初の感情的な問題が解決されたとしても，それによって集団が効果的に業務を遂行する母体になれることを保証

するものではない。集団も他の複雑なシステムと同様に，形成され維持されることが必要である。そしてある種の対人関係の機能が十分に持続していないと，より高いレベルで機能性を発揮するようにはならないであろう。言葉を換えれば，集団が有効に問題を解決する母体として生き残り，成長していくためには，メンバーはよい関係を作り上げ，維持していくことに関わりを持たねばならない。集団の形成から解散までの全般にわたってそのような関わりが表されるのが理想ではあるが，既に集団の初期段階を検討したときに見られたように，メンバーは自分だけの欲求にとらわれ，そのことによって他のメンバーとの人間関係を損なう恐れもある。

集団にとっての問題は，損なわれた関係をどうやって作りなおすか，関係が損なわれるであろう初期のその傾向をどうやって最小限に食いとどめるかということになる。損なわれた関係というのは，例えば2人の間で仕事のことで反対の意見であるためにお互いに怒りを感じている場合や，投票で敗れたとか無視され疎外感を感じたためにお互いにそっぽを向いている場合，さらには誤解を受けたり，脇に追いやられたと感じるために同意された決定事項を実行することができなかったり，あるいは自分たちが面目を失い，自尊心を傷つけられたと感じるために他のメンバーを恨んでいる場合などを意味する。どの場合も，人は一時的に自分の欲求や感情にとらわれてしまい，それゆえ集団努力に貢献する力が相対的に落ちてしまうのである。もし集団を維持しようとする力が生じないのなら，またメンバーが集団の中に調和して溶け込めないのなら，その人は集団の資源として役に立たず，悪くすると集団努力を積極的に妨害する人になってしまう。このような否定的な結果を避けるために，表9.1に示したような集団形成と維持機能を集団のメンバーの1人が，あるいはそれ以上の者が達成するようにしなければならない。

調和は，"油を流して波を静める"，あるいはユーモアで緊張を和らげることで，意見の不一致や争いをなだめて静めるという各メンバーの努力のことをさす。しかしながら，それぞれの立場やその立場の元になっている深いところの仮定を十分検討して，同意や相互理解に達するよう本当に努力しても，それが調和によって鈍ってしまうのは問題である。意見の不一致や論争を覆い隠すことで軽くあしらったり，否定することは，メンバーが集団と調和す

る上で役に立ちはするが，しかしそのような否定は問題解決のあるべき姿を妨げる可能性がある。それゆえ調和は，論争や意見の不一致が機能しなくなり，メンバーがあまりに自己没入し，もはや人の言うことに耳を貸すことができないときにのみ必要とされる。調和は妥協とはっきりと区別されるべきである。前者は争いを否定し避けようとするのに対して，妥協とは実現可能な同意に達するために1人かそれ以上のメンバーが，部分的に自らの意思で譲歩することによって争いを減らそうとすることである。

表9.1 集団の形成と維持機能

調和
妥協
ゲートキーピング
奨励
診断
基準設定
基準テスト

　調和と妥協は，課題遂行機能というよりむしろ集団の維持機能としてみなされるべきである。というのもそれらは個人間の意見の不一致が破壊的になるのを抑えるのには役に立つが，一方，課題問題の解決には明らかに限界がある。これはきわめて重要な点である。なぜならば，集団が有効に機能することに心を砕いているコンサルタントは，いつでも調和を好み，集団が円滑に機能することを期待しているとみなされがちであるからだ。だが実際には，集団がどうしようもない不同意に立ち向かい，解決に向けて取り組むことが本当に必要なこともあろう。そうすることで妥協や調和とは無関係の真に統合的な解決に至るのである。コンサルタントは，集団が問題点に対して後ずさりし妥協に傾いている時に，問題に正面から向き合い，取り組むよう集団を支援しなければならない場合が多くある。しかし，コミュニケーションが成り立たず，何人かのメンバーが集団での自分の地位に固持するような自己中心的な理由から主張し，立場を貫くのであれば，維持的処置も必要となってくる。そのような処置によって，争いを調停し，各人に自分自身の行動を見なおすように促すことで，再び意思疎通がうまくいくようにしてから，主

要課題に関する仕事を再開するのである。

　メンバーの活動の中には予防保全と考えるのが最もふさわしいものもいくつかある。例えば、ゲートキーピング（gatekeeping）機能は問題を解決する貢献策を持っているメンバーに、そうする機会を保証している。つまり、ゲートキーピングとは、活動しすぎるメンバーの動きを制御するとともに、非常に消極的なメンバーの活動を増大させることである。私が集団でよく見かける場面で、ある人が何度も口を開きかけるが、一言か二言いうともっと自己主張の強い人が割り込み、発言権を奪い、自分の主張をはじめる、ということがある。こういうことが2、3回繰り返されると、誰かが気づいて、その人が意見を述べるようなチャンスを作らないとその人はあきらめてしまう。しかし、ゲートキーピングの方法は複雑である。人は誰かの顔に泥を塗るような危険を冒してまでその人の発言を中断させることを望まないし、興味や関心のなさをさらけ出させることになるかも知れない危険を冒してまで、ある人を会話に引きこみたいとも思わない。

　奨励は、人が自分の主張をすることを援助する機能を果している。ある面ではそれによって集団は、その主張の内容から利益を得られるであろうし、さらに主張した人もその他の人も集団の雰囲気が受容的だと感じるであろう。奨励はまた、その人がこれまで完全にはっきりとはさせることのできなかった点をきちんと明確にすることを援助するという重要な機能も果している。このように明確化はよりいっそう課題に関連した機能であるが、奨励はそれより集団維持と成長に関わる機能なのである。

　診断、基準設定、基準テストは、人間関係がある程度崩れてしまったときの改善処置に最も関わっている。そのとき集団が必要としていることは、課題の遂行を一時棚上げし、(1)プロセスに注目し、人々が集団について、その規範について、遂行手順についてどう思っているかをチェックすること、そして(2)生じてきているであろう問題や争点を明るみに出すことである。ほとんどの集団は、コンサルタントかメンバーの誰かが正しいプロセスの方向付けをしないかぎり、この類いの行動には従事しない。集団が有効に機能したいと欲するなら、ほとんどの課題集団にとって再評価とカタルシス（catharsis）の期間は絶対に必要不可欠なのである。

集団維持の分野でのコンサルタントの役割は，しばしば欠けている機能を提供することである。集団がより経験を積むにつれて，何が必要であるかをそのメンバーが自分で気づくようになり，いろいろなメンバーが必要な役割を果たすようになっていくであろう。だが時には，コンサルタントはメンバーたちが果たすべき役割を喚起するよう，教育的な介入として集団維持のための機能をすべて紹介することもあるかもしれない。

境界管理の機能

どんな集団も，何らかの組織的，社会的環境の中に存在する。それゆえ，その主な課題の1つに，そうした環境との関係の管理がある（Ancona, 1988）。そのプロセスには，多くの異なる機能が含まれており，境界線を引くことに関わる機能もあれば，境界を維持し，集団がその必要を感じれば境界をさらに強化することに関する機能もある。基本的な機能のいくつかは表9.2に示す。

表9.2　境界管理の機能

境界の確定
スカウティング（scouting）
交渉
解釈
技術的ゲートキーピング
警備
出入管理

誰が集団に属していて，誰が属していないのかを特定することを通じた境界の確定は，これらの機能の中で最も基本的なものである。コンサルタントは，集団とは誰であるかを内外の両方に伝える役割を果たすリーダーやメンバーのさまざまな行動を目にする。そのような行動としては，会員名簿や制服，コミュニケーションスタイル，秘密の握手，集団が自らにつけた名称，配布先によって誰が一員で誰が部外者かが分かるミーティングの議事録などがある。

スカウティングは，環境について必要とされる情報を集団にもたらすよう

な活動をさす。そのような情報とは，どのようなことが起こっているかという，その結果集団が将来を予測できるような情報であったり，どのような資源が利用できるか，外部環境にいる重要人物はその集団をどのように考えているか，どのような援助と危険が存在するかといったものである。コンサルタントは境界線にまたがっているという立場から，重要なスカウト機能が作動していない時を指摘することにおいて特に援助ができる立場にある。それによって予期せざる周囲の出来事から集団が危険にさらされるのを回避させることができる。

周囲との交渉とは，集団が必要なものを手に入れ，機会や脅威の元を管理し，集団の運命に影響力を持つ外部の人との良好な関係を全般的に維持することを保証すべく意図された，諸々の活動をさす。このようにして，時おり集団は情報を発信し，もし利害の対立があるなら，外部の主だった人と交渉するための大使を遣わしたり，必要ならば他の集団とのコミュニケーション・チャンネルを開設したりする。

解釈とは，他の人のメッセージが集団にとって何を意味するかを明らかにし，集団自身のメッセージを外部に理解できる言葉で外部に対して明確化するような機能すべてをさす。この外部との情報交換プロセスにおいて，集団は情報をフィルターにかけ，分類し，詳細に述べることで，内部の理解を得，外部に受け入れられるようにする必要がある。ここでもコンサルタントは，集団に耳を傾けながら，言葉の違いが他の人に対してどのような意味を持ってくるのかについて質問する特別の機会を有している。

この分野における特に重要な活動は技術的ゲートキーピングであり，集団が課題遂行のうえで必要とされる特別な情報をどんなものでも集団にもたらすような活動のことである（Allen, 1977）。製品開発チームのような技術志向の集団では，彼らの特別な課題に関わる重要な情報のために外部の技術環境を調べるメンバーもいる。しかしどんな集団も主要課題に効果的に取り組むために情報の提供を必要としている。それゆえ誰かがこの機能を満たさなければならない。

境界の警備やパトロールとは，集団の統合がおかされることのないよう保証する活動のことをさす。この活動の中には，誰がミーティングに招かれる

か，外部の人とどんな情報を分かち合うか，情報の機密性を守るためにメンバー同士でどんな合意がなされているか，招かざる客にどう対応するか，そして情報を漏らしたり集団を狼狽させたりする者にどう対処するかといったことが含まれる。

　出入管理は，集団が新しいメンバーを受け入れ（移民），去り行くメンバーを送り出す（移住）時に用いるプロセスである。このように，社交的活動，啓発，訓練及び入会の儀式が新メンバーに対して行われ，逆に去りゆくメンバーに対しても退会の状況に応じてさまざまな別れの儀式が行われる。つまり，集団から促されてか，あるいは集団の使命を帯びて派遣されるのか，集団が好きでなくなってか，集団とそりがあわなくなってか，集団の規範を犯し除名されてのことか，など退会の理由によってその儀式も異なってくる。

　これ以外の境界管理の機能も指摘できるし，私の示したリストが，集団メンバーの実行するさまざまな活動や役割を分類するベストの方法というわけでは必ずしもない。コンサルタントにとって重要なポイントは，いかなる集団も，対内的にも対外的にも集団を創りあげ，維持機能を管理しなければならないのだと認識することである。集団がこれらの活動をどう管理するか，どの活動をうまく行い，どれが管理不足であるかを観察することによって，コンサルタントはどこで介入が最も必要とされているかを頭の中に描くことが可能となるのである。

集団の成長と構造や文化の発達

　集団が協働したり，共通の問題に直面したりしたとき，次第に集団それ自体に関する共通の仮定や行動規範が作られていく。言葉を換えれば，1つの集団として彼らは外部環境の中でどう生き延びていくかという問題の扱いかた，および内部プロセスを管理し統合するやりかたを学んでいるのである。こうした学習の総計が，自明のこととして共有された暗黙の仮定として具現化されると，それは集団の"文化"として考えられるようになる。加えて，その文化を維持するために繰り返されるプロセスは，その集団の対人関係のプロセスと考えられる。これは繰り返される課題遂行機能を定義する組織構造に匹敵するものである。このようにして，確固とした役割関係，敬意を払

いそれ相応の物腰で接するといった適切なしきたりに裏打ちされた安定した地位のパターン，インフォーマルな場では誰が誰を気に入り，誰とならうまくやっていけるかという固定パターンなどが現れてくる。

　文化の主な側面の1つは，集団メンバーの日々の行動を導く規範や決まりといえよう。規範あるいはやがては文化的な仮定となってゆくものが発達していくプロセスは，集団の歴史における**重大事件**に注目し，その事件に集団がどう対処するかを注意していれば，観察することができる（Schein, 1985, 1992）。例えば，プロセス・コンサルタントとしての私がよく目にするのは，問題解決の過程で管理者や影響力を持つ誰かが自分の主張を貫こうとし，他の何人かのメンバーが異議を唱えたり反対しているような場面である。ある種の"不服従"が生じているのである。もしここで管理者が処罰的な態度で臨み，彼の主張が命令として取り扱われるよう望んでいると明言し，他のメンバーももはや異議を唱えず甘んじて罰を受け入れるなら，権威者への対応の仕方が1つの規範として確立するのである。もしそのパターンが業務上および対人関係上の問題を解決に導くという意味で機能するのであれば，それは強化され，やがてそのパターンが集団がどのように取り組んでいくかという点において共有された暗黙の仮定となっていく。それゆえ，集団が安定しているかどうかの試金石は，新しいメンバーに対して「これがこの集団でのやりかただ－われわれは命令に従うまでだ」と伝えられるかどうかによる。

　もう1つ別の例を挙げるなら，いろいろな程度がある"コミュニケーションの率直さ"に関連する規範がどうやって形作られるかというのがある。ある集団のメンバーが別のメンバーに突然，「君はあのお客に対してへまをしたと思うよ」と言ったとする。集団の他のメンバー，特に権威あるものがこのコメントに対してどう対処するかが"コミュニケーションの率直さ"と衝突に対して規範を作ることになる。もしその発言に対し衝撃の沈黙が流れ，上司が何事もなかったかのように次の話題へと移行してしまうなら，そのような率直さは好ましくないというはっきりとしたサインを送っているのである。反対に，「John，君がどう感じているかは分かったが，君がこのような判断に至った経緯について，君の観察したことをもう少し詳しく聞きたいのだが……」と発言すれば，そのような発言を妥当であると受け入れているば

かりでなく，更なる情報を求めることで話し合いを発展させようとしているのである。具体例や事実，数字で裏づけされる場合のみ，判断を下すことが妥当であるという規範を築こうとしはじめているのかもしれない。

規範や文化的な仮定は，定義したり，集団プロセスの中ではっきりさせるのは容易ではないが，メンバーの行動，認識，感情に対し大きな影響力を持っている。こうした影響力のある部分は，目に見えないところで作用するという事実に由来する。各メンバーの頭の中に個人的なガイドラインとして取りこまれているのである。もっと重要なことは，一旦規範や仮定が共有されるとそれらにこだわり，それらを用いることが集団の一員であることを表現する方法となるという事実である。一度規範や前提が共有されると，集団のメンバー全体を巻き込むことなしにはそれを変更することは極めて困難となる。と言うのも，各メンバーは自分たちの集団の一員としての地位を維持する方法として変更に抵抗するだろうからだ。

例えば，集団における典型的な規範をいくつか挙げてみよう。

「われわれは集団内で罵り合ったり下品な言葉をつかってはいけない」

「われわれのミーティングは時間通りに始めるべきである」

「われわれは議長の発言に対し異を唱えたり質問をしたりすべきではない」

「われわれはお互いに形式にとらわれることなく付き合い，ファースト・ネームで呼び合おう」

「集団のすべてにメンバーが参加すべきである」

「われわれの決定は投票によってではなく，コンセンサスによってなされるべきである」

「われわれはすべてメンバーがそろうまでミーティングをはじめるべきではない」

オープンにされ，言葉で表され，あるいは書き記されているような規範は，集団の決まりや規律として機能し，それゆえ「明示的」規範と呼ばれる。言葉で表現されないものは暗示的，すなわち暗黙の規範と考えられる。そうした規範が破られたときのメンバーの反応を観察することで，それらの規範が存在することが分かる。反応としては例えば，ショックを受けて沈黙してし

まったり，叱責したり，ずけずけと発言したりなどがある。規範が繰り返して破られるようなら，メンバーはさまざまなやりかたで罰せられ，彼らの行動が重要な面で集団に順応していないなら，結局は集団から追放されるのである。

　コンサルタントの重要な機能の1つは，集団自身に規範と共有されている暗黙の仮定について気づかせ，その過程において，ある問題に対して集団内にどのくらいのコンセンサスがあるかをチェックすることである。集団の機能について議論した前章では，この活動は"標準の設定と検証"として識別された。集団行動の最も破壊的な側面の1つは，重要な集団プロセスにおいてコンセンサスが欠けているために生じる。つまりメンバーが，規範が作動していると想定しているが，実際にはどんな規範もない場合などである。価値のあるアイディアや提案が抑えられてしまう。なぜならば受け入れられないだろうとメンバーが仮定しているからだ。そして，本当は誰もやりたいとは思っていないことを，集団がやる結果となる。それは前にも指摘したAbileneの逆説である（p.217）。

　コンサルタントは，次のやり方で集団を援助できる。つまり，重大な事件がどのように扱われているかをよく観察し，集団自らが，時には無意識のうちに作り上げた規範を探ることによってである。コンサルタントは，集団のやり方でその出来事に対処した場合，結果がどうなるであろうかと尋ねることができる。または，コンサルタントは熟慮，分析の際に重大な出来事を思い起こさせることによって，集団の規範のあるものを特定し，作りなおすべく集団を援助できる。そうすれば集団は規範が役に立っているのか，あるいは効果的な行動を取る上での障壁でありつづけているのかを自分たちでチェックできるのである。例えば，人はある意見や情報に対して直接尋ねられたときにだけ，発言すべきだという規範が作られていることに集団は気づくかもしれないし，そのような形式ばった雰囲気はよいアイディアを生み出すのを邪魔していると感じるかもしれない。規範を認識したので，これで集団はその規範を変更する作業に取り掛かることができる。集団がどのように運営されるべきであるかについて自分たちが持っている感情と規範を明白に調和させるわけだ。

集団はまた，明示的な規範と暗示的な規範がお互いに相反することがたまにはあることに気づくだろう。例えば，考えていることをはっきりと発言するという明示的な規範がある一方，集団内で権力を持つ人のアイディアに反対してはいけないという暗示的な規範もある。また，集団のメンバーはすべて平等であり，議論の場では等しく発言する機会があるという明示的な規範がある一方，暗示的な規範では高い地位の人が最初に口を開き，他のメンバーは彼の見解に従うべきだとなっていることもあるかもしれない。集団はよく，メンバーは互いに対する反応はオープンであるべきだとはっきりと述べてはいるが，そのようなオープンな雰囲気は体面保持のルールのために妨げられ，明言されていることがどうして尊重されないのかを誰もが知っている。規範はその作用においてとても微妙でありうるため，もし集団が自分たちの規範の影響力を見極めようとするつもりなら，コンサルタントは具体的な例を提示できなければならない。

　規範が発達し，それぞれの規範が互いに絡み合うようになるにつれて，人は集団の"文化"を考えはじめることができる。文化を変えることが難しいという理由の1つは，規範が互いに支え合いはじめると，邪魔と思われる規範の1つや2つを変えることはできず，ひとまとまりである全規範を変えなければならないからである。例えばある集団が，メンバーは重要な決定をするときには常にコンセンサスを得なければならないという規範を発展させ，そしてこの規範が「決定されつつあることに異議を唱えるときは発言しなければならない」あるいは「課題に関する議論の場では常に正直でオープンでいなければならない」「もし集団がその行動に関してコンセンサスを得るに至っていないなら行動に移ってはいけない」というような別の規範によって支持されていると仮定する。集団がこうしたオープンな雰囲気でうまくいっていたとしよう。新しい議長が任命され，今まで以上に迅速に仕事をこなしていかねばならないという圧力下に集団が置かれているとしよう。議長は決定をし，メンバーがそれに従うように期待する。しかし決定に関わる規範を「議長が求めたとおり行動しなければならない」という方向に変更することは，良い決定プロセス及び信頼できる実行とは何かに関わる深いところにある仮定を変えるだけでなく，メンバーもまた参加に関わる態度を変えない限

り，不可能であろう。コンサルタントはそこで，このような相互の絡み合いを集団が理解するように援助しなければならない。そうすることで，変更プロセスは現実に則して行われるのである。

隠され，議論されない議題

　業務上，対人関係上の問題と並んで大切な集団の現象は，"隠された議題"あるいはそれと関連する"議論されない"議題である。相互作用および互いに"面目"を守ろうとする文化的ルールが強力であるために，集団メンバーは集団で議論するには危険な内容，不適切な内容と考えられるものを隠すことがよくある。そのように隠された問題のひとつのカテゴリーに，個人的な目標がある。メンバーはそれを求めはするが，公にすると受け入れられないだろうと感じ，"隠された議題"となるのである。このような例として最も一般的にみられるのは，ある与えられた議題事項に関して集団がどのような考えを表明すべきかについてリーダーがあらかじめ心に決めている場合が挙げられる。たとえリーダーが話し合いへの参加を求めているとしても，彼はすでに考えを固めており，承認を求めているだけであることに，多くの場合メンバーは察知している。

　議論されない議題のもう1つのカテゴリーは，集団を当惑させたり，痛みを感じさせるものであるため，または互いに他のメンバーがそれを受け入れてくれるとは思えないために，周知のことではあるが，誰一人として口に出して言おうとは思わない類いのものである。このカテゴリーから浮かぶイメージから次のようなたとえが使われる。

　　　「われわれはテーブルの上に死んだネズミを放り投げるつもりか？」
　　　「われわれは机上の象（馬，鹿）について論ずるつもりか？」
　　　「壁に死んだ猫を放り投げよう」
　　　「左側の欄には何があるか？」
　　　「われわれは何を隠しているのか？」
　　　「内輪の恥を持ち出すな」
　　　「取り扱うには熱すぎるかもしれない」

　議論されない話題はいつも巨大だったり，汚かったり，臭かったり，熱す

ぎたり，目にするのも不快なものであることに注意して欲しい。われわれはそれが存在することを常に知ってはいるが，目を背けたり知らないふりをするのである。こうした話題や事実，問題に対してのコンサルタントの役割は慎重を要する。なぜならば，コンサルタントは多くの場合，なぜこの問題が議論できないのか，また，（p.265の事例のように）もしそれが認められ，白日のもとにさらされた場合誰が狼狽することになるであろうかを知っていないからだ。私がこの現象を察知したときに最もよくすることは，「われわれが取り上げていないことが何かあるのですか？」と尋ねることである。集団がそう望むのであれば，その事実を否定したままにすることも認めるやり方で，この問題を私はそれとなく示すのである。集団の成長と発展を見極めるひとつの方法は，集団が徐々に自ら心理的安全を築いている点に注意を向けることである。心理的安全とはすなわち Isaacs（1993）が「容れ物（container）」と呼んでいる物であり，これにより物事が外部に漏れたり，人々が「頭にくる」ことなく，対処できるようにしている。

対人関係の内容と構造について（項目1，3，7，9）

いかなる集団や組織も安定した，繰り返されるプロセスを発展させる必要がある。それによって内部の問題を管理し，メンバーは一緒に働くことができ，集団として安心していられるのである。繰り返される安定したプロセスは，集団内部の環境を安全かつ予測可能にするために必要であろう。そうすることでメンバーは，十分リラックスでき，外部との生き残りを賭けた仕事に精一杯打ちこめる（p.231）。そのような安定性が必要とされる内部問題とは何であろうか？対人プロセスを取り巻く"内容"あるいは議題とは何か？どんな集団でも機能するためには，以下に挙げるように次の各問題を安定的に解決することが必要となってくる。これらの問題が実は，新しい集団に参加するときに指摘された問題と密接に対応していることに読者は気づくだろう。しかしそうした問題が，個人のメンバーが集団に加入するプロセスという観点から捉えられる一方で，以下で指摘される問題はいかなる集団や組織にも適応される，より一般的な問題である。

1．共通の言語と概念的なカテゴリーを作ること

　観察可能な構造は，集団が一緒に働くにつれてできあがってくる実際の言葉であろう。つまり，特別な専門用語，ある単語や概念に添えられた特別な意味，内部のものだけにしか分からない特別のシンボルなどである。

2．集団の境界線と内部，外部の基準を定義すること

　観察可能な構造は，制服や社章など一員であることのシンボルが誰に与えられるかという採用の方針と実際のやり方，退職した人の再雇用政策，臨時職員や契約社員に対する方針，さらには誰には物事を伝え，秘密にしておくのはどの人からであるかのルールなどであろう。

3．権力と地位の配分

　どんな集団でも誰が誰に，またどんな問題で影響を与えることができるかという基準を作り上げなければならない。この分野では，正式な構造となっていることと，実際に物事が行われるやり方が異なっていることが多い。組織図を印刷し，命令系統に関する規則を持つことは可能だが，観察していればしばしば，これらの規則の中には普段からいつも無視されているものがあることに気づく。そして，代わりに「非公式な」構造と銘打った別の構造図ができあがっている。もっと深いレベルでは，この一連の規範や規則は攻撃性の管理に対処し，破壊的に攻撃的な行動を社会的に受け入れられる形態にさせることで，集団が機能できるようにする役割を果たしている。

4．親密さ，友情に関する規範を発展させること

　どんな集団も開放的であること，親密であることにある基準を作り上げなければならない。これは協力と競争を適切なレベルにしておくのと同様である。この分野は多くの場合，体系化が最も遅れている。それゆえ新メンバーにとってはやり取りの暗黙のルールを覚えるまで不安の源泉となる。啓発プログラムや若手を指導するディスカッションの場を見ていると，「このあたりではチームワークこそが，やり取りの名前である」とか「裏工作している所は，決して見つかってはならない」「ここでは上司は常に肩書きで呼ぶこ

とになっている」「われわれはここではざっくばらんに打ち解けており，ファースト・ネームで呼び合う仲だ」「君はたとえトラブルに巻き込まれると思っても，感じたことをはっきりと伝えたほうがいい」「君は公の場で上司に反対しないよう注意しなければならない」と言った発言によってその構造が表現されているのに気づく。このような決まりは，もっとはっきりとした規則のように直ちに目に見える公式的構造にはめ込まれているわけではない。だが，それは文化の中に常に存在する（Van Maanen, 1979）。もっと深いレベルでは，こうした規範や決まりは友情や愛情の管理に対処することができる。攻撃的な感情の事例と同様に，強い友好および性的感情は適切な行動形態へと導いていく必要がある。そのような方向付けによっても関係者が安全を保てないような状態であるとき，セクハラの事例のように社会が崩壊するのを見ることになる。

5．報奨と処罰を定義し，適用すること

公式の報奨システム，業績評価システム，処罰システム，将来性の評価，および昇進やそのほかの賞罰のために実際に繰り返される手続きは一般に観察可能である。しかしながら，項目4のように，文書化された方針や手続きで示されたような構造は，観察可能な繰り返されるお決まりのことつまり規定されていない報奨システムとは，必ずしも合致するわけではない。

6．説明できない，または予想できないことに対する説明と対処

この分野が公式に体系化されていることはまずない。けれども，いかなる集団も簡単にはコントロールできないような予期せざる，ストレスの多い出来事に対処するために，儀式や手続きを展開させるであろう。それは迷信や神話，"雨乞い"のような象徴的な儀式へと発展していくかもしれない。そのようなプロセスはしっかりと根をおろし，次の世代のメンバーへ伝え，教えられていく可能性もある。

集団は互いに交流を深めるにつれ，いつも同じような理解と関係から先に挙げた各分野に対処していくようになる。そうしてこれらは徐々に自明の仮定となり集団文化の主要部分を構成するようになるのである。ここでも，底

に流れている仮定は集団の仕事ぶりからあからさまに見えることはないであろうが，コンサルタントは，方針に関わる連合，コミュニケーション・パターン，メンバーが互いに対して感情を表現するパターン，メンバーがお互いに示す敬意や物腰などにその影響を見て取ることになる。

当面の介入ポイントは，目に見える動的なプロセスに置かれるべきである。というのも，観察者が見る同じものを集団メンバーも見ることができるためである。やがて，集団自らが自分たちのプロセスを分析する術を身につけるにつれて，あまり目につかない構造や文化的な要素が介入のポイントになってくることが増える。もし集団が自分たちの文化をもっと理解したいと欲するなら，文化的な評価を視野に入れポイントを絞った教育的な介入を導入できる。

◆集団の成熟度

集団の成熟度を検証するのに普遍的に適応される唯一の基準というものは存在しない。しかし，集団がどの程度成長を遂げ，さらに発展するためにどのようなことが必要かを知り，評価するために用いることのできるの尺度はたくさんある。これらの尺度は，簡単な自己評価型の質問表にまとめることができる。メンバーがそれぞれの尺度についてどう感じ，時間がたつにつれその感じかたがどう変化するかを定期的に記入することができる。そのような質問表のサンプルが演習9.2に示されている。しかし，ここで取り上げられた尺度は絶対的なものではない。

その尺度は個人のパーソナリティを判断するために発達した，成熟度についてのいくつかの基本的な基準を反映している。同じような基準が集団にも当てはまる。

1．集団は環境に現実的に対応する能力を持っているか？また望ましい程度に環境から独立しているか？
2．集団には，使命や目的，最終的な価値について基本的に合意がなされているか？
3．集団は自己認識の能力を持っているか？また，集団が行っている

ことは何のためであるかを，集団は理解しているか？
4．集団内で入手できる資源を最大限活用しているか？
5．集団内部のプロセス－つまりコミュニケーションや意思決定機能，権威や影響力の配分，規範などがうまく統合されているか？
6．集団は経験から学ぶ能力を持っているか？新しい情報を取り入れ，それに柔軟に対応できるか？

どんな集団でもこれらすべての尺度を完璧に達成することはないだろう。しかしこれらの主要な利点は，それによって時間の経過につれて集団が成長していることを学び，その運営における弱点を特定できることにある。このことは学習能力を意味し，リストの項目6の質問を特に強調するものである。

これらの基準をさらに詳しく述べることもできる。集団や組織にとって健全な学習や対処サイクルと考えられることを特定することによってこれを行うことができるわけだが，集団が自らの経験から学ぼうと思うのであれば，これはうまく処理しなければならないステップである（Schein, 1980）。

1．集団内外において，環境のある部分での変化を感じること
2．集団，組織のそのような分野に関連しており，それに従った行動ができる情報を入手し，その情報を否定したり覆したりするのではなく，消化すること
3．得られた情報に従って内部プロセスを変えると同時に，行われた変更によって生じる望ましからざる副作用を削減したり管理したりすること
4．感じ取られたあらゆる環境の変化に対応した新しい行動や"製品"を送り出すこと
5．新たな反応が環境の変化にどの程度うまく対処したか，そのフィードバックを得ること

コンサルタントは，対処プロセスのこれらの段階を特定し，集団がどの段階をうまく処理し，どの段階はうまく処理できていないかを評価することにおいて集団を支援するきわめて重要な役割を果たすことができる。集団は自

分たちがうまくやっており，集団が成長していることを本当に示す証拠となる分野を特定することが特に重要である。なぜなら，メンバーは自分たちのしていることでうまく機能していない面しか見ないことが多くありがちだからである。結果として，彼らはお互いに自分たちの仕事について早々に落胆してしまう。

◆どこに介入するのか？：課題にか個人間にか？内容にかプロセスにか構造にか？

前2章で，私は対人関係の場あるいは集団の場にある時に観察される主な要素を検証してきた。何が行われているかという内容は最もよく見え，感じることができる。だが集団機能への結果からいえば，それは必ずしも最重要と言うわけではない。結局は構造こそが起こることを制約し，決定する最大の要因である。だがそれを理解し変化させることは，容易ではない。観察，分析そして介入のために最も役に立ちそうなのは，プロセスの次元である。支援できる可能性が最も高いのはこのプロセスにおいてなのである。しかしそれではどのプロセス－つまり課題プロセス，境界管理，対人関係プロセスのどれが有効なのだろうか？私の見解では，それは集団の主要課題に関わるプロセスだと断言できる。

介入する際の重要な焦点としての主要課題について

何を観察し，どこに介入するかを決める時の最も重要な基準は，コンサルタントが何を集団の主要課題とみなすかである。主要課題とは，集団の存在を正当化する一連の目標のことである。例えば集団が招集された理由，基本的な使命，集団を外部環境と結びつけ，最終的には1つの集団として生き残ることになるかどうかがそれによって決まる認識などがある。主要課題がいつでもすぐに見つかるわけではない。しかし一般に，類推し，尋ねてみることさえできる。質問のタイミングが早すぎると，正しい答えを得られないかもしれない。だからより深く観察し，チェックすることが必要となる。しかしいかなる場合も，主要課題が強制的にでも明確にされることは集団にとっ

て役に立つことである。

　クライアントである個人との新たな関係において，あるいは新しい集団を管理するときに最も安全で最も生産的と思われる焦点を当てるべきポイントは，援助者，あるいは管理者としてのプロセス・コンサルタント自身の主要課題や目標である。あなたは何者で，クライアントや部下たちは何をしようとしているのか？いつまでにどのようにしていたいのか？あなたが達成しようとしていることを考えた場合，次にどんな一歩を踏み出すのが道理にかなっているのか？多くのコンサルティング・モデルでは，この点は"クライアントと契約を設定すること"とされることが多い。だが普通，それは私の見方からいえば，正しい認識ではない。なぜなら，それはクライアントとコンサルタント両方にまだ見ぬ未来を推測することを要求するからである。最初から効果的に介入できるようにすぐ直前の目標に焦点を絞り，契約の瞬間からクライアントや部下に対して支援的であろうとする方が良い。

　対人関係を観察することは重要である。なぜなら集団の出す結果は仕事や対人関係のレベルで推移する複雑な相互作用の産物だからである。しかし，もし集団が対人関係の問題を取り扱うとはっきり決めていないのなら，観察していることに介入する必要は必ずしもないのである。コンサルタントにとって最も難しい選択の1つは，対人関係のプロセスにいつ介入するか，またそれを心に留めるだけにしてそのままにしておくべきは，どのような場合かの判断である。ここでもまた大切な基準は"対人関係のプロセスが，実際の課題の遂行にどの程度干渉しているか？集団の全てのメンバーにとって，そのプロセスはどの程度明らかであるか？"という点である。この章の終わりにあるケース9.1はこのジレンマを説明している。

◆要約と結論

　私はこの章で，あらゆる人間関係や集団においてみられる対人関係プロセスと内容，および構造に焦点を当て検証してきた。観察し，理解するうえで重要なポイントは，メンバーはどのように集団に参加するか，彼らが直面する対人問題とは，彼らはそれらの問題にどのように対処するか，および彼ら

が用いるそれぞれのやり方である。集団は形成され，維持されねばならない。そしてこのプロセスは，果たされなければならない多くの機能が複雑に絡み合っている。こうしたものの中には，集団内の感情を管理するのもあれば，外部関係に対応し，集団の境界や集団としての帰属意識，統合をどのようにして保つかに対処するのもある。

私は集団が対内関係を管理する際に直面する主な構造上の問題を検証し，次のことを指摘してきた。つまり，さまざまなプロセスが集団生活の日常的な部分になるにつれて，プロセスは構造として見られるようになるのである。それらは，コミュニケーションを行い，境界を明確にし，権力や地位を配分し，報奨，管理，懲罰を行い，非公式な関係での規範を明確にし，集団が直面するあまり予測できず，制御もしにくい出来事を管理するための構造である。

共有された暗黙の当然視される仮定がこうした構造の背後に潜み，集団が最終的には環境とどう関わっていくかを決め，主要課題を管理し，内部の人間関係を管理しているが，これらが一緒になって集団の文化を作り上げている。

コンサルタントは介入するポイントを選択する際に，観察される強烈ではあるが，あまり関係のない対人関係の問題に過剰な反応をしすぎないように注意しなければならない。介入のポイントは課題プロセスに向けられるべきなのである。対人関係の問題が介入の焦点となるのは，それによって集団が効果的に活動できなくなっているという明らかな証拠があり，その対人関係の問題に対処する心の準備が集団にできており，対処する能力もある場合に限られる。

ケース9.1　対人関係プロセスへ介入した結果，うまくいかなかった例

私はある製造グループの長から，8人から構成される隔週のミーティングに同席するよう依頼された。私の主要クライアントである，その製造グループ長は，集団および集団のリーダーとしての彼の行動を観察して，彼や集団がより効果的になるようにして欲しいと私に求めていた。私は定例のミーティングに同席し，

適切と思われる介入を行うことになっていた。私は1つの集団としてのその集団を紹介され，快く迎え入れられ，正規のメンバーとして会合に出席した。

　そのミーティングに同席しはじめて5回くらい経つと，私はぎくしゃくするようなあるパターンが繰り返されるのに気づいた。あるメンバー，彼の名を Joe としておくが，彼が意見を述べると当然のように無視されてしまうのである。彼には一定の仕事が割り当てられており，一見したところ，十分にその役割を果たしているメンバーのように思えるのだが，周りのメンバーは Joe に対して礼儀を欠いており，失礼と思えるような対応をしているのだった。私は何度かのミーティングでこの対人関係のパターンを見てきたので，このようなパターンが実際に存在しており，他のメンバーたちも同じようにそれを目撃したに違いないと結論付けるには十分であった。そこで，私はその点を指摘することにし，次のように言った。「この中では Joe が議論に加わることについて何かあるのですか？彼は一生懸命皆さんの力になろうとしているが，皆さんは彼のことをずっと無視しつづけているように思えるのですが……」

　この言葉が私の口から発せられるやいなや，集団はシーンと静まり返ってしまい，そのことについてはそれ以上どのような意見も出ず，議長であるクライアントは私の発言がなかったかのようにあからさまに次の議題へ移ってしまった。私は自分が地雷原に足を踏み入れてしまったことに気づいた。しかし，ミーティングが終わったあとクライアントが私をこっそり呼びつけて教えてくれるまで，何が起こったのかさっぱり分からなかった。Joe は技術畑の親分であったことを彼は説明してくれた。若い頃はこの会社に繁栄の大半に貢献したような重要な製品をいくつか開発したが，年を取るにつれて「時代遅れ」になり，会社にとって有益となるような貢献ができなくなってしまったのだと説明した。上級管理職は，彼を手放したり，早めの辞職を強制するようなことはしないことに決め，いろいろな集団を調査して，彼が会社に"あまり損害を与えない"ですむどこかに彼を置いておけないだろうかと考えた。

　クライアントは自発的に彼を受け入れることにし，この状況で彼にできるだけ良くしてやるように集団にお願いしたのである。しかしながら，Joe が寄与できることは，集団の課題達成にあまり関係ないことを皆知っていた。私が技術について無知であったため，Joe の発言内容が議題に無関係だったことに気づけなかった

のである。そのうえ，Joe はそのことを気にしているようには見えなかった。彼は会社に自分の居場所があり，仕事に貢献していると思えることで十分満足しているようであった。誰が見る限りにおいても，集団メンバーの無礼な態度に気づいて（あるいは気にして）いないのだった。

　私が介入したことで，誰も見たくなかった"テーブルの上の象"に触れてしまい，みんなをうろたえさせてしまった。しかも，彼は"腹が立つようなこと"をされていると Joe に気づかせてしまうようなリスクを冒してしまった。私は，その行為によって実際に集団が有効に作用するのを妨げられているかどうかについて，十分なデータも持たずに対人関係の問題を議論の対象に選んでしまったのだ。何が起こっているかを理解するまでは，課題プロセスの問題にポイントを絞り，対人関係の問題は将来の参考のために記録しておくだけにとどめるのがベストであるということを示す数多くの教訓の中の最初のものであった。

演習 9.1　集団が自らについて学習するのを援助すること

　招集者あるいはメンバーの一員として，次回の集まりや会合で，ミーティングの終わりに時間を15分ほど取って"決定や決定に至るまでのプロセスを検証する"ことを提案をしてみよう。

　これはつまり，ミーティングがどのように行われたかについて，各メンバーの気持ちを吸い上げるためである。このような感情は自由に表現してもらってもよいし，あるいは以下の述べるような診断用の道具の助けを借りてまとめてもよい。この類いの特定の質問は，内部の関係に焦点が当てられている。しかし，もし集団が外部との境界管理に援助を必要としていると感ずるなら，その分野に関わる一連の質問を作成するのもまた同様に適切なことであろう。

　もし，診断のための質問表を用いるなら，その分析にはより多くの時間が割かれなければならない。もし集団が，いささかでも診断の価値について疑いを持っているなら，短時間の自由な討論からはじめる方がよい。集団がそのような討論の価値を学習し，そのために喜んでもっと多くの時間を割こうとするようになるまで，質問表は取っておくのが良い。質問の中の1つか2

つ，特定の問題が出てきそうだと感じるものだけに焦点を絞って議論をはじめることはいつでもできるのである。

演習 9.2　集団有効性の格付け

各メンバーは以下の次元で自分たちのミーティングをすばやく評価しなければならない。フリップチャートにこの次元を記入しておき，各メンバーにそれぞれの次元での各自の評価を発表してもらう。集団の分布を記載して後，各次元について討議する。特に一人，あるいは複数のメンバーが中心的な傾向からそれてしまっているような事例について探索し議論をする。どのような出来事やプロセスによってその人たちは，そのような格付けをするに至ったのであろうか。

A．目標
1　　　2　　　3　　　4　　　5　　　6　　　7
混乱，争い　　　　　　　　　　　　　　　明快，皆が共有

B．参加
1　　　2　　　3　　　4　　　5　　　6　　　7
少数支配，聞く耳を持たない　　　　　全員参加，聞く耳を持つ

C．感情の表明
1　　　2　　　3　　　4　　　5　　　6　　　7
無視される，表現できない　　　　　　自由に表現できる

D．集団問題の診断
1　　　2　　　3　　　4　　　5　　　6　　　7
すぐに解決策に飛びつく　　　　　　行動する前に原因を探る

E．意思決定のプロセス
1　　　2　　　3　　　4　　　5　　　6　　　7
自己権威化，少数支配　　　　　　　　　コンセンサス

F．リーダーシップ
1　　　2　　　3　　　4　　　5　　　6　　　7
専制的，中央集権的　　　　　　分散型，広く共有されている

G．信頼の度合い
1　　　2　　　3　　　4　　　5　　　6　　　7
メンバーは互いに信頼していない　　　高い信頼関係にある

実習 9.3　沈黙したままの観察およびフィードバックのしかた

　3番目のより厳しい演習は，あるメンバーに成り行きを静かに見守らせ，適宜集団に対しフィードバックを提供させることが有益であることを各メンバーに確信させることである。この役目はまとめ役と一緒になってしまう場合もある。ここでも集団はミーティングの終わりに30分ほど時間を設けて，沈黙を守っていたオブザーバーに何らかのコメントをしてもらい，そして自分たちの観察や反応を分析するのである。

　ミーティング後の診断タイムにおける"コンサルタント"（沈黙を守るオブザーバー）の役割は，慎重を要する。集団が彼に対して門戸を開くや，すぐに飛び込み，彼が過去数時間の間に観察した中身をすべて報告したいという，かなりの誘惑に誘われる。集団から実際にコンサルタントに対して観察したことすべてを話してくれるよう促されると，こうした誘惑は更に高まることがよくある。「ミーティング中われわれはどのようであるとお感じになりましたか？」「2時間ほどわれわれのことを観察しておられましたが，どのような考えをお持ちになりましたか？」

　このとき，コンサルタントは自分の基本的な使命を自らに言い聞かせていなければならない。つまり診断の過程を集団と共有し，自分たちのプロセスを診断することを集団が学ぶのを支援するのである。もしコンサルタントが誘惑に負けて，観察を主導するようなことになれば，集団が診断に対する責任を自ら放棄するという非常な危険性が大いにある。さらにコンサルタントが幾人かのメンバーが同意を示さないような観察を行えば，効力を失った立場にある自分にすぐに気づくのである。最後に，コンサルタントがまず最初に自分の観察したことに入り込んでしまうと，自分自身のフィルターが作用していること，あまり重要でないことや自分自身の先入観を反映している事柄を報告しているかもしれないことを忘れてしまうのである。

　集団が自分たちで観察すべき領域を一度特定したなら，コンサルタントが自分の観察を付け加え，観察ばかりでなく集団理論のいくつかも提供して，メンバーの理解を深める機会を活用するのは全く適切なことである。しかし，集団が率先しなければならないのであり，コンサルタントは集団が該当すると判断する分野の中でのみ携わればよいのである。もし集団がコンサルタン

トに対して，集団のためにその仕事をするよう頼んできたら，コンサルタントは丁重にこれを退け，集団が自らの手で診断をするよう促すべきであろう。

演習 9.4 集団成熟度の判定

集団がその成熟度や成長について判断するのを助ける際，質問表の形で何らかの次元を提供すると役に立つ。なぜなら，自由なプロセス分析の時間に集団がこれらの次元を考え出すことは不可能であると思われるからだ。以下に示した質問表は，1つのきっかけとしての役割を果たすであろう。

集団プロセスの成熟度（それぞれの次元を提供された尺度に沿って評価する）

1．フィードバックを得るための十分なメカニズム
乏しい   十分
1   2   3   4   5   6

2．十分な意思決定手続き
乏しい   極めて十分
1   2   3   4   5   6

3．最適な協力体制
低い   最適
1   2   3   4   5   6

4．柔軟な組織と手続き
硬直   極めて柔軟
1   2   3   4   5   6

5．メンバーの資質を最大限に活用すること
乏しい   優秀
1   2   3   4   5   6

6．明快なコミュニケーション
不明確   極めて明快
1   2   3   4   5   6

7．メンバーに受け入れられている明快な目標
明快で受け入れられている   不明確で受け入れられていない
1   2   3   4   5   6

8．権威者との相互依存
低い   高い
1   2   3   4   5   6

9．リーダーシップ機能の適正な割り当て

低い					高い
1	2	3	4	5	6

10．創造性と成長の可能性

低い					高い
1	2	3	4	5	6

11．関係がありそうな次元を追加すること

第10章

促進的なプロセス介入：対話

　すべての人間関係は，何らかの形態の会話を通して展開する。コンサルタントも会話を通じてクライアントと関係を樹立する。診断的調査も会話の一形態である。例えば，情報の伝達や説得，対決，計画的なフィードバックなどがある。ミーティング中の集団での互いのやり取りも一連の会話によってなされる。ある観点から言えば，人生のすべてはさまざまな役割を持った人々の会話から成り立っている。実際，われわれを人間たらしめるのは，会話をする能力によってなのである。

　しかし皆が知っているように，会話の形態によっては，別の形態の会話よりも満足が得られるものがある。ある会話は別の会話よりも学習を引き起こしやすく，クライアントが自分たちの問題を解決し，目標や理想を達成するのに役に立ちやすい。会話は全く自然発生的であり，そこに参加する人の意向に応じて管理することもできる。第7章で私は，計画的なフィードバックがいかにそのような「管理された」形態の会話であるかを指摘した。つまり，それによってクライアントはどのように人と接しているか，自分たちのふるまいが他の人にはどう受け取られているか，そして自分たちが気づいていない点は何かといったことに対してもつ自覚をよりよいものにするための援助を受けることができる。「管理された」会話の，もう1つの形態は対話である。[1]

---

[1]　この分野でも，また世界的にもいろいろな種類の対話がある。だが，私がここで論じている型というのは，David Bohm（1989）が唱え，William Isaacs（1993）が発展させた説である。

対話は，参加者に文化的学習や言語，心理的な構造から生まれてくる何らかの隠された，暗黙の仮定を気づかせることが可能である，もっと言えば気づかせるに違いない会話の一形態であると考えることができる。通常の自然発生的な会話は，前に述べたようなあらゆる文化的規則に支配されており，ORJI サイクルの分析で述べたようなあらゆる心理的傾向およびフィルターの影響を受けている。われわれが日常生活をうまく行っていくためには，われわれはお互いを理解しており，同じような前提にたって動いていると仮定しなければならない。われわれはコミュニケーションが決裂した時にだけ，何が起こっているのかを問いなおす。そして決裂の原因を会話の相手の方に動機や能力の面で問題があったためだとしてしまうことが多い。われわれが他の人と口論や対立状態になったときもまた，それは相手に動機やそのような意図があったと考えてしまい，自分たちが本当は異なる仮定や前提に立っている可能性を検討してみることは困難である。交渉をまとめる人にとって最も重要な課題の1つは，双方がもしお互いを本当に理解しあっているなら，互いの目標が対立する可能性はないということを双方に受け入れてもらうことである。

　会話の一形態としての対話は，すべての人がそれぞれ違うという想定に立っていて，相互理解というのはほとんどの場合，幻想に過ぎないという仮定から始まる。それゆえ，われわれは計画的なフィードバックによって可能となるような，ある種の学習をするようになる前に，自分たちの暗黙の仮定にもっと意識を向け，会話している相手は違う前提に立っているかもしれないことに気づく必要がある。対話によって，より効果的な対人関係の学習をするための雰囲気が作り出せるだけでなく，対話こそが暗黙の仮定が異なり，言葉の定義が違うゆえに生ずる対人関係上の対立を解決するおそらくたった1つの方法であろう。

　この章では，私は会話の一形態として対話をもっと正式に分析しようと思う。しかしもちろん，われわれは通常の人間の営みの中でいつも本当の対話のように感ずる，意義のある会話を求めている。コンサルタントは，クライアントとの会話を対話として公式に分類することもなく，彼らと意義のあるある対話をすることを求めている。われわれはみんな，実りのある，相互理

解をしたと感じる会話をした経験を思い出すことができる。われわれが理解しなければならないことは，そのような相互理解を可能にするものは一体何か，対話の可能性を増すために会話をどのように組み立てていくことができるかということである。

◆対話と感受性訓練

　対話というこの概念を調べる最もよい方法は，対話の一形態としてのこれをもっと馴染みのある他の形態のコミュニケーションと対比させてみることである。特にベテル人間関係訓練コースで展開されている感受性訓練集団の概念と実践から生ずる類いの会話と比較してみることである（Schein & Bennis, 1965; Bradfoed et al., 1964）。私は，対話と感受性訓練両方を明確にするために，双方の集団での自分の体験を述べていこうと思う。中には対話とは非常に難解な経験であるとし，感受性訓練を主として治療のための経験であるとして提唱する人もいた。私の観点からいえば，このようなステレオタイプ化はどちらも，これらの学習プロセスを実践する主流的となる正しい捉え方ではない。両方の方法を結びつけ，同時にはっきりと区別するものは，"聴く"ことの特殊な要素を発展させることにより深く関係している。

　コミュニケーションや人間関係に関するワークショップの大半で，"積極的に"聴くことが強調されている。つまり話される言葉やしぐさ，声の調子，込められた感情などコミュニケーション手段のすべてに注意を払うべきであるのだ。人は，最初のうちは自分がしたいと思っている反応よりも相手の言っていることに注意を集中させることを学ぶべきである。反対に対話では，最初のうちは自分の思いに耳を傾け，背後に潜む仮定を知ることに神経が集中している。つまり自分がいつ口を開いたらよいか，何を言えばよいかといったことが"自動的に"決まるような，そういった仮定を知らねばならない。感受性訓練では，他の人の感情を聞き取り，コミュニケーションのあらゆるレベルに波長を合わせることにもっと焦点が当てられる。一方対話では，思考プロセスにもっと焦点が当てられ，自分たちの認識や知覚がいかに過去の経験によって行われているかに注意が払われる。

対話の背後に潜む仮定は，もしわれわれが自分たちの思考プロセスがどのように働いているかに意識を向けるなら，コミュニケーション自体の持つ複雑さや相互理解をもっと評価するようになり，われわれは徐々に共通理解を築いていけ，集団としての思考プロセスによって個人の思考プロセスを克服できるようになるということである。対話にとっての重要な目標は，集団が高いレベルの意識と創造性を持つことができるようになることである。これは，一連の意味を共有し，「共通」の思考プロセスを徐々に作り上げていくことを通じて行う。大きな集団がどのようにしてこの共通の思考を達成するかに，焦点が当てられることが多いが，この概念はコンサルタントとクライアントという二者間でも十分に適用される。コンサルタントとクライアントの間で共通の仮定が置かれ，共通の言語を発達させたときにのみ，真の援助が成し遂げられるのである。

他者の言うことを積極的に聴くことは，対話のプロセスにおいてある役割を担っているが，はじめのうちは中心となる焦点でも目的でもない。事実，私は人々が対話する中にあって，自分自身の仮定あるいは想定が何であるかを知ろうとして自己分析に多くの時間を費やし，相対的に他の人の発言を積極的に聴かなかったということがあった。やがて，対話の参加者らは確かにお互いに"積極的に聴く"ことにはなるが，そこに至る道のりは全く異なっている。

典型的な感受性訓練のワークショップでは，参加者は"打ち解けたり"分かち合いながら，計画的なフィードバックをしたりされたりしながら，またコミュニケーションの感情的な問題すべてを検証しながら人間関係を模索する。対話のワークショップでは，参加者たちは思考と言語のあらゆる複雑さについて模索する。われわれは自分たちの思考と認知の基本的なカテゴリーがいかに恣意的であるかに気がつき，それゆえわれわれの基本的な認知プロセスにおける不完全さ，偏見を意識するようになる。以前 MIT で一緒だった同僚の1人，Fred Kofman はこのような偏見についてカモノハシを例に取り上げ説明していた。この生き物がはじめて発見されたとき，科学者たちはかなり論争した。それ（カモノハシ）は哺乳類なのか，鳥類なのか，それとも爬虫類なのか？と。そこで自動的になされた仮定は，"哺乳類"とか

"鳥類"とか"爬虫類"といったカテゴリーは，この新しい生き物がその中に収まらねばならない現実そのものであるということだ。われわれはこれらのカテゴリーが現実そのものであるというよりはむしろ，**現実を表し，分類するために考え出された**ということを忘れがちである。Fredは，カモノハシはカモノハシなのであるということをわれわれに気づかせてくれた。カモノハシは，便宜上の問題を除けば，いかなるカテゴリーにも押しこめる必要はないのである。実際，無理やりに当てはめてしまうような場合，実際にそこにある現実について学ぶという機会を狭めてしまっているのである。

　対話のプロセスによってわれわれは，認識や区別を可能にするためにいかに世の中を便宜的なカテゴリーへと細分化することに基づいて思考プロセスがあるかに気づかされる。こうしたカテゴリー（分類）はわれわれが生まれてまもなく，言語という学習を通じて教え込まれるのである。われわれが忘れてしまっているのは，カテゴリー（分類）は恣意的なものであり，便宜上および，われわれの生存に重要である外部の現実に対処するのを容易にするために，文化の中で発展してきたということである。われわれは対話集団内で熟考するにつれて，外部の現実を認識する恣意的なやり方をいくつか認めるようになり，集団のほかのメンバーは外部の現実を違ったように切り取っているかもしれないということに気づくようになる。われわれは，現実は連続体であり，それを概念とかカテゴリーとかにばらばらにしてしまうのはわれわれの思考プロセスなのだということに気づきだす。

　感受性訓練では，その目標は集団プロセスを用いてわれわれ**各個人**が対人関係の技術を開発していくことであるのに対し，対話では，生産的に，創造的に，そして最も重要なことには，みんなが一緒に考えられるような集団を作り上げることを目指すのである。対話がうまく運ばれているときは，集団は個々のメンバーの創造的能力を越えた，はじめ誰も予想だにしなかった創造的な思考レベルに達することができるのである。このように対話は，クリエイティブに問題を識別しその解決を目指すことが可能となるような潜在性を秘めた手段なのである。クライアントとコンサルタントの関係では，対話することにより，どちらかが個別に考えて思いつくであろうことを凌ぐようなさらなる介入のための診断的な洞察やアイディアを導き出すことができる。

感受性訓練では，学習の力点は，計画的なフィードバックをどのようにしてやりとりするかを学ぶことに多大なくらい重点が置かれている。計画的フィードバックというのは，われわれが面目を維持しなければならないために反文化的なプロセスである。それゆえ，そこには感情と不安が渦巻いて生ずるのである。このプロセスによって，われわれに新たな洞察が与えられ，われわれの見えないところを指し示され，他の人がわれわれを見るように自分のことが見えるようになる機会が提供されることになっている。これは，多くの人にとって物珍しいことであるだけでなく，たとえ自己改革のためにゆくゆくは必要であるとしても，破壊的である可能性もある。計画的なフィードバックを受けるということは，自分自身に対する幻影を危うくすることである。逆にフィードバックを与えるということは，受け手に不快感を与え，怒りを買ってしまうかもしれないリスクを冒すことである。

反対に，対話の場合は会話の自然な流れを強調する。それは実際には（私の経験ではいささかそれとなく示されることではあるが）計画的なフィードバックを行ったり，対人関係で直接対峙することを抑えてしまう。対話の場では，集団全体が学習の対象であり，メンバーは誰も自分ひとりではこれまで思いもつかないであろうアイディアをみんなで作り上げるという潜在的な興奮を分かち合うのである。特に自然な会話の流れを知らぬ間に害するような個人的な行動に関して，フィードバックは生じるかもしれない。けれど，フィードバックは集団プロセスの目標として奨励されることはない。

集団が輪になって座りお互いに向かってではなく，「キャンプファイヤー」に向かって話しかける時に，対話は一番よく機能する。集団を一般的に特徴付けているのは，他人も偶然聞いてしまうかもしれないが特定の個人間で交わされる一連の見解ではなく，われわれ皆が語らねばならないことである。このため対話では，文化的「規則」をある程度破ることがそそのかされる。破られる規範としては例えば，質問に答えるとか，互いに話しかける時にはお互いの目を見るとか，すべての人に等しく発言する機会を与えるとかが挙げられる。多くの人にとっては，会話の自然な流れがペースダウンし，焦点を失い，業務を成し遂げたり結論に至らねばとする心配を忘れたいような気がする。この"適合"という規範を最もドラマチックに説明するものの1つ

は，2時間の対話の後に参加者が語ったコメントである。「黙ったままでいることが許されていると感じられたのは，ここ何年間で初めてのことでした。」

対話とその他のコミュニケーションを高める手段との一番の大きな違いの1つは，集団の規模が恣意的に制限されていないことである。感受性訓練では効果が期待されるのは10から15人の集団に限られるのとは逆に，私は60人もいる対話集団の中にいたこともあるし，100人以上でも対話が試みられ成功したと聞いている。そのような大規模な集団が何かを達成できるという考えは，普通では信じられない。しかし，大規模な集団というものは，それまでに小集団で対話スタイルを経験したことのある人たちから成り立っていることもよくある。大規模な集団では，こうした人々は当初多くを期待しないし，すべての人にそれなりの"発言の時間"を与えるべきであるという前提に立っている。逆の極端な場合，対話は1対1（2人）の関係でも問題なく適用されるし，これまで論じてきたように，コンサルタントとクライアントとの関係を築き上げるプロセスの一部としても不可欠なものである。

感受性訓練では，すべての人は学習し，また学習プロセスに参加することが期待される。対話では，集団としてより高いコミュニケーションレベルに達するという目標があるため，個人が貢献する役割は幾分かぼんやりしたものになっている。個人的働きの多くは内部にあり，自分自身の前提を検証しているため，"発言時間の分け前をめぐって"争う必要はほとんどない。ミーティングの長さと回数については，対話スタイルのミーティングはより柔軟で，多様であり，それほど神経質にならなくてもよい。

対話はどのようにして始められるのか？

私がこれまで参加してきたどんな集団でも，議長は椅子をなるだけ円形になるように並べ，対話の概念について説明することから始めていた。どの場合も，集団は会話を始めるに十分な本質を理解することができた。このような理解に至る鍵は，対話を真のコミュニケーションが行えたと感じた他の経験と結びつけることである。対話を始めるための1つの方法は，参加メンバーに対し，他の誰かと本当によいコミュニケーションがとれたと感じたとき

を思い出すよう頼むことであり，それらを共通点を特定するために彼らに報告をしてもらうことである。このプロセスは表10.1に示されている。

このように対話を開始することの背後にある理論は，われわれが集団力学について知っていることと完全に合致する。そしてそれは新しい集団のついてのいくつかの重要な前提をも含んでいる。

1. メンバーが可能な限り均等であると感じるときに集団は最もよく機能する（たとえ現実には，集団内に階級や地位の差があるとしても，皆が車座になるべきである）。
2. すべてのメンバーが集団内で自分自身を確立できるような"発言時間"が保証されていると感じるときに，集団は最もよく機能する。それゆえ，最初に"参加手続き"としてどの人にも何かコメントしてもらうことで，みんなに自分の順番と空間が存在することを保証する。大規模な集団では，すべての人に話ができるわけではないかもしれない。しかし，誰でも話がしたければ，すべての人にその機会が与えられており，そのために必要な時間を集団は設けるようにするというのが規範である。必要とされるこの"手続き"は順番に自分の名前と簡単なコメントをしてもらうというそれだけでも十分である。大事なことは，すべての人が何か発言するということである。
3. 集団形成の早い時期においては，各メンバーは主に自分と自分の感情に関わっている。それゆえ，個人的な経験を認知し，そのような経験について話を引き出すことは，対話を始めるよい方法である。

表10.1　対話を始めるときの議長／まとめ役の役割

- できるだけ円形に近い空間を作る。円形になっていれば，テーブルにつくかつかないかは，重要ではない。円形に座ることから生じる平等の雰囲気のほうが大切である。
- 一般的な概念を説明し，それから全員にこれまでに経験した"よいコミュニケーション"だと感じた対話を思い出してもらう。

- どんな体験であったかを隣の人と分かち合い，その体験の特徴について考えてもらう（抽象的な概念ではなく，極めて具体的な経験を扱っているので，これがうまくいく）。
- 過去の体験で"よいコミュニケーション"を生み出すような何があったのかを全員で分かち合ってもらい，それらの特性をフリップチャートに記す。
- 各人に順番にどのように反応したかを話してもらうことによって，これらの特性についてよく考えるよう集団に促す。
- 全員がコメントしたあとは自由に会話してもらう（これには1時間半から2時間以上の時間を要する）。
- 説明したり明確にすることが必要なら，コミュニケーションの問題を例示する概念やデータを使って介入する（これらの概念のうちいくつかは以下に説明されている）。
- 各人に自分の選んだやり方でコメントしてもらって対話を終える。

　ミーティングの長さと頻度は集団の規模や招集された理由，メンバーが抱えている制約条件によって変わってくる。私が関与した集団のほとんどは1時間から2時間ぐらいの会合を持っていた。しかし私の考えでは，会合はもっと短くにも，またもっと長くにもすることができる。その考えを伝えようとしている数日間にわたるワークショップの場合，私は毎日20分のセッションを試み，うまく治めたこともある。もしミーティングが数回に及ぶ場合，たとえそれがそのときの気持ちを一言，二言発言するだけのものであっても何らかの形式的"手続き"でもって各ミーティングがはじめられるのであれば，2回目以降の進行はお決まりの手順となる。ここでも重要なことは，全員に発言時間を認め，全員がミーティングを始めるにあたって何か貢献をしなければならないとそれとなく示すことである。貢献の内容はどんなものであっても全く構わない。明らかに，このプロセスは集団の規模によって違ってこよう。しかし，コミュニケーションをとるうえでの重要な原則は，"われわれは皆同じ条件で一緒に土俵に立っている"ということである。

　議長／まとめ役は，ミーティングの始め，あるいはプロセスの途中でどの程度の理論的なインプットを提供するべきかを選択する。もし集団が概念的なものを必要としているのならそれが与えられるべきだ。だが，その与えるタイミングが適切でなければ，集団プロセスを混乱させてしまうこともある。

対話導入のための諸概念

集団が対話というものをよく知っていないなら，前置き的な説明を行ったり，概念について基礎知識を提供することは有益であろう。参加者に対し対話は他の種類の会話とどのように異なっているのかを示すことは特に役に立つ。Isaacs（1993）の基本モデルを基にした，図10.1にあるロードマップを描くと役に立つことが分かった。2つの基本的な経路から会話の形態をマップにして描くと，そのモデルによって対話の底に流れている本質的な概念が強調される。つまり，いつ口を開き，何を言うかを選択することに関する自分の内部で行われるプロセスを発見することになるのである。

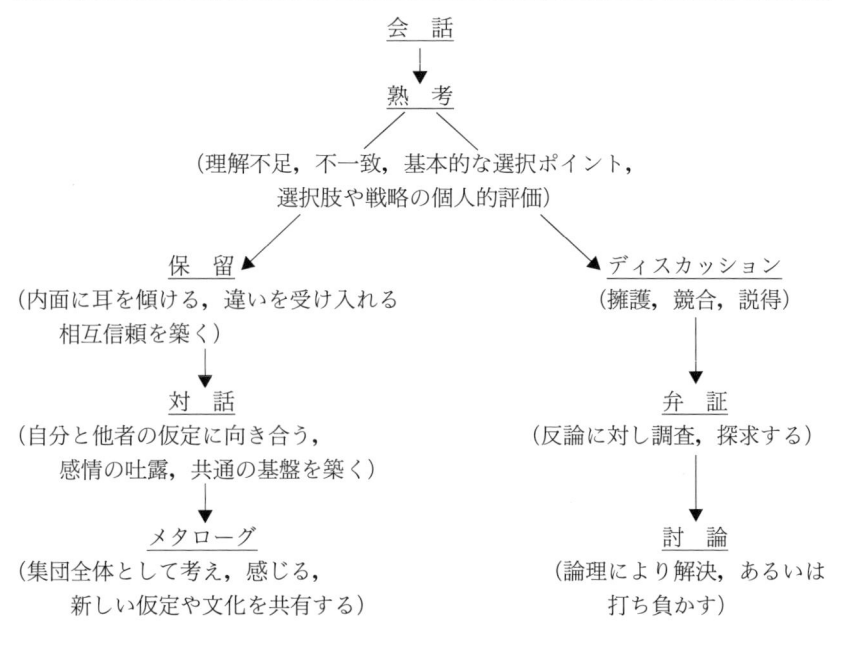

```
                    会 話
                     ↓
                    熟 考
        (理解不足，不一致，基本的な選択ポイント，
              選択肢や戦略の個人的評価)
           ↙                    ↘
        保 留                  ディスカッション
(内面に耳を傾ける，違いを受け入れる    (擁護，競合，説得)
    相互信頼を築く)
         ↓                        ↓
        対 話                     弁 証
(自分と他者の仮定に向き合う，      (反論に対し調査，探求する)
   感情の吐露，共通の基盤を築く)
         ↓                        ↓
       メタローグ                  討 論
(集団全体として考え，感じる，      (論理により解決，あるいは
   新しい仮定や文化を共有する)          打ち負かす)
```

図10.1 一緒に話をするいろいろなやり方

［出所］"On Dialogue, Culture, and Organizational Learning." *Organizational Dynamics*, Autumn 1993: Volume 22, #2.

保留

会話が進むにつれ，われわれは何らかの反証を感じとる事態が必然的に訪

れる。われわれは自分たちの論点が理解されていなかったと気づいたり，あるいは異を唱えたり，問題を提起したり，攻撃したりする。このとき，われわれは普通，不安や怒りのこめられた反応をしてしまう。もっともそれに気づくことはまれである。それゆえ，始めに選択しなければならない問題は，そうした感情を信用できるか，その感情を表しても許されるのかどうかである。これらは，われわれが自分自身の感情についてもっとよく考えるようになり，自覚するようにならない限り，選択肢として経験することはまずないものだ。しかし，われわれは何らかの形，あるいは別の形でこの感情をはっきりと表現するかしないか，という選択は確実に存在する。

　われわれがこれらの選択に気づいてくるにつれて，われわれはまた，集団の中で他の人が何をしたかについてわれわれが認識していることによってその感情が湧き起こってくるのではないかと気づくようになる。しかも，このような認識それ自体が間違っているかもしれないという可能性にも気づくようになる。既に指摘したことだが，ORJIサイクルの最も難しいところは，正確に観察することである。不安や怒りに身を任せる前に，その情報が正確に認識され，解釈されているかどうかを判断しなければならない。われわれは本当に試されたり，攻撃されたりなどにさらされているのか。

　この時点がきわめて重要である。われわれが観察力を養い，熟慮するようになるにつれて，当初の認識がいかにわれわれの文化的学習や過去の経験による学習に基づいた期待によって歪められている可能性があるかを理解し始める。われわれが認識していることは，自分たちの要求，期待，予測，心理的防衛，そしてとりわけわれわれが文化を通して獲得した仮定や思考の範疇に基づいていることがしばしばである。この熟慮するようになるというプロセスこそが，他の人の言うことに耳を傾ける上で最初に直面する課題は，われわれ自らの認知プロセスにフィルターをかけている歪みや偏見を特定することであると気づかせてくれるのである。われわれは自分自身の声に耳を傾けることを学んではじめて，他の人をきちんと理解できるようになる。そして，この自分の内なる声を聴くことは，特に課題本位の活発なディスカッションではなかなか難しい。さらに，われわれの文化には，そのような内省を支援する学習は存在しないようである。

われわれが認識していることが必ずしも正確ではないという基本問題が特定されたならば、われわれはもっと根本的な選択である2番目の問題に直面する。つまり、問題点を取り上げ、その人がほんとうに言わんとしていることを尋ね、さらに自分の主張を説明したり、あるいは異論を述べた人に何らかの方法で特に焦点を当てるようにすることを通じて、自分の認識をチェックするかどうかという選択である。われわれは集団のプロセスを観察して分かってはいるが、即座にその状況に正面から立ち向かうと（例えば、誰かに、ある特定の発言についてその真意を説明するように求めることなど）、会話はその少数の人々や、少数の問題をめぐって瞬く間に分裂してしまう可能性がある。

　もう1つの選択は"保留（suspention）"することである。"保留"とは、問題――例えば、認識とか感情、判断、衝動など――をしばらく保留の状態にとどめておくことを意味する。そして、われわれ自身の中や他の人からさらに何が生じてくるかを見極めるのである。このことは、実践上の会話では（私自身繰り返し経験してきたことだが）、次のことを意味する。誰かの発言によって私が気分を害したときに、私には①自分の反応を声にして上げるか、②成り行きに任せる（それによって自分の反応を保留する）かの2種類の選択肢が純粋にある。もし私の重要なポイントが誤解され、誤った解釈がなされているのに気づいた場合、保留の態度を貫くことは特に難しい。それでも、保留していれば、会話が進展して問題が明らかになったり、何が起こっているのであろうかに関する自らの解釈が、積極的に介入せずとも追認されたり、変化したりすることが何回もあった。

　集団が図10.1に示された矢印にしたがって対話のほうへ進みはじめるのは、多くのメンバーが自分の反応を保留することに意味があると思い始めたときである。反対に、多くのメンバーが異を唱えたり、さらに詳しく述べたり、疑問を呈したり、その他それらの反応を引き起こしたきっかけに焦点をあてたりなどの反応を即座にすると、ディスカッションへの経路を進み始め、非生産的な討論へと泥沼にはまり込んでしまうのである。"保留すること"によって熟考が可能となる。これは、集団力学の訓練で"今のこの場所（現状を）"を観察することに力点を置くのと非常によく似ている。しかしIsaacs

(1993) は，そのような熟慮し注意することは，過去を向くことであると正しく記している。彼はその代わりに，われわれが必要としているものは"自己受容（proprioception）"－つまり今この瞬間に意識を向け，生きていくことだと主張している。

　結局，対話は，自分たちが考えを持つと同時に，その考えを知ることができるようにようにさせる試みなのである。この意味で自己受容が心理的に可能かどうかは，議論の余地がある。しかし，基本的な考えは内部のフィードバック回路をできるだけ短くすることなのである。結果として，われわれは今ここで起こっていることに触れることができ，いかにわれわれの思考や認識が過去に学習したことと，その思考や認識のきっかけとなった目の前の出来事の両方による作用であるかに気づくようになる。これを学ぶことはどうしても困難である。しかし，それは対話を始める能力の中心に位置するのである。

対話とディスカッション
　ディスカッションや討論が多かれ少なかれ，対話よりも望ましいかどうかについて，われわれはどうやって知りうるのか？われわれは常に対話のほうへ進むべきなのか？ディスカッションや討論は，その集団メンバーが"共通の言語で話せる"ほどお互いに理解しているという前提のもとでのみ，問題解決や意思決定プロセスにおいて効力を持つと私は主張したい。逆説的なことには，もし集団のこれまでのいきさつのどこかで何らかの対話が行われていないかぎり，カテゴリーを共有するというそのような状態を達成することは不可能なのである。時期早尚なディスカッションが持つ危険性は，集団が"誤ったコンセンサス"を得てしまう－つまり，ある言葉が同じことを意味しているとメンバーが仮定してしまうことである。後になって始めて彼らは，些細な意味の違いが実行される行動や，手段に重大な結果を引き起こすに気づくのである。
　他方，対話は共通理解を生み出す基本的なプロセスであり，人はそこで，自分たちのコミュニケーションにおける言葉の隠れた意味合いを理解することが可能となる。反論を保留し，しばらくそのままにしておくことで，その

意味がよりはっきりとし，集団メンバーは徐々にその意味するところを共有しあい，その結果，相当高いレベルでの相互理解と創造的な思考が可能となる。われわれは，支離滅裂で，どちらかと言えば成り行き任せに見えることが多い会話の中で自分自身や他の人の言うことに耳を傾ける時，各メンバーがその意味あいをいかに考え，表現するかに偏見があり，微妙な違いがあることを理解しはじめる。このプロセスではお互いを説得するようなことはしないで，むしろ集団全体での学習できるようにする共通の経験基盤を構築する。集団がそのように集団としてまとまった理解を達成すればするほど，その集団は容易に意思決定に至ることができるようになり，その意思決定は集団が意図したとおりに実行される可能性が高まるのである。

集団力学

"集団を形成する"という力学は，対話を行うプロセスと並行して生じる。アイデンティティ，役割，影響力，集団目標，開放性と親しさの規範，権威者への疑問などの問題の全てに対処していかねばならない。だが，この多くは（人間関係や集団力学のワークショップの場でそうであるように）明確というより曖昧な形で生ずることが多い。集団は議長に関連した権威の周囲で生じてくるお決まりのあらゆる問題を呈することになる。例えば，議長はわれわれにすべきことを伝えるのであろうか？われわれはたとえそうするように言われたとしてもそのようにするのであろうか？議長には考えがあるが黙っているだけなのか，あるいはわれわれと一緒に検討していくつもりなのか？われわれは議長がいなくてもどこまでやっていけるのだろうか？などである。

集団の成長と発達の問題が生じてきた場合，それによって対話のプロセスが妨害され，混乱しているのであれば，それらの問題に取り組まねばならない。それゆえ議長は集団の取り組みを促進させることにも技術を持っていなければならない。つまり，集団内で生じてくる問題を2つのカテゴリーに分類できねばならない。：2つのカテゴリーとは対話の発展に関わる問題と，集団としての発展に関わる問題である。私の経験では，対話のプロセスは集団の発展を促進し，それゆえどのミーティングでも主要な推進力となるプロセスであるべきだ。このような"促進"の主な理由は，対話によって心理的

な安定が生み出され，このため変化を求める動機がすでにあると仮定した場合，個人や集団に変化が生じる余地が生まれるからである。対話によって変化の必要性を作り出すことはできないが，変化のプロセスを促進していることは確実である。

　最初に対話に従事するための何らかの動機付けがなければならない。そのプロセスははじめのうちはとても"効果がない"ように見えるので，例えば次の点で心が打ち解けていない限り，つまり，集団メンバーがうまくいっていない（悪い影響を及ぼしている），罪悪感や不安を感じている，仕事に携わるためにそのような感情を克服しなければならないと感じているなどがない限り，率先して対話を行おうとは思わないであろう。その時点で核となる仕事，あるいは究極の課題は，そもそも集団が顔を合わせることになった長期間に及ぶ理由であろうと思われる。

　集団ははじめのうちは対話を回り道，あるいは問題解決を遅らせるものとして感じるかもしれない。しかし，本当の変化は人々が心理的に安心したと感じるまで起こらないし，そのような安心感が与えられるのは，対話の取り組みにおいて語られる暗黙のあるいは明言された規範によってである。これは人々に方向感覚と，相互の交流における危険な側面は封じ込められるとする感覚の両方を与えることで行われる。もし集団が対話のスタイルで仕事や問題に取り組むことができるならば，望ましいコミュニケーションのレベルへとより早く到達できるであろう。

封じ込め

　Isaacs は対話するための"容れ物"を作り，"ホットな問題"を"やけど"せずにうまく取り扱うことができるようにするための雰囲気および一連の暗黙あるいは明示的な規範を作る必要性をはっきりと打ち出している。コンサルタント（あるいは議長）は模範的な行動，つまり，中立的な態度で望み，自分の分類や判断を保留する能力を示すことによってこれらすべてに貢献しなければならない。この技術は，争いがヒートアップし，器からあふれ出てしまうのを懸念するような限界まで達している集団状況で，特に関連性が出てくる。その時点では，議長はただ単にその状況をありのまま受け入れ

ることができるだけである。そして，対立を現実として，今ここにいるメンバーすべてが直視すべきものとして確認し，判断や非難をせず，またその状況を何とかする必要があると感じることさえしないのである。争いもまた保留できるのである。

しかし，感情を抑制するのに役に立つ最も重要な対話が持つ特徴は，その焦点が感情よりもむしろ思考プロセスにあることである。参加者は感情を対処すべき主たる現実として受け入れるよりむしろ，感情がどのようにして存在するようになったかを理解しはじめることができる。これは自分たちの思考プロセスがどのように作動するかの結果として現れているのである。感情は理解こそされるべきだが，必ずしも表現される必要はないのである。たとえ感情が表現されても，それらは膝蓋腱反射（膝下をたたくと，下腿が前にはねる現象）のように反応される必要はない。集団メンバーは感情がどこからきて，その結果何がもたらされるかを理解しようと試みることができる。感情を合理的に分析することによって，メンバーはそれを抑制することができるのである。

課題対プロセス：何についての対話なのか？

ある人が対話を提案したときに生じるよく聞かれる質問は，「われわれは何について話し合うのか？」ということである。私の経験では，その答えは状況によって異なる。ときには対話そのものについて話すことで十分である。また別のときには，話し合う必要があるさしせまった課題上の関心事項があるが，より熟慮を要する"対話"スタイルで行われるべき場合もある。ときおり議長が話題を提供することもあるが，通常は参加手続きの過程でなされたコメントから話題が生じることが多い。

いったん，集団が対話を経験すると，そのプロセスはひとりでに続いていく傾向がある。メンバーが別の仕事，タイムリミットのある具体的な仕事に取り組む時になっても，輪になって対話スタイルを維持することを選んだ集団の中に私はいたことがある。最初の手続きを踏まえることの価値，メンバーの"保留"する能力が増したこと，われわれの思考がいかに外部の現実を恣意的な方法で分断しがちであるかについて共に認識すること，自分たちお

よび互いの仮定を感じとることなどの洞察力が業務にまで持ち越されているのである。

　対話というものは，定義によれば集団の中だけで意味をなすプロセスである。対話が成立するには，2人以上の人々が協力しなければならない。しかしこの共同作業は，個人の選択いかんである。それは，どのようにして会話を最大限に活用するかに向けたある種の姿勢と，熟考と保留というある種の技能に基づいている。集団がいったん，これらの姿勢と技能を集団として身につけると，非常に時間感覚に優れた対話スタイルの問題解決ミーティングを行うことができる。

　前にもふれたように，大半の人は対話とは何かについて一般的な感覚を持っているし，これまでの人間関係でいろいろな対話を経験している。このため，問題解決のミーティングの席でも，議長は集団が対話を試みるべきだと主張するかもしれない。私の経験では，自分たちのコメントや認識の裏には常に仮定が存在しており，そしてその自分たちのお互いの仮定に触れられれば，問題解決プロセスが改善するであろうことを早い段階で伝えることがベストである。結果的に，会話があまりにもディスカッションや討論のようになってしまっても，その意見の違いはお互いの仮定が異なっているためであるかどうかの正当な疑問を投げかけることができる。さらに，そうした仮定を堂々と探求することもできる。会話の背後にある認知的カテゴリーと仮定に集団の注意を絶えず集中させることが，この観点からは，コンサルタントの中心的な役割である。

◆結論とプロセス・コンサルテーションが意味すること

　対話は"良い"コミュニケーションと考えることができる。われわれは対話を，お互いを理解し，有意義な方法で意見を交換してきた会話とみなしている。この意味では，コンサルタントとクライアントの間に援助的な関係を築くことは各人がディスカッションや討論ではなく，対話として経験する会話レベルに到達することと同じである。それゆえ，対話はいかなる援助的な関係においても対面のレベルで必要とされるのである。より大規模な集団で

対話の本質を分析すると，コミュニケーションの根底に流れているいくつかの本質的な問題を説明できるようになる。しかしそれらの問題は，大きな集団と同じくらい，1対1の関係でも適応できる。

プロセス・コンサルテーションにとって課題として残ったままであるのは，そこで，対話の形の近づけるために会話をいかに管理するかということである。コンサルタントはクライアントとのコミュニケーションをよりよくするためにどのような介入ができるだろうか？明らかに第1の原則は，コンサルタントがその違いを理解し，いつ，どのようにして自分の仮定が作られ，しかも自分の思考プロセスによって世の中がいかに恣意的な語彙のカテゴリーに分断されてしまうのか，さらに現実の本質とは何かに対する自分の仮定がクライアントのそれとどのように異なっている可能性があるのかを知ることである。コンサルタントは自分自身のコミュニケーション行動の中で，保留し，仮定をチェックし，クライアントが自分の仮定に正面から向き合えるよう援助することのできる能力を実証しなければならない。

コンサルタントにとってこれらを実行させるようなベストの介入の1つは，質問に対する答えを意識的に保留することである。私ならどうするかを言って欲しいとか，次に何をすべきかの助言をして欲しいとクライアントから迫られることがしばしばある。このとき，私は反文化的ではあるが効果的な，ある選択をする。私は沈黙を守り待つのである（つまり，反応を保留するのである）。この沈黙によってクライアントから多くの情報や返答，そしてより核心をつく質問がよく引き出されることは，実に驚くべきことである。私は反応を保留することで，クライアントに対し質問にはいつも答える必要があるわけではないことを示す役割モデルと伴っているのである。保留できるようになることは，熟考する技術を上達させる第一歩であり，コンサルタントがクライアントに対して習得してほしいと願う技術なのである。なぜなら，クライアントの状況に新たな見通しを立てるのは，より巧みな観察と熟考によってのみ可能となるであろうからである。

コンサルタントとクライアントの関係が発展するにつれ，必然的に対話の方向へ進むであろう。しかし両者が対話に上手になるにつれ，自分たちが何をしているのかを忘れてしまうだろう。ゆえに，時々自分たちの会話の本質

を分析し，どの程度効果的な対話となっているかを査定することは，両者にとって有益であろう。そのような分析はクライアントが会話力学をより深く洞察する際の助けとなり，また，会話の形態を改善することで同僚を教育できるようになるだろう。そして，われわれ皆が気づくはずのことだが，異なる文化，サブカルチャーの単位出身である参加者同士が会話をするときには，対話に入っていく能力が決定的に重要になってくる。以下の事例は，こうした通常のポイントをいくつか説明しようと意図されたものであり，また実習は何が関わっているのかの感触を読者がつかもうとし始めるのに役立つであろう。

◆事例

ケース10.1　対話の反文化的な要素

「プロセス・コンサルテーションと文化」という，5日間のトレーニング・ワークショップで，私は100人ほどの参加者を8人ずつのグループに分け，毎日30分間会話の1つの形として対話をどのように活用するかについて学ばせた。私はひととおりの説明をし，参加者に対し会話におけるいくつかのルールを保留するようにお願いすることで，より熟考する態度をとることを奨励した。①キャンプファイヤーを囲んで座っているようなつもりになって，意見は全て炎に向かっ言う。お互いの顔を見てはいけない。②たとえ他の人のことを理解していなくても，明確にするために彼らに説明を求めなければならないと感じることはない。③誰かがあなたに直接質問したことに対して答えなければならないと感じることはない。

第1回目の30分が終わった後，私はコメントと質問を求めた。最も大きな反響は，人々がアイ・コンタクトや説明を求めること，質問に答えるという文化的ルールに背くのはほとんど不可能だということに気づいたことだった。多くの参加者たちはとても居心地が悪く，①〜③のルールを守ることをあきらめた。他の人々はお互いを見ないようにしたが，これがとても難しいことに気づいた。そしてほとんど全ての人は"保留する"のは性に合わないことに同意を示した。しか

し，2回目，3回目の30分間のセッションをやる頃になると，各集団の全員がアイ・コンタクトを保留することが心地よくなり，見解の相違を際立たせるような説明や質疑応答のディスカッションに入っていかなくても，意見を交わせることができるようになった。その集団の会話に耳を傾けていると，30分のセッションを継続していくにつれて部屋の騒音レベルがどれほど落ちていくかには驚かされる。

ケース10.2　平等に参加するという規範への挑戦

　「プロセス・コンサルテーション」についての2日間のワークショップの一部として，私は2時間の対話のセッションを依頼された。その集団の20人は全員，カウンセラーやコンサルタントといった専門家ばかりであり，ガイダンスをたくさん与える必要性は最小限におさえられた。われわれは，各人に名前とセッションから何を得たいと思っているかを簡単に述べてもらう手続きから始めた。2時間のセッションの間，1つの話題から次へと，会話は比較的心地よく流れ，集団メンバーはより熟考することができるようになっているのが見て取れた。セッションの終わりが近づくと，それまでの対話のセッションに対する反応を一言，二言述べてもらい対話を終えるよう各メンバーに依頼した。さまざまなコメントの中で，最も印象的で意味深かったものは「今回のセッションで私は，ここ何年もの間ではじめて沈黙したままでいることを許されていると感じることができた」というある人のコメントだった。彼も他の人も，多くの集団で誰でもある程度の発言の機会を保証されるべきという規範があるだけでなく，ある意味で参加することを強制するような規範が存在するということを指摘している。沈黙は悪であり，議長は沈黙している人の考えていることを知るために，彼らをしばしば誘いこもうとする。また，彼らは"対話に参加する"ための助けを必要としているという誤った想定にしばしば基づいているからである。この人のおかげでわれわれは，沈黙して熟考することがいかに意義のある反応であり，集団のミーティングにおいてそれが正当に認められることがいかに大切であるかを改めて確認できた。

ケース10.3　業務上の問題に対話を導入すること

　私は大手石油会社の探査＆生産部門で，この部門のサブカルチャーが何であるかを特定するために働いていた。彼らは自分たちのサブカルチャーを理解しなければならなかった。なぜなら，会社は，この部が生き残っていけるかどうか，またその業績をどう評価するかを決めようとしていたからである。その部の上層部40人とともに文化の分析をする過程で，その中に2つの強力なサブカルチャーが存在することが分かってきた。一方は探査という核心をなす技術と主要業務を反映しており，他方は生産であった。文化を分析することである程度の洞察はなしえたが，その部が生き残れるかどうか，その生産性をいかにして評価するのかという問題を明確にすることはできなかった。発見された石油やガスの量，生産効率などはっきりとした指標はあったのではあるが，その集団はどれにも実質的には同意することができなかったのである。

　私はこの探査＆生産（E＆P）部のトップ12人と評価システムを開発する仕事に取り組みはじめ，何回かミーティングを重ねるうちに，彼らがさまざまな選択肢について討論にいたっていることに気づいた。そうしたある折に私は，探査＆生産の立場を反映する評価に2種類の異なった概念があるだけではなく，12人のメンバーの間で評価の本質についてのそれ以上の暗黙の仮定がたくさんあるという洞察を得た。私は次回のミーティングでは，ミーティングの代わりに3〜4時間かけて対話してみようと提案した。

　われわれはある夕方を選んで，円形に部屋の設定を行い，通常のオリエンテーションから始めた。私は，対話に入るための簡単な手続きをふんだ後，われわれは順に部屋を一巡するように各メンバーにくつろいだ方法で，自分たちにとって評価とは何か，そして自分たちはどのように評価されたいのかを語ってもらう機会を与えることにしようと提案した。質問や異議申立てはしないで，ただ語るだけというルールを設けた。私は，各人の概念をフリップチャートに記入していった。

　12人に各自の概念を語ってもらうのに1時間以上もかかったが，最後には集団の全員が本当に進展が見られたという感じを持っていた。評価という領域が本当

はいかに複雑なものであるか，これまでのミーティングでなぜ合意に達するのが困難であったのかをやっと理解することができた。その後の1時間ほど彼らは業務に専念し，探査と生産を異なるやり方で評価するよう上層部の管理者を説得する必要があるという点で合意が得られた。各々のシステムについて詳細な提案を上級管理者に進言した。このケースでは，対話の時間は，業務に関する実行可能なコンセンサスに至るために必要な回り道であった。

　この事例が明らかにした点は，次のようなことであった。すなわち，管理された会話の一形態としての対話は，問題解決過程の不可欠な一部であったということ，および，外部からの援助もなくまた学習目的の会話を管理する概念や方法も知らないままに，グループが管理された回り道をつくりあげることは大変に難しかったということだ。私は"容れ物（container）"を作る必要があった。その中では，個人的意見をそれぞれがもつことが可能であり，そうするのが安全ではないと感じることもなかった。また，積極的な問題解決者であるこの集団が回り道を，彼らが合意に達することができなかった証拠としてよりもむしろ実験として見なすことができ，その容れ物によって面目が保たれたので，対話も可能であった。

　個人の発言時間を保証して円形の集団を一巡するという必要なプロセスによって安心感が生成された。というのも集団は，もっと異論が出される討論の形式になれてきていたからだ。対話の構造には，ある意味で"われわれは一緒にこれに取り組んでいる"という感覚を皆が共有することを確実にするために必要とされる交流の時間と，メンバーが安心して熟考できるような沈黙も認められるもう1つの時間との両方が必要である点に注意する。このE&Pのケースでは，一旦メンバーが自分の意見を順に表明できると，参加者に劇的な変化が起こったが，誰もそれで居心地の悪さを感じなかった。

演習10.1　対話の簡単な演習（30分）

1．7～8人でグループを作り輪になって座る。
2．キャンプファイヤーを囲んで座って"協議"をしているように想定する。
3．1人の人が，自分の名前と認識や感情，考えなど思っていること

を簡単に述べ，対話に入るための手続きを始める。そのとき「対話に入った」と合図をし，右隣の人へ順番を回し，手続きを全員が終えるまで行う。
4. 全員が終わったら，沈黙の時を持ち，それから20分ほど思い浮かんだことを何でもキャンプファイヤーに向かって話す。
5. ミーティングの終わりに一言，二言各自に自分がどんな状態かを話してもらい，対話を終える手続きを踏む。

演習 10.2 対話の条件を探る
1. もう1人の人とペアをつくって取り組む。
2. 過去において他の人ととても有意義な会話をしたと感じた経験を1つか2つ，互いに共有しあう。
3. 順番にお互いの会話を分析しあう－例えば，その会話における相手の特徴は何か，どのような状況で生じたのか，どのくらいの時間話したのか，何の話だったかなどそれに関して思うことを何でも取り上げる。
4. 両者の会話のなかに共通するものは何かを一緒に分析する。有意義な会話をするために必要な条件をいかにして一般化するか？ある集団でこのような条件をどのようにして設定しなければならないかについて，どんな推論が導かれるか？

第IV部
プロセス・コンサルテーションの実際

　プロセス・コンサルテーションの基本的な原理をこれまで説明してきた。コンサルタントがそれによって働かねばならない原則や，計画的フィードバックを提供したり，集団がよりよく機能するのを援助したり，あるいは対話がもっと詳細に至るようにするために会話のプロセスにおいて，コンサルタントが行わねばならない介入について詳しく述べてきた。コミュニケーションや人間関係をゆがめてしまう隠された力についても分析した。ここでは，こうしたすべてのことが一緒になってどのような役割を果しているかを，ある一定期間に及ぶいくつかのケースにおいて例証することが残っている。

　読者が注意すべきことは，次の3つの基本的な役割，つまり①専門的な情報の提供，②"医者"という有利な立場からの診断と処方，③プロセス・コンサルテーションが，常に相互作用しているということである。コンサルタントあるいは援助者は誰でも，現実の変化につれて，こうした役割に入ったり，出たりをする必要があることに気づくだろう。それゆえ，プロセス・コンサルテーションを"プロセス・コンサルタント"というフル・タイムの専門職とみなすより，どんな援助者も身につけていなければならない1つの技術と考えたほうがよいだろう。しかし矛盾しているようだが，援助者がいつどのようなコンサルタント・モードでいるべきかを知るには，プロセス・コンサルテーションに関わる大半の技術が必要になってくる。一例えば，即座

に診断する能力，現実に合わせてコンサルタントの行動を変え，成り行きにまかせ，機会を捉えることができる能力などがある。

　コンサルテーション・プロジェクトは複雑なやり方で展開する。"スカウティング" "参加" "契約" "診断" そして "介入" といった一続きの単純なパターンを人は実際には確認できない。そうではなくて，実際に起きていることは，当初より窓口となったクライアントに介入し，次に間に立つクライアントに介入し，その後主要なクライアントであるプライマリー・クライアントに介入していくということである。プライマリー・クライアントは，一連の関係者およびプライマリー・クライアントが関わるプロジェクトにその人を従事させることもある。これらの介入の全てにおいて，意識されてはいないが最終的なクライアントとなる人のことを考え，彼らの要求や課題が無視されたり，脇へ追いやられたりしないようにしている。それぞれの関係の中で，コンサルタントは援助関係を作り上げ維持するために絶えず診断を行い，介入の度合いを注意深く調節していなければならない。そしてこれらの大半が行われるのは，会話を通じてであるため，コミュニケーションと会話の力学に焦点を合わせたままにしておくことが，必須である。

　ある期間にわたってこれがどのように繰り広げられるかは，次の章で事例と，分析したコメントを添えて説明したい。この本の最終章である第12章では，援助関係一般の築き方について必須の原理をまとめてみようと思う。

第11章

実際のコンサルテーション：
参加，環境，方法，および心理的契約

　援助関係を築くときに強調されることのほとんどは，これまでのところ2者間あるいは小集団でのコンサルタントとクライアントの関係に焦点が当てられてきた。しかし，コンサルティングの大半は，比較的大きな組織での学習の場やプロジェクト変更の状況で行われている。大きなプロジェクトにおいてプロセス・コンサルテーションが活用されていることこそ，そのような脈絡で「組織開発」と呼ばれてきたことを明らかにしている特徴である。常のことであるが組織再編に人間的要素が関わっている場合，組織開発をより当を得たプロセスとしているのは，専門家とのプロセス・コンサルティングと医師的なコンサルティングの相互作用である。当然ながら，最も技術的な問題にさえも人的要因が含まれる。ゆえに，援助関係を築き，適当なときにはいつでもPC（プロセス・コンサルテーション）モードで機能できる能力は，いかなる望ましいコンサルテーションをも定義する特徴なのである。

　この章では，組織的な脈絡にもっと焦点を当てて，この点について詳しく述べるつもりである。どのようにして最初コンサルタントは組織に参加し，その中で徐々に現れてくるクライアント組織のいろいろな部署と関係を発展させ，クライアントと取り組むための環境と方法とを選び，プロジェクトの展開に伴って発展しうる心理的契約を結ぶのであろうか？

　事例の多くはBillings社でのことに基づいている。Billings社は私にとっ

---

1) ここでいうBillings社とは，私の文化に関する本でAction Co.として挙げてあるのと同じ会社である（Schein, 1992）。

て特に重要な意味を持つ。というもの，この企業での多くの経験を通して，プロセス・コンサルテーションの本質を学んだからである。この企業でのコンサルタントとしての，私の仕事は1966年から1993年まで続き，幸運にも，実際の業務ミーティングに同席するよう招かれたのである。事例は主に Billings 社を中心とするが，他社と対比させ比較するために，別の企業の情報も記すつもりである。

◆最初の接触と参加

最初の接触は，クライアントである組織の誰かが私に電話をかけてくるか，手紙をくれるかで行われる。彼は，組織のある部門で経験したり，あるいは感知している何らかの問題について伝えてくる。コンタクト・クライアントは最初の電話や手紙で，通常の組織内の手続きでは解決できない問題を感知していたり，あるいは今の組織の力量では埋め合わせることのできない不足があるのが見えたと指摘している。よく依頼されることは，会社を訪れて，そのコンタクト・クライアントが組織に存在すると感じている問題と関連があると確信する話題について経営陣に話をしてほしいという"教育的な介入"である。そのような依頼は，自分がその時点で最も関わっている話題や自分が書いた論文や本に関する話題を反映している。例えば，管理者啓発，キャリア開発，コミュニケーションと集団力学，組織における社会化，そして——ごく最近ではあるが——文化とその変容，組織としての学習などがある。

Billings 製造会社

私が1966年に初めて Billings 社と出会った頃は，その会社は3人の創始者が経営する小さなハイテク製造企業であった。彼らは実現を目指す技術的な野望を抱いていた。彼らは，基本的には電気技師であり，商品化できると考えている商品のアイディアを持っており，地元のベンチャー投資会社から僅かな元手を得ていた。会社は1950年代の終わりの設立された。

1966年に私がその会社と初めて接触したきっかけは，MIT（マサチューセッツ工科大学）で働いていたことのあった知人からの電話だった。彼は，当時，その会社の創始者／社長に次ぐ地位にある生産ラインの管理者であり，社長の経営アシスタントでもあった。コンタクト・クライアントのCharlesは，最近の組織改正によって経営陣にコミュニケーション上の問題が発生していると告げた。この企業は向こう10年で飛躍的に成長することが期待されており，その成長への備えとしてこのような類いの問題に取り組まなければならないとその集団は感じていた。Charlesは，私が組織の人間関係の問題に関心があり，集団力学においてかなりの訓練を積んでいたのを知っていた。そのため，彼は経営陣のトップ集団にコンサルタントを招き入れてみるように社長であり創始者でもあるJohn Stone氏を説得した。彼は私に電話をかけ，もし私が乗り気であれば社長との会合の場を設定する許可を取りつけた。

◆関係を明らかにすること：予診会議

初めのほうの章で，援助的とみなされる方法で最初のリクエストにどうやって反応するかという問題について十分に検討した。もし最初のミーティングや電話でのやり取りから援助的な雰囲気を感じ取られ，さらに私がその提起された問題に関心があり取り組むことが可能であれば，コンタクト・クライアントと私がともに次の段階を決めるのである。ほとんどの場合，それは例外なく予診会議となる。誰が予診会議に出席するのか，どこで行われるのか，どのくらい時間がかかるのか，またクライアントは報酬を払うのかどうか，といったことはコンタクト・クライアントと一緒に取り決めがなされなければならない。PCの理念からすればあらゆる介入はクライアントとコンサルタントが一体となってなされるべきなのである。だから最初になすべきことは，予診会議の性質について正しい決定を導くような問題解決プロセスを作り上げることである。予診会議では，クライアントである組織の他のメンバーにおそらく会うことであろう。しかし，彼らが中間クライアントなのか，主たるクライアントなのかは分からないだろう。

予診会議の目的は次のとおり。
1．何が問題なのかをもっとはっきりさせること
2．私がさらに介入していくことが組織にとって助けとなっているかどうかを検証すること
3．その問題が私にとって関心あることかどうかを検証すること
4．私とクライアントの感情的な相性をテストすること
5．2．3．4．の答えが肯定的であるならば，クライアントと共に次の行動を決めること

　クライアントとミーティングの計画を立てる上で，最も重要な質問は「そのミーティングに誰が出席すべきか？」ということである。もし私が人選に対して影響力を及ぼせる機会があるとしたら，次のような基準で選ぶ。
1．組織で十分高い地位についており，新しい識見を得たときに他の人に影響を与えることができるような人物
2．組織の問題に取り組むためにコンサルタントを依頼しようというアイディアに一般的に同調してくれるような人物
3．注意することが必要である一連の具体的問題や兆候を理解している人物，あるいはいまだ達せられていない何らかの目標や理想を追っている人物
4．行動科学コンサルタントのことをよく知っていて，クライアントはコンサルテーション・プロセスではアクティブでなければならないという考えに理解ある人物

　このような初期のミーティングでは，コンサルタントが提供し得るサービスに敵対的，懐疑的，あるいは全く無知である人を参加させるのは避けるべきである。もしそういう類いの人が1人またはそれ以上出席し，私が彼らを助けることができるかどうか証明するよう迫ってくると，われわれはもはや問題を探索などしていられなくなってしまう。むしろ私は自分を売り込む役割にはまりそうになり，もし，この役割についてしまうなら，そうなってはクライアントの自助を支援するPCモデルをすでに逸脱してしまうことにな

第11章 実際のコンサルテーション：参加，環境，方法，および心理的契約　303

る。反対に，最初は共同作業を試してみることに関心のあるクライアント組織のメンバーと会うことから始めるならば，後の段階で組織内の抵抗を示すメンバーが建設的に対峙し，対立を解決させていくようなミーティングや舞台設定を企画することが可能となることがよくある。

　予診会議はふつう昼食をはさんでの会議か，半日をかけての会議となる。援助プロセスは本当は初めて出会うときから始まるのだから，この会議に対しても会社側はコンサルテーション料を払う心づもりでいるべきだと，私はコンタクト・クライアントに対して伝えるのが普通である。診断のために私がする質問，問題にアプローチするための理論体系，自分の目で観察したり，反応したりすることがらなど，それら全てが合わさって最初の介入となる。これらの介入は，クライアントが自らの問題を認識することに，ある程度の影響を与える。会社が抱える問題について数時間かけて探求を行うと，コンタクト・クライアントは新たな認識，新たな見解を持つようになる。同時に，私も最も貴重な資源―つまり時を共有しているのである。

　Billings 社では，最初の予診会議はコンタクト・クライアントとだけで行った。Charles は，社長がある重要な人々への対応のしかたに助言を必要としている，とする気がかりを隠すところなく話した。社長と重要な地位にある部下の間のコミュニケーションがうまくいっていないことを彼は心配しており，最近の会社の経緯から考えて，この組織には安定勢力が必要であると指摘した。私は Charles に，Stone（社長）は彼が（Charles）が私に相談をもちかけていることを知っているのかどうか，コンサルタントを依頼することについてどう思っているのかを尋ねた。Stone（社長）も他の主だった経営陣も皆，一緒に取り組んでくれる人を招聘することに賛同していると Charles は答えた。何らかの外部からの支援が必要なことを皆が理解していた。

　この2人だけのミーティングは，その領域をさらに検討して見ることを決定して終了した。そのために定例の常務会議に一度出席して，そこで創始者であり社長でもある Stone 氏にも会い，お互いにうまくやっていけるかどうかを確かめてみることにした。Stone は強烈な個性の持ち主であり，私は Stone やその部下たちと密接に関わりあっていくわけであるから，このステップは必要不可欠な手続き

であった。

　ほとんどの場合，最初の接触だけではそのコンサルテーションの本当の目標は何かを見定めることはできない。それゆえ，予診会議では，さらに議論をすることに合意するのが精一杯である。もし私にコンサルテーションのための十分な時間があれば，早いうちにそのような会議を設定する。時間がなかったり，興味がなければ，問題をしばらくそのままにして置くことができないか尋ねるか，もしくは誰か他の援助できそうな人を推薦するかする。時には，何かが生じた場合には，その仕事には後で取り組むか，誰か他の人が取り組むことになるということを理解してもらった上で，予診会議に応ずることもたまにはある。実際，予診会議によって提供できる独特のサービスの1つは，クライアントがどのような種類の助けを必要としているかをクライアント自らが整理するのを助けることである。ただし，最初にあたったコンサルタントがこれから先のプロジェクトにも責任を持っていくということを意味しているわけではない。私は時にはコンタクト・クライアントに次のように提案することもある。私のサービスを最大限活用するには，クライアントが必要としていることを見極めるために1〜2回のミーティングを持つことではなかろうかと。―ただし，両者とも，より長期間に及ぶプロジェクトに関わらねばならないという拘束はなしにである。この段階でコンサルタントは，この先どのような専門家が必要となってくるかを判断するのを助ける一般の開業医のような役割を担うのである。

　会議の間，私は次のようなことを意図して調査のための質問をした。1）提起された問題の側面をはっきりと際立たせる，2）コンタクト・クライアントの姿勢がどの程度前向きで心を開いているかを試す，3）私自身のスタイルについてできるだけ提示する。もしクライアントの受け答えがはっきりせず，自分の組織について批判的になるのを嫌ったり，動機に迷いがあったり，コンサルタントとしての私の役割に不信感を抱いていたりすると感じられるときは，私は慎重になる。そして，問題点についてさらに掘り下げなければ何も決められないことを伝え，よい関係が築けそうにないと悲観的に思われる場合は，関係を終了する。もしコンタクト・クライアントが，何が問題で

あるかは既に分かっているという姿勢を頑なに貫き通す場合，あるいはその問題について適任ではない私を専門家として間違って選んでしまった場合，あるいは組織心理学関係の枠組に精通しているコンサルタントのなしうることについて明らかに誤解をしている場合は，私は，時間を無駄にするだけに終わらないかと心配になり，さらにミーティングの機会を設けることにすら慎重になる。コンタクト・クライアントが既に手がけていることの方向性をただ再確認してもらいたいだけに見えたり，あるいは問題の表面的なことをすばやく解決したいと思っている場合，私はそれ以上話を進める気がしない。

　好ましからざる結末を説明するために Etna Production 社を例に取り上げてみよう。この会社の人事担当の重役が私に電話をかけ，全社的に導入しようと計画中の新しい業績評価プログラムについて評価してもらうため，彼と 2 人の人事担当者に会ってもらいたいと依頼してきた。私は MIT（マサチューセッツ工科大学）で丸 1 日かけて予診会議をすることに同意した。その席で会社の代理人が提案されているプログラムの要点を述べることになった。説明に入って30分ほどしたときに，私は内容的にちぐはぐに思える点についていろいろと質問をしたが，クライアントをあからさまに防衛的にさせてしまっただけだった。われわれは討論を重ねれば重ねるほど，クライアントが自分のプログラムに完璧に執着しており，ただ私からもお墨付きの判をもらいたがっているだけだということが明らかになった。質問や批判に対する反応の仕方から見て，クライアントは自分のプログラムのどの部分も再検討する気がないこともはっきりとしていた。彼は本当のところ，批評されることを望んでいなかったのである。そこで私はその日の日程が終わると，「これまでにした質問以上にお役に立てることはない。」といって，関係を終了させたのであった。

　このように，コンタクト・クライアントとの関係を管理して，予診会議で共同の結論を出すことは，明白になるまで考え尽くさなければ複雑で，たくさんの落とし穴がある作業である。私にとっての一番の指針は，自分は援助しようとしているのであり，自分のすることはすべて介入なのであるということを忘れないようにすることである。同僚とさまざまなケースを振り返っ

てみると，ものごとがうまく機能していないようなときは，コンサルタントの側に生じた"間違い"はたいがいそのコンサルタントとクライアントの関係のごく初期の段階で生じていることに気づかされる。

コンサルティングの環境設定とその方法

　関係の非常に初期の段階で，時には，予診会議の前においてさえも，取り組まねばならないことは，コンサルティング環境の設定，詳細な日程，使われる方法の説明，達成すべき目標をあらかじめ伝えることなどである。こうしたことを決めることは重大な意味を持つ。なぜなら，その意味するところによって，直接のクライアント組織が決まり，それを通じてコンサルタントはまず，関わりを持ち，クライアントとコンサルタントが互いに持つことになる共通の期待を構築することになるからだ。

環境

　環境に関する決定を下す際には，多くの一般的原則を用いる。

　　1．いつ，どこで，クライアント組織のメンバーとさらに接触するかの選択は，コンタクト・クライアントおよび中間・クライアントと一緒にするべきである。コンサルタントはX線のようななんでも透かしてみるような眼力を持ち，注意が必要であるとぴんときたことを何でも観察しながら会社中をうろつきまわる心理学者のイメージを避けなければいけない。もしクライアントが私を訪れて気持ちが非常に楽になれば，それこそ理想的な次の段階なのである。実際，私は問題と派閥的情勢についてよく理解するまではクライアントの組織を訪れないようにしている。私は，コンタクト・クライアントあるいは中間・クライアントが私を政治的に「利用」した状況に置かれたことが一度ならずとある。彼らは私に発表をさせたり，会合に出席させたりして，自分たちがすべてに精通していることを彼らの同僚に誇示したのである。コンサルタントは自分とクライアントの両者が共に居心地のよく感じられ，そもそも接触を持つ動機となった問題や課題を探索できる環境に

のみ関与すべきである。
2．選択した環境にはトップの地位にある人が含まれるようにすべきである。なぜならば，高い所から見れば見るほど，基本的な規範，価値，目標が稼動しているところを観察しやすいからである。高い所で組織の雰囲気が作り上げられ，組織が効果的に機能するための究極的な基準が決まるのである。もしコンサルタントがこのような高いレベルの人と接点を持たなければ，これらの究極的な規範，目標，基準が何であるか理解することができない。また，彼らのことを知らなければ，自らの倫理的責任を放棄したことになる。

　もしコンサルタントが組織の規範や目標，基準を個人的に受け入れることができる場合に限り，コンサルタントは組織がそれらを達成するのを援助することを正当化できるのである。組織の目標が非倫理的，不道徳，あるいは個人的に何らかの理由により受け入れられないとコンサルタントが感じるなら，それらを変えるよう働きかけるか，関係を終わらせるかを選択しなければならない。コンサルタントは組織の権威筋が何をしようとしているかを知らずに活動するべきではない。

　2番目に，レベルが高ければ高いほど，達成されたプロセスの変化に対する効果が大きくなるのである。言葉を換えれば，もし社長が組織プロセスについてもっと学び，それによって行動を変えようとするのをコンサルタントがサポートすることができるなら，そうした変化は今度は直属の部下へ影響を与える力となる。こうして影響力の連鎖が起こる。この点をもっと普通の言い方で言うならば，コンサルタントは組織の中において最も影響力があると思われる環境や集団を探すべきである。普通これにあてはまるのはトップ経営陣である。

3．選ぶべき環境は，問題解決，対人関係，集団プロセスの現場が観察し易い場でなければならない。このような環境としては，しばしばこれらは毎週，あるいは毎月行われるスタッフミーティング

の場や，鍵となるクライアント集団の2人以上が一緒に業務を遂行している定期的な活動の場などが適当ということになる。メンバー各個人とコンサルタントの間だけではなく，そのメンバー同士でやりとりされるプロセスを観察することが大切である。このような理由から，調査やインタビューといった方法は単にその場しのぎに過ぎない。結局，コンサルタントは集団のメンバーがいつものやり方でお互いにやり取りしている現場を見ることができなければならない。

4. 選ぶべき環境は，実際の仕事が行われているところを選ぶべきである。対人関係を話し合うためだけに，また説明を聞くだけのためにコンサルタントと会うことに，当初から集団が同意しているような状況をコンサルタントは避けるべきである。そのような会合は集団とコンサルタント関係がもっと親密になってからのほうがよく，それ以前では時期尚早である。集団はまだ対人関係についてオープンに話し合えるほどコンサルタントのことを信用しているわけではないし，コンサルタントの方もそのような話し合いで集団を援助できるほど十分な観察データもまだ手に入れていないからである。加えて，コンサルタントは対人関係の問題が業務の遂行を妨害しているかどうかも知ることができていない。定例会やミーティングが理想的なのは，コンサルタントが各メンバーのより自然な姿を観察できるだけでなく，メンバーがどんな仕事に関わっているかを知ることができるためである。

こうした原則は通常，環境を協議して決めるプロセスにおいてコンタクト・クライアントと共有される。それらを共有する中で，コンサルタントは計画的な変革プロセスについての何がしかを，また組織におけるプロセスと力学についての考え方をクライアントに伝えはじめているのである。

コンサルティングの方法

選ぶべきコンサルティングの方法は，PCの根底にある原則や価値観とで

きるだけ一致しているものを選ぶべきである。コンサルタントはできるだけ皆の目に見えるよう，また最大限相互作用に関われるようにするべきである。コンサルタントは，摩訶不思議な手段を用いて結論に達する診断の専門家のように思わせるような方法を用いてはならない。そのような結論をクライアントは理解できないであろう。そのため，コンサルタントは**観察や形式ばらないインタビュー，グループ・ディスカッション**などを用いることが望ましい。そうすることで，コンサルタントは，すでに当を得た解答や標準的「専門家」の解決法を持っているわけではなく，質問や双方向のコミュニケーションを最大に利用しうるのだという考えを，強調することができるからである。投げかけられる質問はクライアントが依頼したことの脈絡内で関連性を持ち，意味をなすものであるべきだ。私はよく，たわいもない調査質問でコンサルテーションを始める。そうすることで，一緒に働くことになるか，集団のミーティングで観察を行うことになるクライアント組織の各人と関係を構築する。インタビューは先方について何かを知ると同時に，私自身についても知ってもらうように計画される。

　私は，多くのコンサルティング・モデルで支持されているような最初にクライアント組織のメンバー全員にインタビューをすることを，あらゆるプロジェクトのお決まりの作業とはしていない。クライアント組織の各個人が内密の場合を除いて，オープンに話すことが自由にできないと感じていることが，予診会議によって明らかになる場合がある。あるいは，これから先のミーティングが各メンバーから出された議題を反映して計画されていくときもある。そのような場合には，コンタクト・クライアントと私は一連の個別インタビューを計画するだろう。しかし，インタビューをするという決定，およびその理由についてはコンタクト・クライアントあるいは中間クライアントと共有されていなければならない。それはコンサルタントのお決まりの"方法"となるべきではない。なぜなら，コンサルタントがその時点では他の誰も持っていない情報を集め持っているため，自動的に専門的役割を担うことになってしまうからである。

　コンサルタントがアンケートや調査表，テストといったものを使う場合，あるいは専門用語をふんだんに使用する場合，コンサルタント自身は回答者

に対しては未知の存在のままでありながら，同時に，情報を集め診断をすることに関してなにか特別な秘密の知識を持っていると信号を送っていることになる。コンサルタントが不思議な力を使う専門家であり，個人的に知られざる存在であると見なされ続ける限り，回答者は彼を心の底から信用することはできず，質問に対しても正直な気持ちを答えることはできないのである。それゆえ，私はそれらの手法が明らかに妥当であると判断され，クライアント組織からも同意が得られるまでは，それらを使用しないことを好む。

　これらのプロセスの進展を説明するため，クライアント組織と関わりを持つようになるさまざまな側面を示す事例をいくつか紹介しよう。

　Billings 社では，予診会議は経営委員会の定期的な会合の1つであった。このとき私は，創始者であり，社長でもある Stone 氏と他の主だった重役に会い，何ができ，何をなすべきかについて議論した。私たちは社長室のとなりにある会議室で会った。大きなインゲン豆型のテーブルについた。天井からは，人差し指がまっすぐ前方を指さす形の手が6つついたモビールがゆらゆらと下がっていた。そのモビールの手が風で揺らぐたびに指はいろいろなところを指し示すので，ある種の任意の"責任追及"プロセスのようであり，私はこの組織でどのような雰囲気に出会うのだろうかと考えた。

　このミーティングで私は，集団や組織がもっと効果的になるように部外者に援助してもらうという考えに強い関心が寄せられていることに気づいた。また集団はコンサルタントと制約のない関係を樹立しようと前向きな姿勢を見せていることも分かった。私は観察やプロセス介入などを適宜行いながら，援助のしかたについての私の考えを説明した。さらによく知りあう良い方法は，結局はそれぞれのメンバーと個別インタビューをすることになるだろうだと述べた。同時に，隔週開かれている半日間の経営委員会の会合に同席したいと申し出た。そしてインタビューはこうした会合が何回か開かれた後に実施したいと伝えた。彼らはこのプロセスに同意した。

　その集団の最初の会合のとき，私は注目すべき多くの出来事を観察することができた。例えば，Stone 氏は非常にうちとけた調子ではあるが強い力を持っていた。私は最初に（それは後になってから確信したのだが）次のような印象を持った。

つまり，集団メンバーの社長に対する関係が重要な鍵を握っており，それに比べるとメンバー同士の関係はそれほど重要でないことを感じた。また，Stone 氏は自信家で，私の同席もそれに価値を見出している間だけ是認しているのだという印象も受けた。いったん彼の目から見て私の存在の価値がないと判断すれば，私と全面的に対立し，関係を終わらせることなどわけないことであろう。

　Stone 氏が私と 1 対 1 で会う必要がないを思っていることも印象的で，これは経営スタイルを示唆するものだった。彼は最初から集団の中で私と対応すれば十分だと考えていた。初回の会合の終わり近くに，私は，われわれが結ぼうとしている心理的契約が理解されていることを確認するために，彼と個人的に話し合いたいと望んだ。彼は驚くほど，この 1 対 1 の話し合いで不快感を示し，私にほとんど何も話してくれようとせず，この関係についての私の見解にまるで興味を示そうとしなかった。私はコンサルテーションが進めば，彼自身の行動に何らかの個人的フィードバックがなされるはずで，それに対して彼がどのように反応するかをテストするために個人的な会話の機会を持ちたかったのである。彼はそれを歓迎するといい，それについてほとんど少しも心配している様子はなかった。後でわかったことだが，彼の反応は，彼自身の力とアイデンティティへの強烈な自負を反映していたのである。彼は彼自身についてとてもよくわかっており，フィードバックによって少しもたじろぐことはないと思っていたのである。

　Stone 氏はまた，何をすべきかを明らかにするよう私に望んでおり，特別な問題のみを解決するのではなく，集団全体の機能を改善することを望んでいることをはっきりと打ち出した。私は彼のオープンさと私を定例会に同席すること進んで許可してくれた好意に驚き，感謝した。クライアントの定義からすれば，Stone 氏とその集団がプライマリー・クライアントであるだろうことがはっきりとした。私は経営委員会の会合に同席することから始め，その集団がもっと有効に機能するのを援助するために力を注いだのである。

　Boyd Consumer Goods 社の場合も，コンサルテーションは基本的に同じやりかたで始まった。社長との予診会議では，彼が直属の部下との定期的なミーティングを開いているかどうかを尋ねた。毎週開かれているミーティングがあり，現地会社であったので，私はそのミーティングに同席することが許された。社長は集団

メンバーに対し，この集団がもっと効率的に機能するよう助けてもらうため同席するよう自分が依頼したと説明し，それから私に向かって，自分の役割をどう捉えているかを説明するよう求めた。私はPCと自分が調査しようとしている内容について述べ，自分がそんなに活動するわけではなく，みんながいつものように振る舞ってくれることを望むこと，そして力になれると思えば意見を言うつもりであることを伝えた。2～3回ミーティングが行われた後で，集団を構成する7人のメンバーに個人的にインタビューをして，会社のことについてもっと知り，集団がより効率的になるための変化目標を明確にするのを助けることにした。

　Central Chemical 社の場合は，やりかたは全く異なっていた。というのも，その会社が地理的に遠く離れていたため，今後数ヵ月に1回，1週間だけをこの会社で過ごすことにしたためである。ここでも教育的介入，この場合は変化を管理するワークショップという形で始まった。

　コンタクト・クライアントは組織のOD（組織開発）グループにおり，コンサルタントを活用する方法について精通した人だった。私と会う前に，彼は私の同僚のDick Beckhardと連絡をとり，私を最大限に活用する方法を話し合っていた。そして，それにはライン部門管理者が実施したがっている変革プログラムの診断と行動計画を改善することを支援するのが，適切なワークショップ目標であろうと判断した。Dickはイギリスでそのようなワークショップができるかどうか私に打診してきた。そして私がOKしたあとに初めてコンタクト・クライアントから詳細について聞かされた[2]。

　このワークショップが文通によって決定されると，私は同僚と1週間のプログラムの企画に取り組んだ。ワークショップの前夜に私が到着するまで，計画を固めないということも合意した。ただし，自分の周りの職場環境を何がしか変えた

---

[2] Dick Beckhardと私は，ナショナル・トレーニング研究所のためのワークショップを開発した。これは組織でどのようにして計画した変革プロジェクトをスタートさせるかに焦点を当てている。これは，そのときのワークショップを適用させる予定であった。変革のためのこのアプローチの背後にある理念の大半は，Beckhardの業績に由来する。詳細は彼の3冊の著書に書かれている（Beckhard & Harris, 1987, Beckhard & Pritchard, 1992, and Beckhard, 1997）。

いと思っている管理者のみをそのワークショップに招くこと，その管理者たちは各自部下を連れてワークショップに参加し，チームとなって変更すべき点を検討することという骨組みは決定した。

　数ヵ月後に Central Chemical 社に赴いたとき，私は「社内」のコンサルタント連絡係と彼の上司（人事担当重役），その他このプログラムに関心を見せる2〜3人の人事関係の人と会った。われわれは目標や1週間の予定を確認し，変革目標について参加者からもっと詳しいことを確認するまでは，柔軟なままにしておこうと決め，プログラムを実行するにあたって社内コンサルタントが私といっしょに働くということに合意した。プログラム実施の場所はイギリスの北の果てにある同社の研修センターとなった。各チームの全員（18人）が，その研修所で毎日ワークショップを行った。こうしたすべての準備は私の指示のもと，コンタクト・クライアントによって行われた。

　Billings 社と Boyd 社の場合は私が直接作業集団の中へ入っていったが，Central 社のときはワークショップを行い，経営者が彼らの課題をより達成できるようサポートした。第3のパターンは上述の2つの状況を融合したものであり，特殊な組織上の問題を解決するためにミーティングを開くというものである。コンサルタントはミーティングを管理するが，参加者たちによってなされる仕事は問題解決そのものなのである。

　このプロジェクトは1960年代に Internal Revenue Service（IRS）社で行われた。IRS 研修部の何人かのメンバーは数年前に感受性のトレーニングを受けたことがあり，それを中・上級管理職の能力開発プログラムに取り入れていた。その結果，組織プロセスの分析において非常に洗練されたものとなっていた。彼らの多くには，組織の主要な問題点は本社とさまざまな現業単位の対立であるということが明らかになってきた。──つまり意思決定の権限をどこまで現場にゆだねるかという対立，権限の分散について以前に合意したことが現実にはどこまで実施されているかという対立，そして権限のラインについての対立などである。

　本社には強力な機能別担当の取締役らがいて，各地で IRS の事業を行っている支社の経営陣とよくぶつかっていた。本社が IRS 事業とそのイメージを改善しようと新しい財務ならびにマーケティング・プログラムを開発したとき，彼らは正

規のライン組織を無視して，現場の財務担当，マーケティング担当者たちに直接指示を出した。その結果，本社側，支社側とも不快感を表し憤慨した。

　本社研修部は，本社，支社を含む全重役15人による年一度のミーティングが開かれることを知っていた。その中の1人が，組織の問題に全員が取り組むことができるようなやり方で，このようなミーティングを組織できるかどうかを判断して欲しいと私に電話をかけてきた。そして，そのようなミーティングを設定し，運営してもらえないかと私に打診してきた。

　私は研修部の何人かと予診会議を開いたが，外部のコンサルタントに調査を依頼した先例がないだけに，社長や副社長がこの案にどのように反応するか彼らには確信がなかった。しかし，地域担当部長らを調査したところ，感受性訓練に参加したことがある人が多く，"行動志向型のコンサルタント"を導入する可能性についてある程度の知識をもっていたので，何かこのようなミーティングをやってみるべきであると確信していた。

　研修部長とその配下の2人のスタッフ，そしてある熱心な地域担当部長から構成される中心的なグループが私と会合を持ち，さらに戦略を練るため1日をかけて話し合った。そして，このようなプログラムが実施されるにはミーティングに参加する相当数の人々が計画，企画段階から参加すべきだという結論に達した。本社と支社から同数ずつの経営スタッフを集め集団を作った。彼らの使命は2日間をかけて全ミーティングを企画することであった。彼らの手による企画案は社長，副社長，その他主な重役たちの承認を得るため提出された。

　この企画の中で，コンサルタントとしての私の役割は2つあった。1つは，2日間の企画会議の間，本社対支社の対立という問題について私が説明をし，彼らが討論するという伝統的なやり方から彼らを引き離さねばならなかった。2つめは，最終的に決定したミーティングが成功するように責任を負い，うまく機能させるよう自分の役割を見極めねばならなかった。

　2日間の企画会議から出された企画案は次のとおりであった。
　　①組織の関係改善を目的として，上層部で組織上の問題を探索する3日間のミーティングを行う。
　　②本社も支社も議論を支配することがないことを象徴するために，社長ではなく，私が議長を務める。

③ミーティングの議題は Dick Beckhard の手順を用いて用意する。つまり，15人の各メンバーは組織が直面している重要な問題と思われることの概要を書いた手紙を私の自宅宛てに送るようにする。15人から届いた情報を主要なテーマ，課題にまとめるのが私の仕事であった。これらのテーマ，課題は初回のミーティングで全員に私から発表され，3日間分の議題となる。

そのような手紙を書かせる第1の理由は，どの人も，社長やその他のメンバーから怒りを被らずに，自分の気持ちを率直に表現する機会を提供するためである。第2は，ミーティングが始まる前にすべてのメンバーから情報を集めることができるからである。第3に，メンバー各々が議題設定に手を貸すようになったことも挙げられる。これは，社長や副社長以下の人たちによって議題が設定されていたこれまでのミーティングとはおおいに異なることである。それによって，メンバー全員が始めからミーティングに深く関わっていることを実感させるのが狙いであった。

手紙に関しては2つの問題があった。①少々ごまかしている部分があることと，②私と面識がない人がどのように反応するかわからない，ということだった。自分の会社のともすれば批判的な内容について，見知らぬ専門家に正直な気持ちを書くだろうか？われわれは回答が全然あるいはほとんど得られないというリスクを覚悟の上で決定したが，企画グループのメンバーたちには周囲の知り合いと話をし，率直に手紙を書くことを勧めてもらうよう依頼することで，そのリスクを最小限にとどめることができると判断した。

その手続きが合意を得たので，社長に説明すると熱狂的に受け入れられ，ミーティングを開く運びとなった。私は，社長あるいは副社長がどうやって自らの役割をわきまえるかに慎重にならなければいけないことを，企画グループに念を押した。もし社長が権威を振りかざすような立場に即座に戻り，会社の問題点を診断するのを支援するという役割を放棄すれば，集団は沈黙し，問題は未解決のまま残るのである。私は2人（社長，副社長）と話をした。彼らはその危険性を理解し，それでもやってみようという意欲があると私は感じた。この，これまでとは幾分異なった会合の進め方を受け入れさせることができるような度量の大きさ

を，彼らは持っているようだった。

　先へ進むことが承認されたので，メンバーにこのミーティングの様式を説明し，診断を請う手紙を副社長から出してもらうことにした。この計画およびこの計画の個々の要素については私が多くの提案をしたとしても，組織のメンバーである自分たち自らによる計画立案であることを皆に確実に理解してもらうために，企画グループのメンバーが徹底を図ることになった。

　この少し長めの手続きは，プロセス志向のミーティングでメンバーの参加意識を高めるためには必要なものだった。たとえアイディアはもともと研修部と私の手によって生まれたものであっても，その概念を本社，支社の管理者たちが気にいったことは明白であった。彼らが乗り気にならなかったら，このようなミーティングが開催される可能性はなかっただろう。

　手紙には現在の状況について率直な評価が満載されており，そのおかげで，集団が非常に関連があると思う議題を容易に設定できた。私の役割は，これらの評価をミーティングで取り組めるくらいの妥当な数の組織的課題にまとめることだった。私は，複数の人々が提起した課題のみを議題に載せたので，どのメンバーを脅かすこともなくこれらの課題を鮮明にし焦点を合わせることができた。私はミーティングの司会を務め，本社－支社間のこれからの望ましい関係を参加者がどのように築いていきたいのかについてさまざまなコンセンサスを得ながら，舵をとっていった。社長，副社長は集団に溶け込み，ミーティングを取り仕切らないよう役割をきちんと果たした。

　援助プロセスを慎重に企画することで，われわれは何年間も緊張状態を生み出していた難しい問題に取り組むことができた。それらの問題をオープンにし，中立化して，特別な個人間の問題と切り離して議論することができたのである。このような過程を経て，集団が困難な問題を建設的に取り扱い，階層区分の高いハードルを越えてお互いに議論できるという雰囲気をわれわれは作り出した。同時に私はこの経験から，私という外部者と内部（社内）のいろいろな人が協働して調査し介入することに，その結果がどれほど大きく依存しているかも学んだ。

　私はこれらの事例を通じて，取り組む方法は非常に変わりやすく，最初のコンタクトや予診会議で表れてくる現実にかなり左右されることを伝えよう

とした。強調すべき点は，私が"標準的な方法"をその集団に当てはめているのではなく，物事を前進させるにはどういった作業がベストであるかを判断するのに，クライアントも巻き込んでいる点である。同時に，もし私の意にそぐわない方法をクライアントが主張した場合には，それに抵抗する心づもりでいるのである。例えば，ミーティングの前に集団メンバーに心理テストをするようクライアントが希望するなら，それが望ましくないことをクライアントが納得するようにしなければならない。そのような議論において，私なりのプロセス・コンサルテーションの原則が提示され試されねばならないわけだ。もしクライアントが固執するなら，クライアントがその戦略を推進することは間違いであると思うと強く忠告するとともに，解約を検討しなければならないだろう。また，参加者に私への私信を書かせるといった"細工"はいつも，問題解決の全プロセスにおいてクライアントの率直な参加を最大にするために計画されたものであることに注意してほしい。そのようなプロセスなしでは，参加者は受動的で，依存した状態でミーティングに出席し，形式的なリーダーによって議題が設定されるのを待つことになってしまうだろう。このような考え方はすべて"心理的契約"の概念と一緒に取り扱わねばならないのである。

◆心理的契約

　心理的契約とは，いつ会合をもつか，それはどのくらいの期間にわたるものか，また手当てはいかほどか，といった基本的なこと以外の部分で，コンサルタントとクライアントの間で受け取ったり，与えたりすることを暗黙に期待する一連のものである。たいていのコンサルティング理論では，そのような暗黙の期待は初めからできる限り公式に，はっきりと示されるべきだと論ずる。私の経験では，個人の願望や期待すべてをはっきりしようとしても，それは非現実的であり，実りが少ない。なぜなら，彼らが何を与え，受け取るかを十分に評価できるほど進化する現実状況をどちらの側も熟知しているとは言えないからだ。われわれが同意した正式なことであってさえも，実行可能ではないとわかることがしばしばある。各段階において，期待をオープ

ンにすることは道理にかなったことであるが，われわれがどこへ向かっているのか，どのようにことが進むのか，この先どんな問題が待ちうけているかわからないと口に出していうことも，そのようなオープンさの中に含まれるのである。

　Billings 社では，Stone 氏と私の間の心理的契約はとても曖昧なものだった。われわれは共に前向きな気持ちは持ってはいたが，ミーティングに私が参加することでどんな効果があるのか，そこからどのように関係が進展するのか，もともとわかっていなかった。その当時私が知らず，また Stone 氏も教えることができなかっただろうことだが，曖昧なままでいようというこの姿勢は一時的なものではなく，Stone 氏の基本的なスタイルだった。それから何年も経ってから，Billings 社へ私が貢献したことについてふれて，Stone 氏は次のように言ったことがある。「技術部のように，どこかに問題を見つけたときは，Ed Schein にみんなと話をするように頼んでいる。そうすれば，問題が解決すると思っていて良いのだ」

　Stone 氏は私が介入してけりをつけることを期待しており，彼自身が介入する必要はないと思っていた。私のやっていることをチェックする必要すら感じていなかったのである。実際，私が取り組んでいる課題について彼に報告したいと思った時でも，彼は退屈したように振る舞い，その問題にまるっきり関心がないのは明らかであった。彼は私のやっていることを監督する気はなかった。彼が関わるのは，私が観察し，発見したことから，彼の姿勢を変える必要があると説得した時だけであった。

　また，Stone 氏が強く求めていることの1つは，考えていることを声に出して伝えられる外部の中立的立場の人と関係を築くことなのだと私は理解した。私は彼の部屋で彼が会社や部下たちのこと，自分の心の葛藤，経営理念，その他何でも思うところについて何時間も聞かされたこともあった。われわれはよくミーティングについても話さねばならないことを抱えていたが，最初の5分ほどでおしまいにして，1時間かそれ以上，その日 Stone 氏が考えることについて話し合ったりした。私はそれに全く臨機応変に対応していく術を習得せねばならなかった。ただ聞き流すだけという一方の極から，彼の考えに異議申立てをするというもう一方の極端なやり方まで対応は変化した。Stone 氏は彼が考えるのを助けてくれる

人を必要としていたのであり，何らかの決定を下すように求められた時には，「私は1人ではそのような決定が下せるほど賢明ではないが，集団の中で聡明な他の人と話をしているとたちまち賢明になれるのである」とよく話していた。

スタッフ・ミーティングでも，私は自分の責任でやらされていた。Stone氏とその部下たちは喜んで私が出席させてくれ，できることをやらせてくれた。しかし，私が自分の役割をどのように見ているかについて何かを自ら述べないことには，私が何をすべきか，いつそれを実施するかについては何の議論もなされなかった。その集団は私に援助を期待するものの，何か特別なことをしなければ，その支援がどのような形を取るのか全く予測がつかなかったことだろう。そのうえ，彼らは役割説明を必要としていないようだった。そしてそれはBillings社の文化の中では重要なことだったのである。役割や責任というものは一般的に曖昧であり，集団はその曖昧さを居心地よく感じていた。もっと正式な契約プロセスはどうしてもうまく機能しなかった。

私がどこで，どうやって時間を使ったかを詳細に記した明細書は，人材担当の副社長に提出された。この人は，物事が進展していくにつれて，私に内部情報を提供してくれる人の1人となった。彼と私はStone氏に関わって何が起こっているか，また，Stone氏が出す議題をどう取り扱っていくのが一番よいかについて長い間話し合った。同じような会話は集団のほかのメンバーとも行われた。そして私はある意味で，集団全体のカウンセラーであるのと同様に彼らの個人的なカウンセラーにもなった。

上述のような曖昧な心理的契約は，典型的によく見られる。実際，クライアントもコンサルタントも日ごとに直面する現実を予測できないため，PCの全理念が，公式にコンサルティングの取り決めを行うことに反対している。われわれが決めておかねばならないただ1つのことは，クライアントが必要と考える時間数，コンサルタントが可能な時間数，支払われるべき報酬についてである。しかし日程についてさえも，期限を設けずに始めるほうが有効であることを知った。つまり，できる限りの時間を割り当てておくのであるが，そのすべての時間が利用されるとは期待しないというやり方である。全般的な基準は，クライアントが直面している現れ出ている現実に則して，意

味があり，最も助けとなりそうなことであるべきだ。

　私は時間あたりの手当て，あるいは日割りの手当てで1ヵ月にある一定の日数働くとする契約を結ぶ。しかし私はクライアント組織とある程度の前金や，見積もり契約を正式に交わすことを好まない。また，継続的な関係を約束することも望まない。その関係がもはや満足をもたらすものでもなく，役に立たないと判断すれば，どちらの側からでもいつでも契約を終わらせることができるようにしておくべきなのだ。お互いに，自由に終了させることができるというのは，関係の基本は，何らかの義務を果たすことではなく，実際にそこから得られる価値にあると保証する上でも重要である。

　他方，クライアントとコンサルタント両者とも，プロジェクトのために，お互いに望ましいと同意しただけの時間を割く用意がなければならない。私が1ヵ月に1日しか空いていないのに，クライアントにとっては問題の内容からいってもっと多くの時間が必要とされている状態であれば，私は明らかに最初からコンサルティングを始めるべきではないのである。私は，うまく事が運んだ場合，そのプロジェクトに対しどのくらいの時間がかかるかについて正当な予測をするようにし，少なくともそのくらいの時間は都合がつけられるよう確保している。この点に関して言えば，クライアントは，もしもっと多くの日数が必要になった場合でも，それに対して支払いができる財源を確保するやり方で費用を計上すべきである。クライアントが書いた一般的な意向を知らせる手紙以外には，この種のことが正式に取り決められることはない。いったん，日当について合意がなされれば，私はプロジェクトのために費やされた時間を記録し，月ごとにクライアントに請求書を送っている。

　私はクライアントが意図的にあるいは無意識のうちに隠しているあらゆる期待について，私の側で気乗りしない行動をとることが求められているような場合，できるだけ関係樹立の早い時期にそれを明らかにするよう努める。例えば，クライアントは私に，提起された問題に取り組むこと以上に，多くのことを支援してくれるよう期待しているかもしれない。それは部下を個人的に評価して知らせることだったり，組織における"問題児"への対応の仕方だったり，ある経営上の問題をどのように扱うか専門家としての助言を求めるものだったり，自分が下した決定をサポートするような依頼だったり，

自分の決定を他の人に納得させるようなものだったり，彼がコミュニケーションをとれずにいる人とのパイプ役となることだったり，争いを調停することだったりする。こうした期待についてはできるだけ多くを早い段階で表面化させておかねばならない。そうすれば，たとえクライアントが私に期待していたことに沿うのを私が拒んでも，そのような期待が後に落とし穴になったり，失望を生む原因となったりしないのである。反対に，クライアントがある動機を隠そうとするなら，私にできるのは，実態分析のために敏感になり，落とし穴にはまらないようにすることである。

　私のほうでも，クライアント組織に何を期待しており，コンサルタントとしての自分の役割に関しての期待が何であるかをできるだけ明らかにしなければならない。例えば，私は前向きに探求し，問題点を調査し，実際に何が行われているかを十分時間を取って解明することを期待する。また，自分のプロセス志向をサポートしてもらうこと，組織のメンバーが診断や他の介入に主体的に，ともに取り組んでくれることを期待する。私は組織やその文化独特の人間関係の問題に関しては専門家としての役割を果たすつもりはないとはっきりと述べねばならない。しかし私は，クライアントがそれらの問題を解決するのを精一杯支援することもはっきりと述べる。つまり，代替案を提供したり，いろいろな代替案を実施した結果を吟味するのを支援することによってこれを行う。私は行動中の人を観察して，またインタビューやお互いに合意している別の方法を使うことによって情報を集めることも指摘しておかねばならない。最後に，私はミーティングに参加しているときはそんなに活発に発言しないが，集団が業務を達成するのに役立つと感じた場合にのみ，何が起こっているかについてコメントし，メンバーにフィードバックをすることも明白にしておきたい。私がミーティングであまり発言をしないことが集団にとって問題となることもよくある。なぜなら，集団メンバーが一度コンサルタントを雇ったら，彼らはただ座ってコンサルタントが発言することを聴いていればいいと期待するからである。それゆえ，コンサルタントが何時間も同席していながら，ほとんど何も話さないのは，この期待を裏切るだけでなく，彼が今何を観察しているのかいささか不安を抱かせるのである。できるだけ早い時期に，私が人を傷つけるための個人データを収集して

いるわけではないことを集団に納得させればさせるほど，次からの観察がよりスムーズになるのである。

　私のクライアントはコンタクトしてきた人や最も高い地位にいる人だけでなく，私が一緒に働くグループ全体であり，すなわち全組織，大きな共同体だという考えを十分に説明しなければならない。言葉を換えれば，従業員や顧客，仕入れ先など，たとえいかなるコンタクトを取ったこともない集団であっても，そのような人たちを傷つけると思われるような決断を支持することはしない。このようなクライアントに関する無意識ではあるが，究極的な概念は，PCのもっとも扱いにくいが最も重要な側面である。私が勤めていた組織にいた他のコンサルタントを見ていると，彼らの多くが主たるクライアントとして基本的に経営トップ，つまり社長を考え，治療上の介入として何をすべきかを論じ，たとえその介入が組織の他の人々を傷つけるようなものであっても社長がその介入を売り込み，実行するのをサポートしていたのである。

　対照的に，もし私が一緒に働いている主だった人たち全員から信頼を得られるなら，私が誰か特定の人の考えを実行しようとしていると誰も思わないため，もっとも効果的にコンサルティングができるとわかった。このような援助に対しては，変革推進者にたとえるよりも，世話人や触媒的人物にたとえるほうが適している。いったん，ある程度の信用ができると，組織のいろいろなレベルを超えて取り組むことが可能となるのである。

　Billings社で，何ヵ月間もStone氏と6人の部下たちと一緒に仕事をして，彼ら全員が私をコミュニケーションをつなぐのに役に立ちそうであると認めてくれるところまできた。私の主な仕事は明らかにこの集団やミーティングに関わるものであったが，その後数ヵ月間かけて私は彼ら全員と個別にインタビューを行い，私がミーティングに同席していることから何を得たいと期待しているのか，私に語る機会を一人一人に設けた。私が彼らのことをよく理解できるようになると，彼らは私が伝えておくべきだと感じた時にはいつでも他の人の感情や反応を各自に知らせて欲しいと，真剣な様子で私に依頼してきた。彼らは特に，Stone氏があることをどう思っているかを知りたがり，また彼らがあることについてどう思っているかをStone氏に伝えてもらいたがっていた。彼らは，お互いのことやStone

第11章　実際のコンサルテーション：参加，環境，方法，および心理的契約　　323

氏について，かなりオープンに私に話してくれた。彼らが私に話した意見や反応は全て伝えてもらえるものと彼らは思っていた。彼らは自分たちが話したことをすべて秘密にしておかれるのを望まなかった。なぜなら，彼らは私や仲間をお互いに信用しており，私と彼ら全てとのつながりを，コミュニケーションの追加経路として役立つと思っていたからである。

　これらの展開は私にとって興味あることだった。というのも，この種の情報の運搬者として従事することは私にとって理想的な役割ではないし，それは彼らがお互いに直接に物事を伝える能力が不十分であることを反映するものだ，と最初私は感じた。それゆえ，私は2つの方法をとった。まず，各々が他のメンバーに対して思うところを率直に話せるようできる限りの訓練を試みた。同時に，彼らの目標達成のために役立つ私が判断した場合，彼らが率直に告げられなかった情報や意見をみんなに伝えることで時折プロセスに直接に介入した。

　私の言わんとすることを説明するような，単純ではあるが深刻な事例もある。PeatとJoeはお互いをライバルとしていくぶん意識していたためもあって，必ずしも率直に話し合える間柄ではなかった。Peatはある研究を完成して，グループ全体で議論するための報告書を書いていた。報告書の締切りの3日前に私は会社を訪れ，Peatの研究室に立ち寄り報告書について議論し，進行状況を尋ねた。彼は順調だと答えたが，正直に言って，なぜJoeが，自分の仕事に関係しているバックアップデータを見にこないのかを気にしていた。PeatはこれをJoeが自分を尊敬していない証拠の1つだと感じていた。

　1時間ほど後に，私はJoeとたまたま仕事をすることになり，Peatの報告書の話を持ち出した（この介入は私が一方的に決めたもので，そうしたほうがいいと判断したからである）。Joeとその部下はミーティングの準備に忙しかったが，Peatの持っているバックアップデータを見ることについては何も言わなかった。それは個人的な情報で，Peatが見せてくれるはずがないとJoeは言った。Joeはそれを非常に見たがっていたが，Peatは故意にそれを提供しなかったのに違いがないとJoeは感じていた。

　私は，Peatがその情報を見せたがっているということについて，私が知っている事を知らせるほうがよいと判断した。Joeはとても驚いたようだったが，後でその日のうちにPeatのところへ行った。PeatはJoeを歓迎し，Joeが見たがってお

り，そして Peat も見せたがっていた 3 冊分のデータを手渡した。私は Peat の気持ちを伝えることで Peat と Joe のいずれかを傷つけはしないかを十分に気をつけて考えなければならず，リスクの可能性より得られる実益のほうが大きいと判断したのである。そして，結果もそのとおりであった。

私と Billings 社のさまざまな管理者との心理的契約は明らかに，誰も予想し得ない，必ずしも望んでいたわけではない状況に進んでいったのである。むしろ，現実状況に則して展開していったのであり，その現実はそれぞれのコンサルティング状況によって異なるのである。

◆要約と結論

接触，参加，設定やコンサルティング方法の選択，および心理的契約の発展といったプロセスはかなり多様な姿を見せる。設定とコンサルティング手順の両方をコンサルタントとコンタクト・クライアントが協同して決めることが大切である。どんな決定がなされようとそれは，PC の根底にある一般的前提と調和するものでなければならない。そうすれば，クライアント組織が成し遂げたどのような学習も永続するものとなる。コンサルタントが専門家であるために必要なことは，支援的であると同時に現実をさらに明らかにする介入を瞬時に考えることである。コンサルタントがどのように反応するかは常に，介入としてとともに，新たなデータの発生として見なされるべきである。

これらすべての中で把握するのが最も難しいのは，診断と介入が 1 つであり，同じプロセスだという事実である。私は常に目の前に展開される現実に対してオープンでいる必要がある。また同時に，言葉で反応したり，困った顔をしたり，黙ったままでいるか，議論するか，あるいは別の質問をするかどうかといったことが，じつは結果を伴った直接の介入であることを理解しなければならない。私は瞬時にこうした結果すべてについて考えなければならない。次に何をすべきか考えるために"タイム"をとることはできない。私のすることはすべて介入なのである。

第12章

プロセス・コンサルテーションと援助関係の展望

　この章では，これまで書いてきたことをまとめ，注釈し，熟考したい。私が検討したい疑問のいくつかは，同僚である Otto Scharmer とその妻 Katryn がこの原稿を丁寧に，よく考えながら読んだ上で行ってくれた詳細なフィードバックに刺激されて浮かんできたものである。彼らの指摘には深く感謝する。また4人の同僚，Dick Beckhard, Warner Burke, Michael Brimm, David Coghlan の論評も多いに参考になった。彼らの考えや提案を本書にもとり入れたので，ますます説得力あるものとなっている。

　それでは最終章では何を言うべきであるか。第一に，私はプロセス・コンサルテーションの10の原則にたち戻ってみたい。なぜなら，それは期待したように事が運ばないときに，私がどこで間違ったかを診断するのにますます役に立つものであることが分かってきたからだ。そのあとで，まだ残っている問題，特にプロセス・コンサルテーションを教えることに関する問題にふれてみたいと思う。

◆プロセス・コンサルテーションの本質としての10の原則

　プロセス・コンサルテーションや"援助関係"を築くことを考えた際に，次の疑問が浮かんでくる。「この援助するという考え方が，他のものと"異なっている"のは，本質的にどの点であると強調されるのか。どうしてわざわざこのようなことを学ばねばならないのか。約40年間「これを」実践して

きたことを踏まえて，私は本質は関係という言葉にあるとする結論に達した。率直に言えば，性格，集団力学，文化などが関わる人間社会で援助が差し伸べられるか否かを決定付ける要因は，援助者と助けを求めているその当事者，集団，あるいは組織との関係であると私は信ずるようになった。この観点から，私のとる行動はすべて，クライアントとの最初の接触の時から，介入であるべきだ。クライアントと私の両方が同時に何が起きているのかを診断することができ，しかもわれわれの間に関係を築く介入なのである。あらゆることが語られ，なし終えた時に，その関係が援助的であったかどうか，クライアントが援助してもらったと感じているかどうかで，あらゆる関係においてうまくいったかどうかを評価するのである。

そしてこのような考え方から，原則，ガイドライン，実際的な情報，その他何と呼ぼうとも，これはそのような種類の援助関係を築こうとする中で，私が常に頭の中に意識しておかなくてはいけない種類のこととなるのである。この点からこれらの原則についておさらいしてみよう。

1．常に援助的であること

もし私に援助的であろうとする意図がなく，それに向かって努力しないのであれば，援助関係に至ることがまずあり得ないのは明らかである。あらゆる人間関係において，援助的であろうとする気持ちこそが報われる，そして相互理解を深める関係を築くことを最大限保証するものであることに私は気づいた。

2．常に現状を認識しておくこと

もし私が自分自身や周りの状況，あるいはクライアントの中で何が起こっているかを判読できなければ援助的であることはできない。

3．無知にアクセスすること

私が自分自身の内なる現実を見極める唯一の方法は，自分が知っていることと知っていると思っていること，および本当に知らないこととをきちんと区別することである。そして，私は経験から学んだのであるが，私が本当に

わかっていない分野に関して取り組んでみるのが通常最も助けとなる。期待とか仮定を克服するために，自分が本当には知っていないことを自分の中でつきとめねばならず，それについては尋ねなければならないということを私は学習したのであるが，その意味では，アクセスするということが鍵である。それはまるで自分の中のデータベースを調べ，データが入っていない所にアクセスするようなものである。もし答えを本当に知らないのであれば，私はそれについて質問する方が適切で真摯なやり方だと見てもらえるであろう。

4．自分のすることはすべて介入である

相互作用は全て診断のための情報を提供するように，あらゆる相互作用がクライアントと私の両方に結果をもたらすのである。それゆえ私は，自分の行動すべてに責任を持ち，それらの行動の結果を査定し，その結果が援助関係を築くという私の目標に確実に一致するようにしなければならない。

5．問題も解決策も握っているのはクライアント自身である

私の仕事はクライアントが援助を受けることができるような関係を築くことであり，自分の肩にクライアントの問題を背負い込んだり，自分自身が経験していない状況でアドバイスや解決策を提言することではない。

6．流れに身を任せる

私はクライアントの現実を知らないのだから，できるだけ現実のなりゆきを尊重し，知らない状況において自分流の流れを押しつけないようにしなければならない。いったん信頼できる関係になり，クライアントと援助者が現実に起こっていることに対し同じ見方ができるようになったら，流れそれ自体が両者にとって共有のプロセスとなるのである。

7．タイミングが重要である

私自身何度も繰り返し学習してきたことであるが，私の見通しを伝えたり，明白にするための質問を投げかけたり，代替案を提案したり，あるいはその他私の観点から何かを伝えようとする場合，クライアントがそれに耳を傾け

られる時を見計らうべきである。同じ内容でも発せられる時が異なれば，完全に異なる結果を生み出すことがある。

8．対決的な介入で好機をうかがう

クライアントが心を開いてサインを出している瞬間，つまり，新しいアイディアを受け入れる準備ができている様子が伺えるときは，私はそのような機を逃さず最大限に利用する。そうした状況を捉えようとして耳を傾けていると，クライアントの強みや積極的な動機の上に築くことができるような分野を探すのが，最も重要であることがわかる。そのような瞬間はまた，クライアントが新しい見解に耳を傾ける用意ができていることを知らせるようなデータを明かすことによっても生じる。

9．すべてはデータの源泉である；誤りは避けられないがそこから学ぶことが大切である

私がこれまで述べてきた原則をどんなに忠実に守ろうとも，予期せぬ，望ましからぬ反応をクライアントの側に生み出すようなことを発言したり行動してしまうことがある。私がこれらから学ばなければならず，どんな犠牲を払っても自己弁護をしたり恥，罪という考えに囚われてはいけない。私が失敗を避けられるくらい十二分にクライアントの現実を把握するのは不可能である。だが，各失敗によって私は，私自身の，そしてクライアントの現実について多くのことを学ぶことができるのである。

10．疑問がある時には，問題を共有する

私が燃料を使い果たし，次の手立てが浮かばず，いらいらしたり，その他立ち尽くす事態に至ることが時折あるのは避けられない。このような状況においては，私にできる最も役に立つことは，私の"問題"をクライアントと共有することなのである。なぜ私はいつでも次に何をすべきかを知っていると思っていなければならないのだろうか。われわれが扱っているのはクライアントの問題であり，現実なのだから，私が援助的であろうとする努力にクライアントも巻き込んでしまうのが全く適切である。

これらの原則は私に何をすべきかを伝えているのではない。むしろ，私が今置かれている状況をどのように考えるべきであるかを思い出させてくれるのである。この原則は，状況が少しぼんやりとしてきた時に，ガイドラインを提供してくれる。同時に，この原則によって私は自分がしようとしていることが何かを思い出すのである。

◆介入を分類する有益な方法を開発できるか？

本書の旧版では，私は介入方法を分類しようとした。それをする可能なやり方について考えていくうちに，そのような分類が実際には役立たないという結論に至った。なぜならそうすることで，関係が進展していく局面に応じて何が援助的であるかを知るというもっと基本的な課題からそれてしまうからである。私は，「促進的介入」という一般的概念の方が気に入っている。これは，状況全体について人が知っている事を全て提供されているのであれば，コンサルタントは常にいかなる局面でも最も援助的である介入を選択しなければならないことを意味する。確かにコンサルタントは，さまざまな質問，実習，サーヴェイ-フィードバック技術，その他の介入スタイル——その多くは前の章やODに関する別の著書で述べられてきたが——に精通するべきである。

しかし，多くの種類の介入を知っていても，それはその関係において促進的方向へと移行させるという観点から，「今直ちに」何が必要とされているかを感じ取るノウハウの代わりにはならない。実際，"準備が整った"状態の介入技術を持っていると，現状に落ちついているのが難しくなる。なぜなら人は得意と思うものを使う機会をいつも狙っているものだからだ。ことわざにもあるとおり，自分がハンマーばかり持っていれば，周りのものがすべて釘に見えてくるのだ。それではわれわれが話題にしている本質的な技術とは何であろうか？

◆専門知識，技能，それとも暗黙のノウハウ？

　PCに関するワークショップを開催する際に私が経験の浅いコンサルタントに話していることの多くは，私の経験と名声のおかげで私にはうまく働いても，彼らにはうまくいかないこともあるかもしれないと気づかされることが良くある。この問題は2つの部分からなる。彼らが自分たちにはないと思っていて，私が持っているものはいったい何であろうか？援助関係を築くことに関係するもののうち，どのくらいが明快な専門知識であり，訓練によって得た技能であり，あるいは経験に基づく暗黙のノウハウであろうか？私はこれまでの文章の全般を通じて，これら知識の三レベルを区別しなかったことに，読者は気づかれたであろう。というのも，それら3つはすべて援助関係を生み出すのに関わっているからである。いくつかの章で取り上げた単純化したモデルのような専門知識は不可欠である。駆け出しのコンサルタントが心理学，集団力学，組織力学についてできる限り理解することが特に大切である。しかし専門知識だけでは不十分であることも明らかだ。ワークショップでの訓練，実習，また現場での試行錯誤を経験して人は技能を身につけていく。そして最も重要なことには，徐々に，暗黙の自動的なものとなっていくノウハウを身につけていくのである。私が新米の者に比べて明らかに勝っているものは後半のふたつの部分である。しかし，PCの基本原理が現実に対応することであるなら，新米の彼らも，それが何を意味するのであろうとも，自分の現実から取り組んでいかねばならない。

　それを説明しよう。私の仕事のことに詳しいある経営者と一緒に仕事をしているのであれば，私がこの種のコンサルテーションの専門家であると思われていることを彼女も理解しているはずだ。私はそのような認識を評価した上で，それに沿った介入をしなければならない。もし若手でキャリアの浅いコンサルタントが彼女のところへ行けば，彼はその経営者がコンサルタントである自分の経験や技術にあまり馴染みがないとわかっているのだから，彼はその現実から取り組んでいかねばならない。その結果，われわれは全く異なる介入をするだろう。だが，われわれはどちらも，援助関係を築こうとし

ているわけで，どちらもうまくいく可能性がある。関係の展開の仕方は異なっているかもしれない。しかしそれぞれの経験によって，自動的に私の方が新米よりもうまくいくはずだと決めつけられる根拠はどこにもない。

　このような状況にある新米のコンサルタントを観察すると，彼らがうまくいかないのは，例外なく原則を貫くことができていないことに関係している。早まって専門家を気取ろうとしたり，誰も望んでいないのにアドバイスをするなどである。もちろん，これらの誤りそれ自体は彼らの経験不足によるところであるが，これによって原則が役に立たないと決めつけるものではない。もし新米のコンサルタントが援助者としての役割に留まっていれば，またここで述べられたようなことに焦点を当てた状態を保っていれば，同じ場面で私が成功するのと同じくらいに彼も成功するであろう。

　私は，プロジェクト集団がそのプロジェクトで時折互いに助け合おうとしているような計画的変革を管理するという自分の授業で何度となくこのような例を見てきた。もし私がコンサルタントの役割を果たせば，援助は可能である。しかし——さらに重要なことなのだが——私が教え子たちに援助的であるようやらせてみると，これらの原則にしたがって行動した学生たちは私がなし得たであろう内容と同等もしくはそれ以上の成功を収めるのである。重要なのは経験の長さではなく洞察力である。また実習時間の多さよりも，専門家としての役割をさっさと放棄して，現実と取り組もうとする意欲が重要なのである。

　援助関係は2種類の人となりの産物であることも知っていなければならない。2人の同程度の経験を有するコンサルタントがそれぞれ違うタイプの関係を築き，いずれもが援助的であるような場合もあり得よう。私のクライアントの多くが，コンタクト・クライアントが私について語ったことだけをもとにして話を進めたいとは思わなかったのも偶然ではない。彼らは私と会って，自分で私と彼らとの"相性"を確かめたかったのである。この点からいって，どんな関係でも，たとえ経験の浅いコンサルタントであっても相性がよければ，経験豊かなコンサルタントが相性のよくない相手と仕事をするのと同等，あるいはそれ以上の成果をあげることができよう。

　最後に，暗黙のノウハウや技能は重要であるが，新米のコンサルタントで

さえも頼ることのできるこれまでの自分の人生経験がある。経験不足から誰かを助けることの意味を理解していなかったり，そのような原則に従って最善を尽くそうとしないことほど問題の前兆となることはないのである。

◆結びにかえて（個人的なメモ）

　私はこの内容を述べるのになぜそんなに熱心なのか自分自身に問うことがある。それは読者に理解してほしいと思う教訓を私は経験によって得たからだ。自分自身の援助態勢およびとりわけ他の人が誰かを援助している態勢を観察していると，私は決まっていつも同じ単純な真実を発見することになる。われわれは心理療法，ソーシャル・ワーク，教育，コーチングなどの関連分野でこれらの真実について多くを学んできた。しかしそれでもわれわれは，組織のコンサルテーションを何か異なるものとして扱うことに固執してきた。コンサルタントは私に，型どおりの診断をしたり，報告書を書いたり，特別な勧告をすることがいかに重要かを繰り返し教えてくれた。そうしなければ仕事をしていないように感じたのである。私は他の支援的職業に関連して学習してきたこと——例えばクライアントを巻き込むこと，人が自分のペースを学ぶ必要性，クライアントが自分自身の問題を見極め，解決することを援助することなど——がなぜ経営の現場や組織コンサルティングで生かせないのかを実のところ解明できていない。

　皮肉な言い方をすれば，援助的行動よりも製品やプログラム，診断，あるいは忠告を束にして売り込んだほうが簡単なように思う。コンサルティング会社はビジネスであり彼らは稼がなければならない。それゆえ，クライアントが喜んで投資するような製品やサービスを準備するため相当のプレッシャーがかかるのは当然である。しかしながら，いったんコンサルティングがビジネスになると私がいわんとするコンサルティングではなくなってしまうように思える。それは専門サービスの販売に移行してしてしまうのだ。コンサルティング会社は情報やアイディア，忠告を売り物にする。しかし彼らは援助の手を差し延べているだろうか？　私にとってこれは難しい問題である。

　援助者も生計を立てなければならないし，サービスの代金を請求しなけれ

ばならない。しかしセラピストやソーシャル・ワーカーは，型どおりの診断やセラピーの定型プログラムを含む特定の長期プロジェクトという形で，最初から自分たちの仕事を定義したりはしない。彼らはまず関係を築き，クライアントと共に他の何かが必要だと判断したときに，他のサービスを勧める程度である。多くの経営上，組織上のコンサルティングに欠けているのは，当初に関係を築くという作業である。実はこの作業によって，クライアントに自分の問題を担うようにさせ，調査や社外ミーティング，あるいはコンサルティング会社による2年間の変化プログラムなどを行うかどうかについてクライアントが良識的な判断をすることが可能になるのである。

　まず初めに信頼関係を築くべきだと私が強く思うのは，以前にコンサルタント専門家が定型プログラムを実施したことのある組織で働いた数々の経験からである。多額のお金が費やされたにもかかわらず，クライアントが望んでいたことがほとんど達成されていなかったという例をいやというほど私は見てきた。結果として，私は自分につきつけられた現実に再び対峙しなければならない。つまり，われわれが共に取り組まなければならないさまざまなレベルのクライアントたちと正しい信頼関係が築かれてはじめて援助が可能となり，またそのような関係を築くには時間もかかるし援助者側にある種の姿勢が必要となってくる。結局のところ，本書はそのような姿勢とは何かを明言する試みである。

訳者あとがき

　訳者の1人（稲葉）は1973年，1986年を中心にそれぞれほぼ1年ずつ，MIT（マサチューセッツ工科大学）スローン・スクールの客員研究員として，組織の計画的変革（planned change of organization）の研究に従事した。その際，公私にわたり私を指導し援助してくださった方が，すなわち本書の原著者 E. H. Schein 教授である。私の次男がケンブリッジで生れた時，早々とポインセチアをもってお祝いに駆けつけてくださって以来，クリスマス・シーズンに色づくこの植物は，Schein 先生ご夫妻と私ども夫婦とをつなぐ，ボストン生活想い出のいわば連結環となっている。Schein 先生は，その後も折をみては日本に立ち寄られているが，私どもはその都度お目にかかる機会をもっている。桂離宮にご案内したり，鎌倉を散策したりさせていただいているが，このような関係が永い間続いていることに，私は大変感謝しまた嬉しく思っている。

　共訳者の尾川氏とは，数年来のお付き合いで，とくに心理学の面で私も教えられるところが多く，日頃から同氏との対話を楽しんでいる。現在彼は，Schein 先生からいろいろアドバイスをいただきながら，理論と現実の間で多面的に活躍している。昨（2000）年6月，Schein 先生ご夫妻来日の際，尾川氏と私とで箱根・富士屋ホテルにご一緒させていただいた。葉先に雫をためて陽に光る新緑の拡がりは，たとえようもなく美しかった。

　さて本書『プロセス・コンサルテーション』は，著者 Schein 教授の独創になる一連の同系著書の最近作で，別言すればプロセス・コンサルテーションの本質とも称すべき内容をもっている。すなわち著者の永年にわたるプロセス・コンサルテーション経験を踏まえ，そこから得られたエッセンスを，簡潔にまとめているからである。原書書名の一部に「再訪」なる表現がみられるゆえんである。

ところで読者はすでに，コンサルテーションやコンサルティングという言葉には，格別の違和感もないであろうが，しかしプロセス・コンサルテーションについては如何であろうか。プロセス・コンサルテーションの定義については，本書の中で詳細にとりあげられているので，ここで論ずる必要もないが，この「プロセス」付きのコンサルテーションという用語こそ，Schein 教授が特別の意味を込めて使用している言葉なのである。それではこの言葉をもって，従来のコンサルテーション概念と異なるどのような思想を，Schein 教授は読者に伝えようとしているのであろうか。それは一言でいえば，クライアントが抱えている問題は，究極的には，コンサルタントがではなく，クライアント自身が主体的にこれを解決するのでなければ，真の意味での問題解決にはなりえないという，思想あるいは哲学である。それはちょうど，病気を治すのは医者ではなく，患者自身であって医者は病人のもつ治癒力を援助するに過ぎないという考え方とよく似ている。このような考え方が，コンサルタントが問題を解決し医師が病人を治すという，一般的な通念と大きく掛け離れていることは，あらためて言うまでもない。しかしSchein 教授のこの思想は，母国アメリカにおいてさえ，必ずしも正しく理解されることは多くなかった。すでに出版されている *Process Consultation*, Vol. I, Vol. II に加え，著者がさらに本書を刊行した理由の1つも，ここにある。かくして本書は，プロセス・コンサルテーションという特定のテーマを論じている点でかなりユニークである。しかし本書のもつ意義は，これにとどまらない。なぜなら，この書物は新たに，ある人が他の人の問題解決を助ける，いわば「援助（helping）関係形成の理論」を提示しているからである。

さて，人間の社会であればどこにでも，「助ける」「援助する」という社会現象は存在する。同僚がたがいに助け合い，親が子を援助する。組織のなかでは，上司が部下を援助する。しかし問題は助ける時の方法にある。問題を抱えている当事者に対し，他の人が解決案（solution）そのものを教示する方法もあれば，解決案を当事者自らが考案しうるよう他者が支援するという方法もある。そして通常は，前者の方法が当然のことのように思われている点，既に述べた通りである。しかしそのような考え方による問題解決の方法

は，問題の真の解決にはつながらないと，Schein 教授は考える。というのも，他人が考案した回答が，適切な解答になっているか否かは，結局は問題を抱えている本人が判断するものだからである。こうして問題をもつ人が心底納得する解答は，従来的なコンサルテーションの考え方を通じてではなく，プロセス・コンサルテーション的な支援によってはじめて得られるのである。他人(ひと)を「助ける」あるいは「援助する」ということは，このような意味で，助けを求めている者が自らを助けることができるよう支援することであり，また他人が当人に提供できることは，そこ迄である。なぜならそれ以上の深入りは，相手の人間性への介入になるからである。これが本書で伝えようとしている Schein 教授のメッセージなのである。ここに，助ける者が助けることの意義を理解し，また助けられる者が自らを助けてゆく，「新しい協働」の姿がある。プロセス・コンサルテーションといういっけん特異なテーマを論じながら，じつは社会的に広く存在する「援助」という支援のしかたに基礎理論を提供した本書の価値は，地味ながら著しく高いものがある。社会はどのようにして成り立ち，またどのようにして存続するのか，この点に関心をもつすべての人に，われわれは心から本書をお薦めしたいと思う。本書刊行にあたって，原著者の Schein 教授，白桃書房の大矢順一郎社長，下訳に協力された片山佳代子さんの各氏に深く感謝申し上げる。

2001年11月

稲 葉 元 吉

参考文献

Allen, T. J. (1977) *Managing the flow of technology*. Cambridge, MA: MIT Press. (中村信夫訳『"技術の流れ"管理法：研究開発のコミュニケーション』開発社，1984.)

Ancona, D. G. (1988) "Groups in organization: Extending laboratory models." In C. Hendrick (ed.) *Annual Review of Personality and Social Psychology: Group and Intergroup Processes*. Beverly Hills, CA: Sage.

Argyris, C. & Schön, D. A. (1996) *Organizational Learning II*, Reading, MA: Addison-Wesley. (Original edition 1974)

Barrett, F. J. & Cooperrider, D. L. (1990) Generative metaphor intervention: A new approach for working with systems divided by conflict and caught in defensive perception. *Journal of Applied Behavioral Science*, 26, No. 2, pp. 219-239.

Bateson, G. (1972) *Steps to an ecology of mind*. New York: Ballantine. (佐藤良明訳『精神の生態学』新思索社，2000.)

Beckhard, R. (1967) The confrontation meeting. *Harvard Business Review*, 45, March-April, pp. 149-155.

Beckhard, R. & Pritchard, W. (1992) *Changing the essence: The art of creating fundamental change in organizations*. San Francisco: Jossey-Bass.

Beckhard, R. (1997) *Agent of change*. San Francisco: Jossey-Bass.

Beckhard, R. & Harris, R. T. (1987) *Organizational transitions: Managing complex change (2d ed.)*. Reading, MA: Addison-Wesley. (高橋達男・鈴木博共訳『組織づくりの戦略とモデル』産業能率短期大学出版部，1972.)

Blake, R. R. & Mouton, J. S. (1969) *Building a dynamic organization through grid organization development*. Reading, MA: Addison-Wesley. (高橋達男・広田寿亮訳『グリッド方式による組織づくり：組織風土を変える』産業能率短期大学出版部，1972.)

Blake, R. R., Mouton, J. S., & McCanse, A. A. (1989) *Change by design*. Reading, MA: Addison-Wesley.

Bohm, D. (1989) *On Dialogue*. Ojai, CA: Ojai seminars.

Bradford, L. P., Gibb, J. R. & Benne, K. D. (Eds)(1964) *T-group theory and laboratory method*. New York: Wiley. (三隅二不二監訳『感受性訓練：Tグループの理論と方法』日本生産性本部，1971.)

Bunker, B. B. & Alban, B. T. (1997) *Large group interventions*. San Francisco: Jossey-Bass.

Carroll, J. S. & Payne, J. W. (Eds)(1976). *Cognition and Social Behavior*. Hillsdale, NJ: Lawrence Erlbaum.

Chisholm, R. F. (1998) *Developing network organizations*. Reading, MA: Addison-Wesley.

Coghlan, D. (1997) *Renewing Apostolic Religious Life*. Dublin: The Columba Press.

Cooperrider, D. L. & Srivastva, S. (1987) "Appreciative inquiry into organizational life." In R. W. Woodman & W. A. Pasmore (eds.) *Research in organizational change and development, Vol. 1.* Greenwich, CN: JAI Press, pp. 129-169.

Cooperrider, D. L. (1990) "Positive image, positive action: The affirmative basis of organizing." In S. Srivastva & D. L. Cooperrider (Eds) *Appreciative management and leadership*. San Francisco: Jossey-Bass. pp. 91-125

Dyer, W. G. (1995) *Team building: Current issues and new alternatives*. Reading, MA: Addison-Wesley.

Edwards, (1979) *Drawing on the right side of the brain*. Los Angeles, Tarcher. (北村孝一訳『脳の右側で描け』エルテ出版，1994.)

Eriksson, K. E. & Robert, K. H. (1991) From the big bang to sustainable societies. *Reviews in Oncology*, 4, No. 2, pp. 5-14.

Frank, F. (1973) *The zen of seeing*. Garden City, New York: Doubleday.

Fritz, R. (1991) *Creating*. New York: Fawcett Columbine.

Gallway, W. T. (1974) *The inner game of tennis*. New York: Random House.

Goffman, E. (1959) *The presentation of self in everyday Life*. New York: Doubleday. (石黒毅訳『行為と演技: 日常生活における自己呈示』［ゴッフマンの社会学１］誠信書房，1974.)

Goffman, E. (1967) *Interaction ritual*. New York: Aldine. (広瀬英彦・安江孝司訳『儀礼としての相互行為：対面行動の社会学』法政大学出版局，1986.)

Goffman, E. (1961) *Asylums*. New York: Doubleday Anchor Books. (石黒毅訳『アサイラム：施設被収容者の日常世界』［ゴッフマンの社会学　３］誠信書房，1984.)

Hall, E. T. (1959) *The Silent language*. New York: Doubleday.
Hall, E. T. (1966) *The hidden dimension*. New York: Doubleday.
Hall, E. T. (1976) *Beyond culture*. New York: Doubleday.
Hall, E. T. (1983) *The dance of life*. New York: Doubleday.
Harvey, J. (1974) The Abilene paradox: The management of agreement. *Organization Dynamics*, 17, pp. 16-43.
Heifetz, R. A. (1994) *Leadership without easy answers*. Cambridge, MA: Belknap Press of Harvard Univ. Press.
Heron, J. (1990) *Helping the client*. London: Sage.
Hirschhorn, L. (1988) *The workplace within*. Cambridge, MA: MIT Press.
Hirschhorn, L. (1991) *Managing in the new team environment*. Reading, MA: Addison-Wesley.
Isaacs, W. N. (1993) Taking flight: Dialogue, collective thinking, and organizational learning. *Organizational Dynamics*, Winter, pp. 24-39.
Jaques, E. (1982) *The forms of time*. London: Heinemann.
Janis, I. (1982) *Group think (2d ed. rev.)*. Boston: Houghton Mifflin.
Lifton, R. J. 19−(p. 6. 15). *Thought Reform and the Psychology of Totalism*. New York: Norton.
Likert, R. (1961) *New patterns of management*. New York: McGraw-Hill.（三隅二不二訳『経営の行動科学：新しいマネジメントの探求』ダイヤモンド社，1964.）
Luft, J. (1961) The Johari window. *Human Relations Training News*, 5, pp. 6-7.
March, J. & Simon, H. A. (1958) *Organizations*. New York: Wiley.（土屋守章訳『オーガニゼーションズ』ダイヤモンド社，1977.）
Marshak, R. J. (1993) Managing the metaphors of change. *Organizational Dynamics*, Summer,
Michael, D. N. (1973) *On learning to plan and planning to learn*. San Francisco: Jossey-Bass.
Michael, D. N. (1997) *Learning to plan and planning to learn. (2d ed.)* Alexandria, VA: Miles River Press.
Nadler, D. A. (1977) *Feedback and organization development*. Reading, MA: Addison-Wesley.
Neumann, J. (1994) "Difficult beginnings: Confrontation between client and consultant." in Casemore, R., et al (Eds) *What makes consultancy work: Understanding the dynamics*. London: Southbank Univ. Press, pp. 13-47.
Nevis, E. C. (1987) *Organizational consulting: The Gestalt approach*. Cleveland:

The Gestalt Institute Press.

Rashford, N. S. & Coghlan, D. (1994) *The dynamics of organizational levels*. Reading, MA: Addison Wesley.

Schein, E. H. with Inge Schneier and C. H. Barker. (1961a) *Coercive persuasion*. New York: Norton.

Schein, E. H. (1961b) Management development as a process of influence. *Industrial Management Review*, 2, pp. 59-77.

Schein, E. H. (1966) The problem of moral education for the business manager. *Industrial Management Review*, 8, No. 1, pp. 3-14.

Schein, E. H. (1978) *Career dynamics: Matching individual and organizational needs*. Reading, MA: Addison-Wesley. (二村敏子・三善勝代訳『キャリア・ダイナミクス』白桃書房, 1991.)

Schein, E. H. (1980) *Organizational psychology, 3d Ed*. Englewood Cliffs, NJ: Prentice-Hall.

Schein, E. H. (1985) *Organizational culture and leadership*. Jossey-Bass.; Second edition, 1992. (清水紀彦・浜田幸雄訳『組織文化とリーダーシップ：リーダーは文化をどう変革するか』ダイヤモンド社, 1989.)

Schein, E. H. (1990) *Career anchors (Rev. Ed.)* San Diego, CA: Pfeiffer, Inc.

Schein, E. H. & Bennis, W. G. (1965) *Personal and organizational change through group methods: The laboratory approach*. New York: Wiley.

Senge, P. (1990) *The fifth discipline*. New York: Doubleday Currency.

Senge, P., Roberts, C., Ross, R. B., Smith, B. J., & Kleiner, A. (1994) *The fifth discipline field book*. New York: Doubleday Currency.

Simon, H. A. (1953) *Models of man*. New York: Wiley.

Simon, H. (1960) *The new science of management decisions*. New York: Harper.

Tversky, A. & Kahneman, D. (1974) Judgment under uncertainty: Heuristics and biases. *Science*, 185, pp. 1124-1131.

Van Maanen, J. (1979) "The self, the situation, and the rules of interpersonal relations." In Bennis, W., Van Maanen, J., Schein, E. H. & Steele, F. (Eds) *Essays in Interpersonal Dynamics*. Homewood, IL: Dorsey.

Van Maanen, J. & Kunda, G. (1989) "Real feelings: Emotional expression and organizational culture." In B. Staw (Ed) *Research in Organizational Behavior, Vol. 11*. Greenwich, CT: JAI Press.

Van Maanen, J. & Schein, E. H. (1979) "Toward a theory of organizational socialization." In M. B. Staw & L. L. Cummings (Eds) *Research in Organizational Behavior, Vol. 1*. Greenwich, CT: JAI Press.

Weisbord, M. R. & Janoff, S. (1995) *Future search*. San Francisco: Barrett-Koehler.

Worley, C. G., Hitchin, D. E. & Ross, W. L. (1996) *Integrated strategic change*. Reading, MA: Addison-Wesley.

索　引

ア行

アイザックス，ビル（Isaacs, Bill）　59
相手のイメージ，コミュニケーションにおける　162
アイデンティティ，集団における　237-238
Abileneの逆説　217, 255
誤り，コンサルタント　66-68, 73, 328
アンケート　17-20, 22, 95-96, 309
意見探索／提示　206
医師−患者モデル　16-24, 25-27, 41, 48, 74, 76, 157, 299
意思決定，集団　208, 215-226
依存，文化的視点　43-44, 51
一般化，フィードバックにおける　191
容れ物の概念　59, 258, 287-288
インタビュー（面接）　17-20, 22, 308-309
ウォーレン，リチャード（Wallen Richard）　208
打ち明けるコミュニケーション　178, 181
売りこみ教えるモデル　10-15, 302
援助関係　1-2, 9, 41, 108, 327
　　交渉における立場　49-51
　　構築　51-54
　　立場上の不均衡　42-49
OD→組織開発を参照

カ行

解釈，集団における　251
介入
　　学習支援のため　169-172
　　計画的なフィードバックも参照
　　結　果　23, 66, 98, 104, 113, 126, 305, 324, 327
　　焦点の選択　227-229
　　精神内界のプロセス　126-129, 131
　　タイミング　65-67, 81, 263-264
　　探求のため　98-101, 104
　　プロセス　170-171
隠された自己　174-178
学習
　　タイプ　26-27
　　フィードバック　179-182
課題内容，集団における　202-204
課題プロセス，集団における　201, 204-208
価値，人間の相互関係における　151-156
仮定，個人的　132, 133-136, 164, 180, 252-257, 274, 289
　　参照：文化の重要性
環境設定，コンサルティング業の　306-308
勧告，文書　17
観察　122-123, 283, 308-309
感受性訓練　275-279
感情的(情緒的)反応　42-49, 123, 129-133, 154, 190-191, 241-246, 288
感情の伝播　178
管理者−部下の関係　151, 183-193
管理する者，その役割　96, 157, 167, 245
聴くこと
　　積極的質問　137, 275-276
　　立場の均等化　57-58
基準設定／テスト　249
期待（予想），コミュニケーションにおける　164-165, 166
議題，集団における　257-258
究極のクライアント　91, 104-106, 108
境界，警備／パトロール　251-252
境界管理，集団　250-252
共同の診断　12-15, 21, 104, 113, 165, 301
拒否，勧告　11, 18, 19, 50
クライアント
　　タイプ　90-91
　　定義　89, 95, 103-104, 109

345

346 索　引

　　　反応／感情　42-44,63
　　　問題のレベル（水準）　91-95,109
　　　問題を抱える　12-15,21-22,28,104,
　　　　111,165,301-302,327,333
　　　要求を知ること　7,10-11,17,18,24,
　　　　62,304
グループ・ディスカッション，コンサルティングの方法として　309
グループの考え　219
計画的なフィードバック　169,199,246
　　　学習プロセス　179-182
　　　原則　183-193
　　　コミュニケーションレベル　173-179
　　　対話　278
　　　舞台設定　182-183
ゲートキーピング，集団　249,251
言語，その役割　144-145
現実，概念　9-10,50,53,122,326
建設的オポチュニズム　65-67,328
建設的批判　185
行為計画段階　223-225
交渉，集団　251
交渉における立場　49-51
個人のレベル，問題の　92
誤認　129　132
コミュニケーション
　　　機能　141-144
　　　レベル　173-181,194
コンサルテーション
　　　原則　9-10,16,24,28,30,53,55,67,
　　　　76,82,325-329
　　　定義　1-8
コンセンサス（合意），集団　207,221-222,
　227,276,285
コンセンサスのやり方にぽとりと落とす
　215-216
コンタクト・クライアント　90,97-100
コントロール，集団　238-239,259

サ行

最初の接触　300,304
さらに大きなシステムのレベル，問題　95
自覚のないクライアント　90,104-106
時間，コンサルテーションに要する　319-
　320

自己権威化の方法　217-219
自己実現の予告　165-166
自己診断，クライアント　22,25
　　　共同の診断も参照
自己中心的な行動　236-240,242,245,248
（自己）防衛，クライアント　41,42-43
自尊心　151
質問
　　　精神を持ち続ける　136
　　　積極的質問も参照
　　　探求のための　97-101,104,301-317
　　　評価する　77-80
使命声明文　231
集団，課題プロセス　199-202,204-208
　　　意思決定　215-226
　　　介入焦点の選択　227-229
　　　課題内容　202-204
　　　タスク構造　229-233
　　　問題解決　93,208-215,226-227
集団，形成と維持　235-236
　　　アイデンティティ／役割の選択　237-
　　　　238
　　　解決すべき問題　244-246
　　　介入　263-264
　　　隠された議題　257-258
　　　機能　246-250
　　　境界管理　250-252
　　　繰り返されるプロセス　258-261
　　　個人の欲求　239-240
　　　コントロール／権力　238-239
　　　受容と親密さ　240-241
　　　成熟度の査定　261-263
　　　対処反応　241-244
　　　文化の発達　252-257
集団間のレベル，問題　93
出入管理　252
受容，集団における　240,259
主要課題　231,263-264
純粋な問いかけ　59,60-62,81,82,97,194
上意下達式　216
状況の定義　163
正直に話すコミュニケーション　178,181
少数支配　217-219
情報-購入モデル　10-15,25-27,41,48,157,
　299

情報探索／提示　206
奨励，集団における　249
ジョハリの窓　173-179
シングルループ学習　26
診断
　　共同の　12-15,21,104,113,165,301-302
　　自己　22,25
　　集団の維持　249
診断を探る質問　60,62-64,79,81,194,199,273
親密さ，集団　240-241,259
心理的契約　317-324
スカウティング　250-251
精神分析理論　122
生成的学習　26
精緻化，課題プロセスにおける　206-207
積極的質問　57-61,137,275-276
　　純粋な問いかけ　59,60-62,81,82,97,194
　　診断を探る　60,62-64,79,81,194,199,273
　　対決する質問　60,64-65,74-77,81,328
積極的に聴くこと　275-276
説明，フィードバックにおける　184
選別，コミュニケーションにおける　161-165,183
専門家モデル　10-15,25-27,41,48,157,299
相互関係の文化的ルール　145-146,278
相互協力　52-53,151
相互作用，コミュニケーションにおける　146-148
相互受容　51-53
測定システム　232
組織開発（OD）　6,299
組織間のレベル，問題　94
組織的レベル，問題　94
組織の学習　6
組織の変化　6
率先着手，課題プロセス　206

タ行

対決する質問　60,64-65,74-77,81,328
対処反応，集団　241-246
対人関係のレベル，問題　92-93
タイミング
　　集団介入における　263-264
　　重要性　65-67,81,327-328
　　フィードバック介入における　191-193,194
対面での相互関係（作用）　93,145-146,151-161,166-167,180,194,257,289
対話　273-275
　　集団力学　286-287
　　対感受性訓練　275-279
　　対ディスカッション　285-286
　　導入　279-282,288-289
　　封じ込め　287-288
　　プロセスコンサルテーション　289-291
　　保留　282-285
　　まとめ役の役割（議長）　280-281,286
妥協，集団　248
多数決の方法　220-221
タスク構造，集団における　229-233
立場上の不均衡　42-49
立場の均等化（対等化）　57-58,73-76,81,157,158,280
ダブルループ学習　26
知識，コンサルタントの　330-332
中間クライアント　90,101
調査　17-20,22,96,309
調和，集団における　247-248
沈黙，コミュニケーションにおける　60,135-136,193,290
ディスカッション，対話　285-286
ディスコンファーメーション　210
適応する学習　26-27
テスト，心理的　17,19,20,22,309,317
投影，認知理論　122
動機
　　意欲をかきたてる　118
　　フィードバックにおける　186-188
統計，その使用　17
ドラマ，コミュニケーションにおける　148-151

ナ行

内容の問題　170-171, 258-261
流れに身を任せる　53-54, 65, 327
ナチュラル・ステップ・プログラム　95
人間の交流　28, 146, 151-156
認識，集団における　283-285
認知理論　122
ノン・クライアント　91, 106-109

ハ行

ハーベイ，ジェリー（Jerry Harvey）　217
恥　152
はっきり尋ねる　135
発信者と受け手，両者間のフィードバックにおける　183-193
判断，精神内界のプロセス　125
反応，精神内界のプロセスとして　123-124
　　感情的反応も参照
PCモデル→プロセス・コンサルテーションモデルを参照
否認，認知理論における　122
評価，フィードバックにおける　184-185
評価的質問　77-80
開かれた自己／コミュニケーション　174-179, 241, 253
フィードバック，否定的　185, 188-190
フィードバック介入→計画的なフィードバックを参照
プライマリー・クライアント　90, 101-104
フリッツ，ロバート（Fritz, Robert）　62
ブレーク，ロバート（Blake, Robert）　215
ブレーンストーミング　212-213
プロセス，定義　200-202
プロセス介入　170
プロセス・コンサルテーション，定義　27
プロセス・コンサルテーション・モデル　12-15, 21-29, 24-29, 150, 165
プロセス事項　171
文化，重要性　42, 46, 50-51, 79, 117-119, 132, 133-134, 153, 156-157, 165-166, 171, 273-275
文化，組織的　14, 20, 53, 114, 170, 171, 233, 252-257, 307

分析／判断，ORJIサイクルにおける　130-131
変化を表す比喩的表現　77-81
防衛的フィルター，コンサルタント　132
報奨システム　260
方法，コンサルティングの　308-317
保留，対話の　282-285, 289-292

マ行

マイケル，ドン（Michael, Don）　66
巻き込まれたノン・クライアント　91, 106-109
まとめ役，集団（議長）　280-281, 286
満場一致，意思決定における　222-223
　　コンセンサス，集団も参照
見えない自己　175-179
無意識のコミュニケーション　177
無意識の自己　176-178
無知，認識　15-16, 137, 326
明確化，課題プロセスにおける　206-207
明瞭さ，フィードバックにおける　185-187
面目（面子），社会的価値として　152-153, 155, 158, 167
目標
　　集団の問題解決における　231, 239, 263-264
　　フィードバック介入における　183, 192
ものの見方を学ぶ　118
問題解決　14, 21, 208-215, 226-227
問題志向　79
問題を共有する原則　76, 96, 98, 113, 328

ヤ行

役割
　　コンサルタントの　39
　　集団における　237-238
要約，課題プロセスにおける　206-207
予期せざる出来事　260
予診的（探索的）質問　97-101, 104, 301-317

ラ行

リーダーシップのスタイル　13

ロバート，K. H.（Robert, K. H.） 95
論理，不完全 127, 130-131

ワ行

分かち合うこと，問題→問題を分かち合う原則を参照

私自身の（自己）イメージ，コミュニケーションにおける 162, 165

■著者紹介

Edger H. Schein

　エドガー・シャイン博士は，マサチューセッツ工科大学（MIT）スローン校経営大学院の名誉教授である。1952年にハーバード大学より社会心理学の博士号を取得した。シャイン博士はウォータリード陸軍研究所に4年間勤務した後，MITに戻り，2005年まで教壇に立った。長年に渡り，多くの著作を発表しており，*Organizational Psychology*（1980）（『組織心理学』松井賚夫訳，岩波書店，1966），*Career Anchors*（2006）（『キャリア・アンカー：セルフ・アセスメント』金井壽宏・高橋潔訳，白桃書房，2009），*Organizational Culture and Leadership*（『組織文化とリーダーシップ』）（2004），Strategic Pragmatism（シンガポール経済の奇跡に関する考察，1996），*DEC is Dead; long Live DEC*（2003）（『DECの興亡』稲葉元吉・尾川丈一監訳，亀田ブックサービス，2007）*Organization Therapy*（2009）（『組織セラピー──組織感情への臨床アプローチ』尾川丈一・稲葉祐之・木村琢磨訳，白桃書房，2014）*Career Anchors 4th ed.*（2013）（『キャリア・マネジメント──変わり続ける仕事とキャリア』木村琢磨訳／尾川丈一・清水幸登・藤田廣志訳，プロセス・コンサルテーション／白桃書房，2015），*The Corprate Culture Survival Guide New and Revised ed.*（2009）（『企業文化［改訂版］──ダイバーシティと文化の仕組み』尾川丈一監訳／松本美央訳，白桃書房，2016）等の著作を発表している。現在もコンサルタントとして活躍しており，援助を行ったり受けたりする際の一般理論と実践に関する書籍*Helping*（2009）（『人を助けるとはどういうことか』金井真弓訳，金井壽宏監訳，英治出版，2009），*Humble Inquiry*（2013）（『問いかける技術』金井壽宏監訳／原賀真紀子訳，英治出版，2014）も出版している。

　2023年1月26日没。

■訳者略歴

稲葉 元 吉（いなば　もときち）
1968年　東京大学大学院経済学研究科博士課程修了
1981年　横浜国立大学経営学部教授，学部長，大学院研究科長を経て
1998年　成城大学経済学部教授
　　　　横浜国立大学名誉教授
　　　　この間 マサチューセッツ工科大学スローン・スクール客員研究員
2008年　没
著訳書　『経営行動論』（丸善，1979, 1982），『現代経営学の基礎』（実教出版，1990），『システムの科学第3版』（共訳：パーソナルメディア，1999），『コーポレート・ダイナミックス』（白桃書房，2000），『社会の中の企業』（編著：八千代出版，2002）他

尾 川 丈 一（おがわ　じょういち）
1982年　慶應義塾大学経済学部卒業
1993年　慶應義塾大学大学院社会学研究科博士課程社会学専攻（所定単位取得退学）
2009年　神戸大学大学院経営学研究科博士課程マネジメント・システム専攻（所定単位取得退学）
2019年より　グランド・キャニオン大学大学院教育学研究科後期博士課程（リーダーシップ＆組織開発専攻）
現　在　Process Consultation Inc. (USA), CEO
　　　　Stanford University, Clark Center, Bio-Robotics Institute, Visiting Scientist
訳　書　『神経症組織―病める企業の診断と再生―』（共訳：亀田ブックサービス，1995年），『DECの興亡』（共訳：亀田ブックサービス，2007年），『組織セラピー―組織感情への臨床アプローチ』（共訳：白桃書房，2014年），『企業文化［改訂版］―ダイバーシティと文化の仕組み』（監訳：白桃書房，2016年）他

■プロセス・コンサルテーション
　　－援助関係を築くこと－　　　　　　　　　　　　　〈検印省略〉

■発行日──2002年3月16日　初版第1刷発行
　　　　　2023年11月6日　初版第21刷発行

■訳　者──稲葉元吉・尾川丈一
　　　　　（いなばもときち）（おがわじょういち）

■発行者──大矢栄一郎

■発行所──株式会社　白桃書房
　　　　　　　　　　　（はくとうしょぼう）
　　　　〒101-0021　東京都千代田区外神田5-1-15
　　　　☎03-3836-4781　📠03-3836-9370　振替00100-4-20192
　　　　https://www.hakutou.co.jp/

■印刷・製本──藤原印刷
© Joichi Ogawa, 2002　Printed in Japan
ISBN978-4-561-13140-3　C3034

本書のコピー，スキャン，デジタル化等の無断複製は著作権法上での例外を除き禁じられています。本書を代行業者等の第三者に依頼してスキャンやデジタル化することは，たとえ個人や家庭内の利用であっても著作権法上認められておりません。

落丁本・乱丁本はおとりかえいたします。

好　評　書

E.H.シャイン著　尾川丈一監訳　松本美央訳
企業文化［改訂版］
　　―ダイバーシティと文化の仕組み―　　　　　　　本体3500円

E.H.シャイン編著　尾川丈一・稲葉祐之・木村琢磨訳
組織セラピー
　　―組織感情への臨床アプローチ―　　　　　　　　本体2315円

E.H.シャイン著　金井壽宏訳
キャリア・アンカー
　　―自分のほんとうの価値を発見しよう―　　　　　本体1600円

E.H.シャイン著　金井壽宏訳
キャリア・サバイバル
　　―職務と役割の戦略的プラニング―　　　　　　　本体1500円

金井壽宏著
キャリア・デザイン・ガイド
　　―自分のキャリアをうまく振り返り展望するために―　本体2100円

E.H.シャイン著　二村敏子・三善勝代訳
キャリア・ダイナミクス
　　　　　　　　　　　　　　　　　　　　　　　　本体3800円

E.H.シャイン，J.ヴァン＝マーネン著　木村琢磨監訳
尾川丈一・清水幸登・藤田廣志訳
キャリア・マネジメント
　　―変わり続ける仕事とキャリア―
セルフ・アセスメント　　　　　　　　　　　　本体800円
パーティシパント・ワークブック　　　　　　　本体3000円
ファシリテーター・ガイド　　　　　　　　　　本体3500円

――――――― 白　桃　書　房 ―――――――

本広告の価格は消費税抜きです。別途消費税が加算されます。